A.N.G.E. Codex Angelicus

MICHEL BRÛLÉ

4703, rue Saint-Denis
Montréal, Québec H2J 2L5
Téléphone : 514 680-8905
Télécopieur : 514 680-8906
www.michelbrule.com

Inforgraphie : Jimmy Gagné, Studio C1C4
Illustration de la couverture : Jean-Pierre Lapointe
Photo de Anne Robillard : Karine Patry
Révision : Claudia Robillard, Sophie Ginoux
Correction : Nicolas Therrien

Distribution : Prologue
1650, boul. Lionel-Bertrand
Boisbriand, Québec J7H 1N7
Téléphone : 450 434-0306 / 1 800 363-2864
Télécopieur : 450 434-2627 / 1 800 361-8088

Distribution en Europe : Librairie du Québec
30, rue Gay-Lussac
75005 Paris, France
Télécopieur : 01 43 54 39 15
liquebec@noos.fr

Les éditions Michel Brûlé bénéficient du soutien financier du Gouvernement du Québec
– Programme de crédit d'impôt pour l'édition de livres – Gestion SODEC et sont inscrites
au Programme de subvention globale du Conseil des Arts du Canada. Nous reconnaissons
l'aide financière du gouvernement du Canada par l'entremise du Programme d'aide au
développement de l'industrie de l'édition (PADIÉ) pour nos activités d'édition.

Société
de développement
des entreprises
culturelles
Québec

Bibliothèque et Archives nationales du Québec
Bibliothèque nationale du Canada
ISBN 13 : 978-2-89485-429-7

De la même auteure

Publié aux Éditions Wellan Inc.:
Enkidiev, un monde à découvrir

Publiés aux éditions de Mortagne:
Les Chevaliers d'Émeraude

Qui est Terra Wilder?

Publiés aux éditions Michel Brûlé:
Les fêtes de Parandar
A.N.G.E.

ANNE ROBILLARD

A.N.G.E.

Codex Angelicus

MICHEL BRÛLÉ

...001

Des éclairs sillonnaient le ciel perpétuellement sombre des vastes étendues célestes. Depuis le premier assaut mené par les armées infernales, la lumière s'était peu à peu retirée de ces lieux divins. Même si les prophètes avaient décrit à maintes reprises cette interminable bataille entre les démons et les gardiens de l'Eden, un nombre trop insignifiant de gens en savaient quelque chose.

Satan n'avait pas toujours été un ange déchu. Il avait été créé par le Père avec le même amour que tous ses frères ailés. Toutefois, cet être malin ne s'était pas contenté du bonheur éternel dont jouissaient ses semblables. Il avait voulu posséder plus de pouvoir, s'élever au-dessus de la cohorte des anges et devenir égal à Dieu. Lorsque le Créateur avait appris ce que Satan tentait de faire, il l'avait chassé du paradis.

Le Prince des Ténèbres avait longuement ruminé sa vengeance. Les créatures divines qui avaient appuyé ses plans de conquête avaient évidemment partagé son triste sort. Satan n'eut donc aucun mal à les convaincre qu'elles avaient été victimes d'une grande injustice et qu'il était grand temps de forcer Dieu à la réparer. Au fond du gouffre, où les démons avaient été condamnés à passer l'éternité, un complot se fomenta.

Tandis qu'il surveillait l'accès au domaine du Père, l'archange Michael fut le premier à apercevoir la poussée des guerriers sataniques. Ce jour-là commença la plus terrible de toutes les guerres, une guerre opposant des anges qui avaient jadis été compagnons. Depuis des siècles, Satan perdait de plus

en plus de soldats, mais il ne lâchait pas prise. Son objectif lui
importait trop...

Océlus ouvrit les yeux après un long voyage dans les espaces éthérés très différent de ceux auxquels il était habitué. Au lieu de voler comme un aigle vers le Père pour se ressourcer, il avait longuement tourné en rond, comme un objet coincé dans une trombe d'eau. Mort depuis plus de deux mille ans, cet apôtre était devenu un être immortel, théoriquement incapable de ressentir quoi que ce soit. Pourtant, depuis que Képhas avait joint les rangs de l'ANGE, Océlus avait vécu des expériences émotives inexplicables. Il avait d'abord eu peur qu'il arrive malheur à son ami disciple, à qui Jeshua avait remis les fondements de son enseignement. Puis, il avait éprouvé un amour profond pour Cindy Bloom, une jeune collègue de Képhas. En revanche, la dernière émotion qui s'était emparée de lui, soit la haine, avait bien failli le consumer.

Océlus se rappela les paroles du Maître à ce sujet. Ce dernier n'avait pas non plus été à l'abri de l'impatience et de la colère, mais jamais il n'avait détesté une autre personne, pas même ses bourreaux. Alors connu sous le nom de Yahuda Ish Keriyot, Océlus avait eu de nombreuses discussions avec Jeshua sur cette question, car à l'époque son âme n'était pas aussi pure que celle des autres élus. Ceux qui avaient jalousé Yahuda n'avaient pas compris que ces entretiens étaient en quelque sorte une thérapie que Jeshua avait appliquée sur son disciple rebelle. Le Maître étant un homme tenace, jamais il n'aurait laissé tomber celui ou celle qui cherchait la lumière.

– Mais où sommes-nous? s'exclama Yahuda.

Un affreux spectacle s'offrait maintenant à lui. Des créatures volaient dans tous les sens au-dessus de sa tête. Yahuda ne pouvait qu'entrevoir leurs silhouettes lorsque la foudre éclairait le ciel. Elles semblaient se pourchasser ou tenter de s'échapper.

— Il s'agit d'un plan d'existence réservé aux anges, répondit une voix près de lui.

Yahuda sursauta, car il n'avait aucun souvenir de ses derniers instants sur Terre. Il pivota et vit un homme qui portait un long vêtement immaculé. De la lumière irradiait de sa peau et de ses cheveux blonds.

— Je ne suis pas un ange, alors pourquoi suis-je ici? le questionna l'apôtre.

— La plupart des hommes comprennent mentalement le sens d'une menace, expliqua Reiyel Sinclair, mais il y en a d'autres qui ont besoin d'exemples plus concrets.

— Comment cet endroit pourrait-il être le paradis? Il n'est qu'obscurité et souffrances!

— Il y a fort longtemps, l'un des nôtres s'est retourné contre le Père. Il a corrompu les âmes de milliers d'anges et les a menés au combat contre les gardiens de son jardin.

— Satan…

— Il est là-bas, au pied de ces montagnes, à diriger ses troupes. Nos soldats continuent de les écraser une à une, mais ils n'arrivent pas à le décourager.

Les yeux de Yahuda s'habituaient de plus en plus à la pénombre, et il parvint à mieux discerner le champ de bataille. Le nombre de créatures ailées qui s'affrontaient, tant dans les airs qu'au sol, était impressionnant. Elles s'attaquaient à mains nues ou se frappaient avec de longues épées. C'était le choc de leur métal brillant qui provoquait les éclairs!

— Je ne saisis toujours pas le but de ma présence ici, désespéra Yahuda. Est-ce le vœu du Père que je participe à ces combats?

— Pas tout à fait. Il me laisse beaucoup de liberté dans mon travail. En ce moment, j'essaie surtout de te faire comprendre pourquoi tu dois repousser celui qui empoisonne ton âme.

Un ange aux ailes toutes noires s'abattit à quelques pas du Témoin.

– Il est faux de prétendre que les criminels vont en enfer. D'ailleurs, cet endroit horrible n'existe même pas. Le Père pardonne la plupart des fautes.

– Même celles commises avec une haine aveugle?

– Il est malheureusement forcé d'isoler à jamais ces âmes irrécupérables, afin de protéger celles qui sont encore saines. Il les envoie ici, où elles servent de boucliers aux combattants angéliques jusqu'à ce qu'elles soient mises en pièces et disparaissent à tout jamais.

Yahuda avait du mal à croire que l'être infiniment bon qui lui avait confié sa mission punisse aussi durement ses enfants égarés. Cela allait à l'encontre de ce que Jeshua lui avait si souvent répété. «Mes actes méritent-ils un tel châtiment?» se demanda-t-il, de plus en plus inquiet. Il se concentra profondément afin de se souvenir de ses dernières actions. Des images commencèrent à apparaître dans son esprit: sa main tenant fermement un glaive, les visages terrifiés d'hommes et de femmes brusquement sortis de leur sommeil, une pluie de sang... Le Témoin cacha son visage dans ses mains, en proie à un poignant remords.

– Je me soumettrai à sa volonté, déclara-t-il d'une voix étranglée.

– Il ne sait même pas que je t'ai emmené ici, avoua Reiyel.

– Mais c'est impossible. Il est omniscient!

– L'univers a pris de l'expansion depuis l'époque où tu suivais l'enseignement de son Fils, Yahuda. Même le Père a été forcé de déléguer certaines de ses tâches à ses plus fidèles serviteurs. Sur ce champ de bataille, par exemple, Michael est roi et maître et, si tu veux mon avis, il s'en tire fort bien.

– Vous n'allez donc pas me livrer à ces démons?

– Mon but est de t'impressionner suffisamment pour que tu m'écoutes.

L'apôtre se sentit une fois de plus happé par l'étrange tourbillon qui l'avait emmené jusqu'au paradis. Lorsque le phénomène prit fin, il constata avec soulagement que Reiyel et lui s'étaient matérialisés dans un lieu beaucoup moins menaçant. Le sol sous ses pieds était duveteux, comme un épais tapis pelucheux blanc. Yahuda tourna sur lui-même pour observer les alentours. Il ne discerna qu'un ciel bleu, presque turquoise.

— Képhas m'a pourtant expliqué que les nuages ne sont que des masses de vapeur, alors comment se fait-il que nous nous tenions sur l'un d'eux? laissa échapper le Témoin.

— Comme tu le sais déjà, tout ce qui est en haut est comme ce qui est en bas. De la même façon que les hommes façonnent le monde physique selon leur bon vouloir, les êtres spirituels sont en mesure d'adapter le leur pour qu'il leur soit agréable. En réalité, mon petit coin du ciel ressemble à celui où tu parles au Père: il est froid et sombre malgré les bonnes vibrations qui y règnent. Je ne passe pas beaucoup de temps ici, mais j'ai tenu à imiter les nuages que l'on voit de la Terre, car je les aime beaucoup.

Reiyel leva doucement la main. La substance floconneuse qui formait le plancher s'éleva lentement jusqu'à se transformer en deux larges fauteuils ovales.

— Je suis conscient que ni toi ni moi n'avons d'enveloppe corporelle, mais je me suis attaché aux habitudes terrestres.

Yahuda se plia au jeu de l'ange et prit place devant lui. La sérénité de ce sanctuaire divin commençait à le réconforter.

— À présent que j'ai ton attention, le processus de guérison va pouvoir s'enclencher, le rassura Reiyel.

— Vous m'avez dit votre nom, mais je ne sais rien de plus sur vous.

— Tu as au moins deviné que j'étais un ange.

— Dans ce cas, pourquoi n'êtes-vous pas en train de défendre le jardin céleste avec les autres?

— Il y a plusieurs regroupements d'anges. Du mien sont issus de grands guérisseurs et d'efficaces exorcistes. Certains d'entre nous auront aussi un rôle à jouer au cours des événements qui secoueront bientôt la Terre. Mais je ne t'ai pas emmené ici pour te parler de moi. Je m'inquiète pour le salut de ton âme, Yahuda.

— J'ai commis des actes répréhensibles de mon vivant, c'est vrai, mais Jeshua m'a fait comprendre mes erreurs.

— Tu es néanmoins demeuré fragile.

— Je connais mes faiblesses, Reiyel. C'est pour cette raison que je n'ai pas voulu profiter de mon immortalité pour vivre parmi les humains, comme l'a fait Képhas.

— Mais à Jérusalem, ces derniers temps, tu t'es cru en sûreté.

— Les prophètes ont annoncé les dangers qui nous guetteront à la fin du monde, mais je croyais que seuls les mortels en seraient victimes.

— Il ne faut jamais sous-estimer le Mal. Surtout qu'au cours des siècles, il est devenu encore plus insidieux.

— Je m'en suis amèrement rendu compte.

— Cela me réjouit de l'entendre. À présent, permets-moi de chasser la noirceur qui s'est installée en toi, car si je te présentais au Père dans cet état, je ne suis pas certain qu'il serait clément.

— Je ferai tout ce que vous voudrez.

— Je sais, affirma Reiyel avec un sourire.

Son fauteuil glissa jusqu'à celui du Témoin. Il tendit ensuite les mains et les plaça sur les tempes de l'agneau égaré.

— Puisque tu es un homme saint, cette procédure devrait être de courte durée. Mais avant de t'y soumettre, je vais tenter de savoir qui t'a attaqué.

L'exorciste ferma les yeux et explora tous les recoins de l'âme du Témoin. Il ne s'étonna pas d'y découvrir des émotions conflictuelles comme la peur et l'amour. L'accélération du temps sur la Terre affectait beaucoup de créatures, pas seulement les anges. Les humains, se sentant de plus en plus bousculés, tentaient d'expliquer ce dérèglement de façon scientifique, alors qu'en réalité, c'étaient les terribles combats qui se livraient dans le ciel qui perturbaient l'ordre des choses.

Reiyel observa tour à tour les sentiments qui habitaient Yahuda. Lorsqu'il arriva à la haine, il fut reçu toutes griffes dehors par un minuscule démon enflammé qui s'était réfugié dans les pensées de sa victime. La taille du coupable ne diminuait en rien les ravages qu'il provoquait dans les sentiments de celui qu'il tourmentait. Mais l'ange en avait vu d'autres.

— Si tu ne quittes pas cette âme de ton plein gré, serviteur de Satan, je t'en extirperai de force et je te condamnerai à errer jusqu'à la fin des temps! le menaça-t-il.

Yahuda sentit un goût de sang dans sa gorge, et sa main chercha son glaive sur sa hanche. Reiyel resserra son emprise sur la tête du Témoin.

— Je ne te le dirai pas deux fois! hurla-t-il.

Des images morbides surgirent dans l'esprit de l'apôtre. La vision d'un nombre incalculable de corps mutilés, la plupart de soldats romains, lui donna la nausée.

— Au nom du divin Créateur et de tous ses archanges, je t'ordonne de partir!

Les mains de Reiyel devinrent si lumineuses que Yahuda fut forcé de fermer les yeux. L'envahisseur se débattit férocement, ce qui causa au Témoin de terribles douleurs. Puis, l'exorciste le lâcha brusquement. Yahuda perdit l'équilibre et s'écroula sur le sol immaculé. Il eut juste le temps d'apercevoir la petite sphère brillante qui flottait devant les yeux de Reiyel.

— Je t'avais prévenu, siffla l'ange entre ses dents.

Il captura la minuscule étoile dans sa main et la broya impitoyablement. Il écarta ensuite les doigts. Une fine poussière rouge s'en échappa.

– Tu ne te contentes pas d'ennemis communs, on dirait, commenta Reiyel en aidant Yahuda à se relever. Seule, cette entité est inoffensive, car elle n'arrive pas à s'infiltrer dans le cœur des humains. Elle nécessite l'aide d'un puissant démon.

– Il ne peut s'agir que d'Ahriman, maugréa le Témoin. Il m'a utilisé comme une marionnette pour faire le mal.

– Tu aurais dû être plus prudent.

Yahuda demeura silencieux pendant un moment, puis il se rappela que Képhas était forcé de prêcher seul à Jérusalem depuis qu'il était possédé.

– Avez-vous aidé beaucoup d'hommes comme moi?

– Comme toi, très peu, avoua Reiyel. J'œuvre surtout auprès des humains comme Vincent McLeod, par exemple.

– Vincent…, murmura Yahuda, songeur. Il y a peu de temps, je l'ai trouvé dans l'Éther, tandis que des milliers d'âmes montaient vers le Père. Il m'a demandé de lui redonner la vie et je l'ai fait.

– Personne ici ne te le reprochera. Nous avons besoin de soldats comme lui. Es-tu prêt à revenir vers le Père, maintenant?

– Je suis honteux, mais décidé à accepter la responsabilité de mes actes.

Reiyel n'eut qu'à prendre sa main pour qu'ils quittent le monde des Sephiroth et filent comme des comètes en direction de l'endroit le plus élevé de l'univers. Depuis qu'il servait son Créateur sous une forme immortelle, Yahuda n'avait visité cet endroit qu'une seule fois, soit tout de suite après sa mort. C'est là qu'il avait reçu sa mission. Par la suite, il lui avait suffi d'accéder à un plan juste au-dessus du monde terrestre pour entendre la voix du Père.

Si les anges étaient habitués à baigner dans sa Splendeur, les humains, même ressuscités, se considéraient indignes de se trouver en sa Présence. Yahuda n'était pas différent d'eux, aussi Reiyel dut-il resserrer son emprise sur son âme pour qu'il ne tente pas de s'échapper.

Dès qu'ils perdirent de la vitesse, le Témoin sentit l'amour du Créateur pénétrer chacune de ses cellules. «M'aimera-t-il encore lorsqu'il apprendra ce que j'ai fait?» se demanda-t-il. La brillance de l'énergie divine illuminait toute une galaxie! Yahuda se laissa flotter dans le vide, sans lâcher pour autant la main de l'exorciste.

– Père, voici l'un des disciples qui sert activement votre fils sur Terre, annonça Reiyel. Il a besoin de votre Force pour poursuivre sa prédication.

L'ange décrocha les doigts du Témoin des siens et le poussa gentiment vers la Source de la lumière.

– *Viens vers moi*, résonna sa Voix apaisante.

Yahuda ferma les yeux et s'abandonna à sa Puissance.

002

Couchée sur le ventre dans des draps de satin qui caressaient délicieusement sa peau, Océane ouvrit les yeux. Il était neuf heures du matin. Sa vie avait beaucoup changé depuis que l'ANGE l'avait dépêchée à Jérusalem. Ses patrons lui avaient demandé d'éliminer l'Antéchrist avant qu'il ne sème la destruction sur toute la Terre, mais elle n'en avait encore rien fait, car elle n'était pas encore convaincue que ce tyran soit Asgad Ben-Adnah.

Pour se rapprocher de lui, Océane l'avait tout simplement séduit. Puis elle avait passé les semaines suivantes à observer son comportement, pour finalement constater qu'il n'y avait pas une seule once de méchanceté dans le sang de cet homme. Au contraire, partout où il allait, il ne faisait que du bien.

Ben-Adnah ne tenant pas à étaler sa vie privée en public, il fréquentait Océane en secret et ne l'emmenait jamais avec lui lors de ses voyages à l'étranger. Depuis qu'Asgad avait réglé le conflit entre les Israéliens et les Palestiniens, les chefs des états environnants l'invitaient les uns après les autres, afin de bénéficier de ses conseils. Ses succès dans les affaires internes de ces pays étaient d'ailleurs impressionnants. Même si Océane ne voulait pas tomber amoureuse de ce galant homme, elle ne pouvait toutefois s'empêcher de l'admirer.

L'agente fantôme de l'ANGE s'étira paresseusement. Puisque son travail consistait à superviser les travaux de relocalisation des édifices ancestraux de la vieille cité de Jérusalem dans le désert, elle n'était pas obligée d'arriver sur le chantier au lever du soleil. La plupart des ouvriers savaient qu'elle était la maîtresse de leur employeur, alors ils la traitaient avec le plus grand respect. Jamais ils ne lui faisaient de remarques désobligeantes au sujet de ses retards, de plus en plus fréquents.

– Je suis en train de rouiller, ici, soupira Océane, découragée.

Elle fila sous la douche, puis ouvrit son immense penderie pour contempler sa garde-robe grandissante, car chaque fois que son amant devait s'absenter pendant quelques jours, il se faisait pardonner en lui faisant cadeau d'une robe, d'un costume élégant ou de bijoux.

Océane enfila un pantalon noir et une chemise de soie de couleur sable. Avant cette affectation en Terre sainte, elle n'avait jamais quitté le Québec. Maintenant, elle se déplaçait régulièrement entre Jérusalem et le désert de Judée. «Ma mère serait fière de moi», pensa la jeune femme, sauf que l'excentrique Andromède préférait désormais recréer ses endroits favoris dans son propre jardin.

Grâce à Asgad, Océane n'avait jamais eu à conduire une voiture dans son nouveau pays. L'homme d'affaires avait mis à sa disposition un vieux chauffeur au visage parcheminé qui ne risquait pas de la lui ravir. Ce dernier la menait où elle le voulait, sans jamais poser de questions. Même si Océane l'aimait beaucoup, elle prenait néanmoins garde de lui faire des confidences.

Océane se fit tout d'abord conduire dans la vieille cité de Jérusalem. Le nombre d'ouvriers travaillant au démantèlement des lieux saints était frappant. Des airs, on se serait cru devant une fourmilière géante. Les équipes se relayaient constamment pour que le terrain soit bientôt prêt à recevoir le temple universel. Jour après jour, Océane observait le même spectacle, lisait les mêmes rapports et inspectait les mêmes lieux. Asgad lui avait fourni un échéancier et il tenait mordicus à ce qu'il soit respecté.

«Encore quelques semaines et les entrepreneurs pourront commencer à niveler le sol pour ériger les fondations», constata l'agente, satisfaite. Elle remonta dans la limousine et se fit conduire sur la vaste plaine où l'on reconstituait systématiquement les bâtiments que l'on démantelait à Jérusalem. De gros camions transportaient chaque édifice par sections que les ouvriers s'affairaient ensuite à rassembler, bloc par bloc.

– Merci, Herschel, fit Océane en descendant de la limousine.

– Je viens vous chercher pour le dîner? demanda le vieux chauffeur avec un fort accent.

– Comme d'habitude.

La jeune femme poursuivit sa route jusqu'à la guérite qui donnait accès aux constructions. Le gardien la salua sans lui demander de montrer son badge d'identité. Océane marcha sans se presser en consultant le plan qu'elle tenait à la main. Tout semblait se dérouler tel que prévu. Elle dépassa la nuée de travailleurs qui alignaient savamment les pierres géantes à l'aide de grues monstrueuses, comme s'il s'agissait d'un simple casse-tête.

– Tout à fait génial, se réjouit Océane.

Elle se rendit jusqu'à la mosquée, maintenant achevée, mais dans laquelle les fidèles ne pouvaient pas encore se rendre. Le soleil inondait les lieux et un vent caressant courait entre les édifices en levant des filets de sable sur son passage. Océane grimpa sur un muret pour admirer le paysage. La silhouette d'un homme se détacha alors du mur de l'édifice derrière elle.

– Quand te décideras-tu à le tuer? lança Thierry Morin, sur un ton de reproche.

Océane fit volte-face, prête à se défendre.

– Oh, ce n'est que toi, se relaxa-t-elle.

– Autrefois, tu me réservais un accueil plus chaleureux.

– Tu t'attends à ce que je te saute au cou après m'avoir fait mourir de peur?

– Réponds à ma question.

La jeune femme descendit de son perchoir et examina attentivement l'ancien policier du Vatican. Il avait une mine terrible. Ses cheveux blonds, qu'il ne coupait apparemment plus, couvraient ses oreilles et sa nuque. S'il n'avait pas été un Naga imberbe, il aurait probablement aussi eu la barbe longue. Ses vêtements, cependant, étaient impeccables.

– Beau complet, observa Océane.

– Je les emprunte tous les jours dans les meilleures boutiques, expliqua-t-il.

– Tu ne prends pas bien soin de toi, par contre.

– Cela ne fait pas partie de mes priorités.

Océane s'approcha prudemment du reptilien et tenta de l'embrasser. Il s'écarta sans cacher sa colère.

– Autrefois, tu ne m'aurais pas refusé ce baiser, lâcha-t-elle en boudant à son tour.

– Comment pourrais-je croire que tu m'aimes encore alors que tu partages le lit de l'Antéchrist?

– Tu nous espionnes à travers les murs? se fâcha-t-elle.

– Si je ne l'ai pas encore tué moi-même dans son lit, c'est parce que tu n'aurais pas le temps de t'enfuir. Je ne voudrais pas qu'on t'inculpe d'un meurtre que j'ai commis.

– Et si c'est moi qui le tue, ça pourrait tout aussi bien m'arriver. Tu ne me dis pas la vérité, Thierry. Je peux le lire sur ton visage.

Il recula comme pour retourner dans la pierre.

– Pas question! s'opposa Océane en lui saisissant le bras.

À sa grande surprise, le Naga ne résista pas. Ce qui étonna davantage la jeune femme fut le contact de sa peau glacée. Il faisait pourtant chaud comme dans un four!

– Es-tu souffrant? demanda Océane d'un air sérieux.

Thierry demeura muet comme une carpe.

– Mets tes émotions de côté pendant un instant et réponds-moi, insista-t-elle.

– Le poison de Perfidia me fait la vie dure ces temps-ci.

Océane s'en voulut d'avoir oublié qu'il avait souffert à cause d'elle dans l'antre de ses pires ennemis. Les amis spartiates du Naga avaient bien tenté de lui venir en aide, mais ils ne possédaient pas les ressources de la Fraternité qui avait depuis abandonné le traqueur.

– Il te reste combien de temps à vivre? s'enquit la jeune femme, dans un murmure angoissé.

– Je n'en sais rien. De toute façon, si quelque chose vient à bout de moi, ce ne sera pas le venin de la reine des Dracos, mais ta trahison.

– Pourquoi faut-il que tu sois toujours aussi dramatique? Les Nagas apprennent-ils à parler en lisant du Shakespeare?

– Regarde-moi dans les yeux et jure-moi que tu m'aimes encore.

Océane s'approcha à un centimètre du visage du reptilien.

– Je t'aime encore.

Ils échangèrent alors un long baiser qui rappela à Océane tous les bons moments qu'elle avait passé avec le *varan*.

– C'est toi qui me fais le plus souffrir, murmura-t-il à son oreille.

– Je suis seulement en train de faire mon travail, Thierry.

– Ne couche plus avec lui.

– Il n'y a que dans les chambres d'hôtel que je peux le voir seule à seul. Le reste du temps, il est toujours flanqué de ses gardes du corps, qu'il a embauchés au pays des Cyclopes.

– Alors dépêche-toi de lui planter un couteau dans le cœur parce que je n'en peux plus de te savoir dans ses bras.

– Il faudrait d'abord que je puisse en transporter un jusqu'à lui. Les détecteurs de métal auraient tôt fait de me dénoncer. Asgad est devenu un personnage très important sur la scène politique. Ne l'aborde pas qui veut.

– Dans ce cas, pourquoi ne pas l'avoir descendu avant qu'il n'en arrive là?

– Parce que je ne suis pas entièrement convaincue qu'il est l'Antéchrist.

– L'ANGE en est persuadée, et toi, tu en doutes?

– Il est facile de se méprendre sur l'identité d'une personne, surtout quand la seule description qu'on en donne provient de la Bible.

– Tous les signes sont là! Le traité de paix de sept ans! La reconstruction du Temple de Salomon! La prise en charge d'autres états!

– Mais il n'a pas l'âme d'un malfaiteur.

– Il torturera et fera tuer un tiers de la population mondiale sans le moindre remords! cria le Naga.

– En convainquant les gouvernements de signer des traités de paix? riposta Océane, incrédule. Parce que c'est ce qu'il est en train de faire. Il donne de l'argent aux pauvres. Il fait construire des hôpitaux. Il veut même offrir à tous les peuples un temple où ils adoreront un seul dieu!

– Et ce dieu, ce sera lui.

– Décidément, tu as l'esprit tordu quand tu es jaloux.

– Celle d'entre nous qui n'a pas toute sa raison en ce moment, c'est toi.

Océane s'éloigna de lui avec une moue boudeuse.

– Apprends au moins à connaître Asgad, suggéra-t-elle.

– As-tu complètement oublié que c'est un Anantas? Tout comme les Dracos, ces reptiliens ont la faculté de flairer les traqueurs.

– J'ai du sang reptilien et il ne m'a jamais fait de mal.

– Parce qu'il s'agit du même sang que le sien.

Océane ne pouvait pas réfuter cette affirmation.

– Que sais-tu vraiment des reptiliens? poursuivit Thierry, impitoyable. Les quelques bribes que j'ai trouvées dans votre base de données à l'ANGE? Les Nagas, eux, les étudient depuis des milliers d'années. Tes patrons t'ont-ils au moins mise en garde contre le pouvoir de persuasion des Anantas? Tout comme les serpents, ils ont la faculté d'hypnotiser les gens pour leur faire faire tout ce qu'ils veulent.

– On dirait bien que la mienne est débranchée, puisque tu ne m'écoutes jamais.

– N'essaie pas de me faire croire que ton nouvel amant réussit si bien auprès des gouvernements étrangers grâce à ses seuls talents de négociateur. C'est un Anantas! Il n'a qu'à planter son regard dans les yeux de son interlocuteur pour le manipuler comme un pantin.

– Dans ce cas, pourquoi t'inquiètes-tu de mes sentiments pour lui? N'est-il pas évident qu'il m'influence moi aussi?

– Océane, je suis sérieux. Si tu ne le descends pas rapidement, le jour où tu auras décidé d'en finir avec lui, il est certain qu'il t'obligera à retourner ton arme contre toi-même et, crois-moi, tu le feras.

Elle ouvrit la bouche pour protester, mais ses mots furent assourdis par un tonnerre de bottes militaires accourant vers elle. Thierry s'enfonça dans la pierre avant que les hommes ne tournent le coin de l'allée. Il demeura cependant près de la surface du mur, afin de voir ce qui se passait et d'intervenir, au besoin.

Un régiment de soldats israéliens entoura prestement Océane, qui jugea plus prudent de ne plus faire un geste.

– Que se passe-t-il? s'inquiéta-t-elle.

– Il y a eu un attentat à la vie de monsieur Ben-Adnah.

« Ils ne peuvent certainement pas penser que j'en suis responsable! s'étonna Océane. Je suis en Israël et il est en Syrie! »

– Vous devez nous accompagner, poursuivit l'officier.
Nous avons reçu l'ordre de vous protéger à tout prix s'il
devait arriver malheur à monsieur Ben-Adnah.

– Est-il mort?

– Il est dans un état critique, mais nos meilleurs médecins
sont auprès de lui.

Océane n'eut d'autre choix que de suivre les soldats
jusqu'au véhicule blindé qui les attendait. Elle prit place
au milieu des hommes en silence, se doutant qu'ils ne la
reconduiraient pas chez elle. Le camion s'arrêta une heure
plus tard devant un immeuble qui ne lui était pas du tout
familier. En fait, Océane n'était même pas certaine d'être à
Jérusalem.

On la fit monter dans une cage d'ascenseur qui la
mena aussitôt dans les profondeurs de la terre. «Ce serait
drôle que je me retrouve dans la base de l'ANGE», pensa
Océane. Lorsque les portes glissèrent devant elle, ce fut
plutôt le bourdonnement d'un centre stratégique militaire qui
l'accueillit.

– Je ne comprends pas pourquoi vous m'emmenez ici,
avoua-t-elle à son escorte.

– C'est l'endroit le plus sûr que nous possédions,
mademoiselle Orléans. Dès que monsieur Ben-Adnah nous
en donnera l'ordre, nous vous relâcherons.

«Et s'il meurt?» s'inquiéta la jeune femme. Elle suivit ses
protecteurs jusqu'à une petite chambre qui n'offrait pas le
quart du confort auquel elle était maintenant habituée.

– Voulez-vous du café? lui offrit poliment le soldat.

– Je préférerais de l'eau, si possible.

– Oui, certainement.

Une fois seule, Océane examina son refuge temporaire:
il ressemblait aux petits locaux de la base ontarienne où
elle avait si souvent dormi avant de partir pour la Terre
sainte. Elle alluma le téléviseur posé sur la commode et

n'eut aucune difficulté à trouver une chaîne qui couvrait la tentative d'assassinat du plus grand conciliateur de tous les temps. Malheureusement, Océane ne parlait pas la langue du pays. Lorsque le soldat israélien revint enfin dans la pièce, pour lui remettre une bouteille d'eau froide, elle lui demanda de lui traduire sommairement le bulletin de nouvelles.

– Ils disent que l'attentat a échoué parce que monsieur Ben-Adnah est toujours en vie, même s'il est dans un état critique. Les balles ont manqué son cœur.

«Donc, l'assassin n'est pas un Naga», comprit la jeune femme. Ces exécuteurs de reptiliens n'utilisaient jamais de revolvers. Ils tenaient à leurs rituels ancestraux et à leurs sabres.

– La police a arrêté le tireur, poursuivit son informateur.

– Connaissent-ils son nom?

– J'imagine que oui, mais ils n'en parlent pas pour l'instant.

– Je vous en prie, faites-moi savoir lorsque monsieur Ben-Adnah sera en mesure de recevoir un appel téléphonique. Cela me rassurerait d'entendre sa voix.

– Bien sûr, mademoiselle Orléans.

– Et une dernière question : suis-je confinée dans cette chambre?

– La porte ne sera pas verrouillée, si c'est ce que vous voulez savoir.

– Merci.

Océane avala quelques gorgées d'eau en continuant à regarder les images floues de la tragédie captées par un téléphone cellulaire. Si elle avait pu les relayer à Vincent McLeod, il aurait certainement été capable d'en tirer quelque chose. Peut-être Cédric était-il déjà en train de le lui demander...

L'agente fantôme se pelotonna sur le lit, laissant errer son esprit. Au fond, sa vie aurait été simplifiée si le tueur n'avait pas raté son coup. Ni Thierry ni elle n'auraient remporté le pari d'être le premier à éliminer l'Antéchrist. Sans doute auraient-ils pu disparaître tous les deux pour vivre une vie de couple normale, loin de l'ANGE et des reptiliens. «Comme si c'était possible…» désespéra Océane.

Elle repensa à sa dernière conversation avec Thierry, déplorant qu'ils se soient disputés au lieu de faire l'amour dans l'un des immeubles achevés. «C'est peut-être parce que nous sommes de races différentes», songea-t-elle. Les Nagas et les Anantas n'étaient-ils pas des ennemis jurés? «Tout est tellement plus facile avec Asgad…» fut-elle forcée de constater.

Océane ne savait pas ce que l'avenir lui réservait, mais elle ne voulait pas se projeter trop loin dans le futur. Elle se réjouissait d'avoir atteint l'un des buts les plus importants de sa vie, soit celui de travailler pour la division internationale, même si, théoriquement, elle n'était plus un agent de l'ANGE. Lorsqu'elle avait accepté de devenir un fantôme, ses supérieurs avaient effacé toute trace de son passage à l'Agence. «Je suis l'un de ces héros qu'on oubliera», soupira-t-elle intérieurement. Toutefois, si elle devait parvenir à accomplir sa mission, elle passerait à l'histoire pour d'autres raisons.

De plus en plus déprimée, elle rappela à son souvenir les visages des gens qui avaient le plus compté dans sa vie, mais que son obsession du devoir lui avait fait trahir: Andromède, Pastel, le petit Tristan, sa grand-mère Chevalier, Yannick, Thierry, Vincent, Cindy, Cédric, Aodhan… Ils lui manquaient tous amèrement. «J'aurais dû profiter davantage des bons moments que j'ai passés avec eux au lieu de me conduire en égoïste», regretta-t-elle.

Ses pensées se tournèrent une fois de plus vers Thierry Morin. L'avait-elle vraiment abandonné en acceptant ses derniers ordres de l'ANGE? Quelques minutes plus tôt, elle avait décelé de la douleur sur son visage et celle-ci n'était pas feinte. Existait-il une façon de le débarrasser du venin de Perfidia? Pourquoi ne partait-il pas à la recherche d'un antidote au lieu de s'attaquer à un puissant reptilien qui possédait le pouvoir de retourner son katana contre lui? Pour qu'Océane puisse répondre à cette dernière question, il aurait fallu qu'elle connaisse mieux le code d'honneur des Nagas. Ces hybrides allaient toujours jusqu'au bout de toutes leurs entreprises et ils ne craignaient pas la mort.

«Combien y a-t-il de traqueurs sur la planète?» se demanda la jeune femme. Thierry n'était certainement pas le seul. D'autres *varans* tenteraient-ils de neutraliser le futur maître du monde? Elle n'arrivait pas à se rappeler ce que son collègue Jeffrey avait écrit à ce sujet.

– Yannick…, murmura-t-elle, en proie à un grand remords.

La sonnerie du téléphone de sa petite chambre retentit, l'arrachant à ses pensées. Elle se précipita sur le combiné.

– Allô! répondit-elle.

– J'aimerais parler à Océane Orléans, je vous prie.

Ce n'était pas la voix qu'elle avait espéré entendre.

– C'est bien moi.

– Je suis le docteur Cohen. C'est moi qui soigne monsieur Ben-Adnah.

– Comment va-t-il?

– Il est sauf. En fait, les premiers mots qu'il a prononcés à son réveil furent: «Appelez Océane et rassurez-la».

– Quand pourra-t-il rentrer à Jérusalem?

– Pas avant quelques semaines, j'en ai peur. Je vous tiendrai informée de son état.

– Merci infiniment, docteur Cohen.

Océane raccrocha et demeura interdite un long moment, essayant d'analyser ses sentiments. Pourquoi se réjouissait-elle d'apprendre que l'homme qu'elle devait tuer était toujours en vie?

003

Si Antinous éprouvait une grande tristesse chaque fois que l'empereur voyageait hors du pays sans lui, il était par contre soulagé de ne plus être en présence du docteur Wolff, car ce dernier accompagnait Hadrien partout. Jadis brave et aventureux, Antinous avait perdu beaucoup de son courage en revenant à la vie. Il ignorait cependant que n'importe quel homme catapulté deux mille ans dans le futur aurait eu la même réaction que lui... sauf son empereur adoré. Le jeune Grec lui enviait son aisance dans ce monde qui n'était pas le leur.

En l'absence de son bien-aimé, Antinous se limitait aux confins de la villa. Il lui arrivait de s'asseoir à la fenêtre de la chambre d'amis, à l'étage supérieur, et d'observer ce qui se passait dehors. Il s'était habitué à voir rouler des chariots de fer sans attelages, mais la vision des oiseaux métalliques qui sillonnaient le ciel continuait de l'effrayer.

Ce jour-là, une nouvelle épreuve l'attendait. Antinous sortait à peine de l'eau parfumée du bain en porphyre attenant à la chambre impériale lorsqu'on sonna à l'entrée. Personne ne faisait ce geste, à part le sorcier qui agissait comme médecin auprès de Hadrien. Antinous enfila son chiton en tremblant, car il craignait ce démon. Il pencha la tête au-dessus de la cage de l'escalier pour épier ce qui se passait dans le vestibule. Pallas venait juste d'ouvrir la porte.

– Êtes-vous Benhayil Erad? demanda une voix autoritaire.

– Oui, c'est moi, répondit le secrétaire d'Asgad.

– Je suis ici à la demande du général Masliah. Il a reçu l'ordre de vous protéger en cas de danger.

– Quel danger?

– Un homme a ouvert le feu sur monsieur Ben-Adnah alors qu'il sortait d'une rencontre avec le président de la Syrie.

– A-t-il survécu? bredouilla Benhayil, sur le point de s'évanouir.

– Nous n'en savons rien encore, mais jusqu'à ce que nous recevions des nouvelles de ses médecins, je dois assurer votre sauvegarde. Je positionnerai donc mes hommes autour de la maison jusqu'à ce que nous soyons prêts à vous emmener en lieu sûr.

Benhayil n'eut pas le temps de protester. Le militaire le salua et tourna les talons, refermant la porte derrière lui.

– Qui était-ce, Pallas? s'énerva Antinous en dévalant l'escalier.

– Un soldat...

– L'un des nôtres?

– Viens t'asseoir un moment, Antinous.

Sa main tremblant sur le bras de l'adolescent, il l'emmena au salon.

– Je sais que tu ne comprends pas toujours ce que tu vois ou ce que tu entends, commença Benhayil.

– Les paroles du soldat t'ont effrayé. Sommes-nous en guerre?

– Non, mais c'est tout aussi grave pour nous deux. Un homme a attenté à la vie d'Asgad.

Antinous s'écroula sur une bergère, tel un pantin disloqué.

– Pour l'instant, personne ne peut nous dire dans quel état il est, tenta de l'apaiser Benhayil. Tu sais mieux que quiconque qu'il est très fort. Je suis certain qu'il s'en tirera.

Le garçon hocha faiblement la tête, mais il avait de la difficulté à respirer.

– J'en t'en prie, calme-toi, Antinous. Je ne laisserai rien t'arriver.

– Ce n'est pas pour moi que j'ai peur...

– Alors, sois brave pour lui.

Benhayil attendit patiemment que le protégé de son patron reprenne une contenance.

– Le soldat a dit qu'il nous emmènerait bientôt ailleurs, poursuivit-il. Allons nous préparer.

«Cette activité lui changera les idées», songea le secrétaire. Sans vraiment lui donner le choix, il ramena Antinous à sa chambre et ouvrit une petite valise sur le lit impérial. Aussitôt, l'adolescent se mit à y déposer les petites statuettes que Hadrien lui avait offertes.

– Ce sont des vêtements qu'il faut mettre dans une valise, l'arrêta Benhayil. Je vais te montrer comment faire.

– Je dois apporter une parcelle de lui avec moi...

– Dans ce cas, n'en prends qu'une seule.

Docile comme toujours, Antinous suivit ces directives. Il accompagna ensuite Benhayil dans sa propre chambre et l'observa tandis qu'il rassemblait ses affaires.

– Où vont-ils nous emmener? le questionna le jeune Grec.

– Le soldat m'a seulement dit que c'était un endroit sûr.

– Hadrien saura-t-il où nous serons?

– Je ne serais pas surpris que ce soit lui qui ait choisi notre destination. C'est un homme prévoyant.

Le secrétaire boucla sa valise et aperçut le regard malheureux de l'adolescent. Celui-ci ressemblait vraiment aux monuments que l'empereur avait fait ériger à sa mémoire. Ses boucles noires encadraient son visage angélique, mais ses yeux sombres étaient chargés de larmes.

– Tout ira très bien, Antinous, affirma Benhayil. Tu n'as rien à craindre.

– S'il meurt, que m'arrivera-t-il?

– Je prendrai soin de toi, tu le sais bien.

Ils descendirent au salon pour attendre la suite des choses.

– Où va vraiment Hadrien lorsqu'il s'absente sans moi?

– En ce moment, il visite les chefs d'état qui demandent à le voir. Ses talents de négociateur sont de plus en plus en demande.

– Autrefois, il faisait la même chose, mais il me gardait à ses côtés.

– Si cela peut te consoler, il m'emmenait également avec lui dans ses plus folles aventures philanthropiques, mais maintenant, il me laisse moi aussi à la maison.

– Es-tu amoureux de lui?

– Quoi? s'étrangla Benhayil. Mais non! Je travaille pour lui!

– Alors pourquoi vis-tu sous son toit?

– Je ne suis chez lui que depuis qu'il est tombé sur la tête, littéralement. J'ai mon propre appartement non loin d'ici. Antinous, les mœurs ont changé depuis ta première incarnation. De nos jours, un homme peut travailler pour un autre homme sans être son amant. Je n'aime pas Asgad de la même façon que toi, mais j'ai déjà eu beaucoup d'admiration pour lui.

– Tu n'en as plus?

Benhayil espéra que les soldats viendraient les chercher au plus vite, afin de se soustraire à cet interrogatoire embarrassant.

– Je ne le comprends plus, avoua finalement le secrétaire.

– Moi non plus. Il est gentil avec moi, mais pas comme avant. J'ai l'impression de partager son cœur avec une autre personne.

– Je te jure que ce n'est pas moi.

– Je crois que c'est une femme.

– Je vois toutes ses dépenses et je n'ai rien remarqué d'inhabituel. Cependant, rusé comme il l'est, il n'est pas impossible qu'il me fasse des cachotteries. Quelle preuve as-tu qu'il voit une femme? soupira le secrétaire.

– Seulement un doux parfum.

On frappa lourdement à la porte. Benhayil se précipita pour ouvrir. Cette fois-ci, trois soldats se tenaient devant lui.

– Nous devons partir maintenant, l'avertit l'un d'eux.

– La maison de monsieur Ben-Adnah contient un nombre considérable d'œuvres d'art très anciennes et...

– Je laisserai des hommes de confiance ici pour les protéger. Faites vite.

Benhayil alla chercher Antinous et leurs valises. Les militaires toisèrent l'adolescent vêtu de façon bizarre, mais ne firent aucun commentaire. Ils dirigèrent les deux civils vers une voiture et les emmenèrent au centre-ville. Avant de comprendre ce qui leur arrivait, le secrétaire et le jeune Grec s'entassaient dans un ascenseur avec les soldats. Antinous était si effrayé qu'il marchait presque sur les souliers de Benhayil. Lorsque la porte s'ouvrit enfin, un officier d'un certain âge les accueillit.

– Je suis le général Masliah. Surtout, ne craignez rien. Vous n'avez pas été enlevés. C'est le vœu de monsieur Ben-Adnah que ce pays vous fournisse un abri jusqu'à son rétablissement.

– Ce qui veut donc dire qu'il est vivant, se réjouit Benhayil.

– Son cœur bat toujours. Venez. Des chambres ont été préparées pour vous. Vous avez également accès à la salle commune, au réfectoire et aux salles de bain, mais vous ne devez sous aucun prétexte mettre les pieds dans les installations stratégiques.

– Cela va de soi.

Antinous accepta à contrecoeur de poser sa valise dans une petite pièce au mobilier plutôt sobre. Lorsqu'il constata ensuite qu'il n'y avait de l'espace que pour une seule personne dans le lit étroit, son cœur sombra.

– Je suis juste en face, tenta de le rassurer Benhayil. Nous laisserons les portes ouvertes, d'accord?

Le visage livide, le jeune Grec hocha la tête en signe d'approbation.

– Allons chercher un thé bien chaud, proposa le secrétaire. Cela te remettra d'aplomb.

Benhayil poussa Antinous devant lui. Ce dernier se calma peu à peu, jusqu'à ce qu'il mette le pied dans la cuisine souterraine, à l'entrée de laquelle il se figea. Son protecteur jeta tout de suite un coup d'œil par-dessus son épaule. Il n'y avait pourtant dans la pièce qu'une jeune femme aux cheveux noirs qui versait de l'eau bouillante dans une tasse.

– Avance, le pressa Benhayil.

Mais Antinous demeura planté devant lui, ce qui obligea finalement le secrétaire à le contourner. L'étrangère leva les yeux sur les deux nouveaux arrivants. Elle haussa un sourcil en apercevant le chiton du plus jeune.

– Ce vêtement semble très confortable, le complimenta-t-elle en réprimant un sourire. Il faudra me donner le nom de la boutique qui le vend.

– Je me nomme Benhayil Erad, se présenta le secrétaire d'Asgad.

– Océane Orléans.

Muet comme une carpe, Antinous continuait de la fixer avec stupeur.

– On dirait que c'est la première fois que votre ami voit une femme, se moqua Océane.

– Il ne sort pas très souvent, en effet.

– Cet endroit n'est pas très vaste. Nous aurons certainement l'occasion de nous revoir.

L'agente laissa tomber la poche de thé dans sa tasse, salua les deux hommes et sortit de la cuisine.

— Tes manières laissent vraiment à désirer, Antinous, soupira Benhayil.

— C'est elle! lâcha l'adolescent. J'ai reconnu son parfum.

— Sans vouloir te contredire, de nos jours bien des femmes portent le même parfum.

— Je l'ai vue sur le chantier de construction il y a plusieurs saisons. Hadrien était allé lui parler.

— Tu t'énerves pour rien, Antinous. Si elle travaille pour lui, il est tout à fait normal qu'il ait besoin de s'entretenir avec elle.

Voyant qu'il ne le croyait pas, le jeune Grec fit taire ses angoisses. Il accepta une tasse de thé et alla la boire dans sa petite chambre, où il passa le reste de la journée à regarder la télévision. Puis, lorsque Benhayil fut endormi, il se glissa dans le couloir et appuya l'oreille contre la porte de la chambre d'Océane. Celle-ci écoutait une émission dans une autre langue. Antinous hésita un long moment avant de frapper sur la surface métallique. Lorsqu'il se décida finalement à le faire, sa rivale lui ouvrit sur-le-champ.

— Ce n'est pas une heure pour rendre visite aux gens, lui signala Océane.

— Je ne sais pas lire l'heure.

Il n'avait certainement pas plus de vingt ans et sa voix était douce comme une brise. Ses cheveux bouclés et ses traits ciselés lui donnaient un air de statue grecque.

— Qui es-tu et pourquoi es-tu ici?

— Je m'appelle Antinous.

«J'avais raison: c'est un Grec!» se félicita Océane.

— On m'a conduit ici pour me protéger des ennemis de mon maître et seigneur, poursuivit-il.

— Asgad?

— C'est le nom qu'il se donne depuis qu'il est revenu à Jérusalem.

– Viens t'asseoir, Antinous. J'ai l'impression que tu vas m'apprendre bien des choses, ce soir.

Ils s'assirent sur le lit. L'adolescent était visiblement mal à l'aise. Il s'adressa d'abord à sa rivale la tête baissée, n'osant pas la regarder dans les yeux.

– Quel est le vrai nom d'Asgad? l'interrogea Océane.

– Publius Aelius Hadrianus, empereur de Rome, évidemment.

– Mais cet homme est mort depuis des siècles!

– C'est faux. Je suis le seul à avoir péri. Hadrien a été victime d'une longue maladie dont il vient à peine de se relever.

– Dans ce cas, je te suggère de le signaler au *Livre des records du monde*, le taquina la jeune femme.

Antinous fronça les sourcils, cherchant à comprendre ce qu'elle lui disait. Toutefois, l'agente semblait encore plus étonnée que lui.

– Si tu es mort, comment peux-tu être ici? demanda-t-elle.

– Le nécromant m'a ramené à la vie.

– Le quoi?

– Le mage qui a défié les dieux eux-mêmes en opérant cette sombre sorcellerie.

– Quel est son nom?

– Il dit s'appeler docteur Wolff, mais je doute que ce soit vrai.

– Pourquoi me dis-tu tout cela, Antinous?

Le jeune Grec prit une profonde inspiration.

– Je n'ai pas quitté l'Hadès pour voir l'homme que j'aime se désintéresser de moi.

– Vous entretenez une liaison?

– Depuis qu'il m'a enlevé à mes parents.

Océane se demanda s'ils parlaient du même homme. Le Asgad qu'elle connaissait ne s'intéressait pourtant pas aux autres mâles...

– Je vous en conjure, cessez de le voir, l'implora Antinous. Je ne veux pas qu'il continue de changer.

– Contrairement à ce que tu crois, je ne le fréquente vraiment pas souvent et je peux t'assurer qu'il est exactement le même homme que j'ai rencontré il y a quelques mois. Si quelqu'un a suffisamment d'influence sur lui pour en faire une autre personne, ce n'est certainement pas moi.

Sans un mot de plus, Antinous la quitta. «Je viens d'ajouter encore plus de doute dans son esprit», s'en voulut Océane. Elle demeura songeuse pendant de longues minutes. Jamais le comportement d'Asgad ne lui avait fait croire qu'il était homosexuel. Au contraire, il savait exactement ce qu'il fallait faire pour combler une femme... comme Yannick. Ces derniers temps, les pensées d'Océane la ramenaient toujours à son ancien collègue.

Nostalgique, elle naviqua une fois de plus entre les chaînes de télévision sans trouver quoi que ce soit concernant ses derniers sermons. Elle se rendit donc au poste de commandement et demanda à utiliser un ordinateur. Sous l'œil scrutateur de l'officier de garde, Océane accéda à un site Internet entièrement dédié aux Témoins. Elle commença à lire les dernières informations à leur sujet. Yannick prêchait seul depuis plusieurs mois. «Mais où est donc Océlus? se demanda-t-elle. Probablement dans les bras de Cindy...»

Elle visionna ensuite les dernières images captées par les médias. Malgré l'absence de son ami Yahuda, Yannick continuait à captiver la foule qui se rassemblait autour de lui. Jamais son charisme n'avait été aussi grand. Océane écouta ses paroles réconfortantes jusqu'à ce que le soldat derrière elle pousse un soupir d'impatience.

– Veuillez m'excuser, lui dit la jeune femme. J'ai vraiment abusé de votre bonté.

Elle retourna à sa chambre, se dévêtit et se mit au lit.

○

Quelques heures plus tôt, à des kilomètres de l'abri souterrain de Jérusalem, dans un hôpital de Syrie, Asgad Ben-Adnah reposait entre la vie et la mort. Des soldats gardaient la porte de sa chambre. Ils avaient reçu l'ordre de ne laisser entrer personne, en dehors des médecins de l'important personnage politique. Toutefois, Ahriman n'avait pas besoin de franchir le seuil de la salle d'urgence pour se rendre au chevet de l'Israélien.

L'Orphis apparut près de la civière sans même déclencher les systèmes d'alarme. Ses yeux de démon examinèrent les plaies du blessé à travers les draps et la jaquette d'hôpital. «Le corps humain est si fragile…», ne put-il s'empêcher de constater. Il déplora que les reptiliens, même aussi puissants que les Anantas, soient forcés d'utiliser de tels véhicules pour survivre sur Terre. Mais Ahriman n'était pas venu en Syrie pour s'apitoyer sur le sort des hommes. Il devait réparer la marionnette préférée de Satan avant que ce dernier ne la réclame.

Le Faux Prophète tendit brusquement le bras droit et plaça sa main au-dessus du cœur d'Asgad, où s'étaient concentrés les tirs de l'assassin. Une lumière éblouissante envahit la pièce pendant une fraction de seconde. Puis, satisfait de son travail de guérison, le démon se dématérialisa.

Au matin, lorsque le troupeau des médecins entra dans la chambre du prestigieux patient pour changer ses pansements, il trouva ce dernier assis sur le bord de la civière, en train de décrocher les fils plantés dans sa chair.

– Vous arrivez à point, déclara Asgad à l'équipe médicale sidérée. Ne restez pas là à me regarder. Venez m'aider!

Les hommes sortirent de leur léthargie et forcèrent l'Israélien à se recoucher. Après un examen sommaire de sa poitrine, ils durent admettre que sa guérison était complète!

– Mais c'est impossible…, s'étrangla le médecin en chef.

– Vous ne croyez donc pas aux miracles? s'étonna Asgad.

– Je soigne des blessés depuis vingt ans et je n'ai jamais rien vu de tel.

– Si vous voulez mon avis, les dieux m'ont donné cette seconde chance afin que je fasse le bien. Enlevez-moi toutes ces aiguilles qui me causent beaucoup d'inconfort.

Les médecins le firent à contrecœur, tandis que leur chef d'équipe signalait cette guérison incroyable au président de la Syrie. Ce dernier annonça qu'il se mettait tout de suite en route pour l'hôpital. On apporta des vêtements au miraculé, qui s'habilla en vantant la qualité et la coupe de son nouveau complet. L'empereur romain qui habitait son corps avait toujours apprécié les belles choses.

– Le Président viendra vous chercher lui-même, lui apprit le plus âgé des médecins. Voulez-vous l'attendre ici ou dans le salon VIP du directeur?

– J'ai une bien meilleure idée.

Sans attendre qu'on le questionne davantage, l'Israélien sortit dans le corridor, son cortège de médecins, de diplomates et de gardes du corps sur ses talons.

– De quel côté se trouve la salle d'urgence? s'enquit Asgad.

– Vous n'avez aucune raison d'aller par là!

Puisque personne ne lui donnait l'information qu'il demandait, l'homme d'affaires choisit de tourner à gauche dans le couloir. Incapable de lire la langue du pays, il se fia à son instinct plutôt qu'aux affiches sur les murs et déboucha finalement dans une grande pièce, où une centaine de personnes attendaient de voir un médecin.

– Vous ne devriez pas rester ici, lui recommanda l'un des diplomates. Le Président ne nous le pardonnerait pas si vous contractiez une maladie.

– Cessez de vous en faire, je suis invincible. Servez-moi plutôt d'interprète.

– Auprès de qui?

Asgad se dirigea vers une jeune femme pliée en deux qui pleurait à chaudes larmes. Il s'accroupit auprès d'elle et observa son visage trempé par les larmes.

– Dites-lui de se redresser, exigea l'Israélien.

– Mais monsieur Ben-Adhah…

– Faites ce que je vous demande. J'ai eu une vision la nuit dernière. J'ai vu des mains devenir lumineuses et guérir des blessures. Je suis sûr maintenant qu'il s'agissait des miennes.

Le Syrien lui obéit, espérant que le Président ne tarderait pas à arriver. La patiente se releva de son mieux et Asgad posa sa paume droite sur son ventre. Aucune lumière n'en jaillit, mais la malade sembla éprouver un soudain soulagement. Lorsque l'homme d'affaires retira finalement sa main, toutes les souffrances de la jeune femme s'étaient envolées. Elle adressa aussitôt à son sauveur une longue suite de mots qu'il ne comprit pas.

– Elle croit que vous êtes médecin, traduisit l'interprète.

– Dites-lui que je suis seulement un messager du ciel et que je n'ai fait que servir les dieux.

Dès que l'homme eut fini de transmettre ses paroles, les autres patients se précipitèrent sur Asgad, le suppliant de leur venir en aide. Malgré les protestations des gardes du corps, il se mit à guérir miraculeusement tous ceux qui l'entouraient.

004

Décidée à en finir avec les enlèvements et les attaques répétées des reptiliens sur sa personne, Cindy Bloom avait décidé de prendre son destin en main. Comme tous ses collègues, elle avait reçu des cours de tir et d'autodéfense. Toutefois, les agents de l'ANGE étaient surtout des espions, pas des soldats, alors leurs supérieurs n'insistaient pas sur ce type de formation à Alert Bay. Cindy avait donc déniché un dojo non loin de la base, où elle allait s'entraîner tous les jours. Avec ardeur, elle apprenait à frapper ses ennemis de façon à leur enlever tous leurs moyens. Même si elle haïssait profondément les Dracos et tous leurs serviteurs, la jeune femme ne pouvait pas se résoudre à tuer qui que ce soit.

En plus d'apprendre à se défendre, Cindy avait changé la couleur de ses cheveux. Dans les observations qu'il avait ajoutées à la base de données de l'ANGE, Thierry Morin affirmait que les reptiliens raffolaient des blondes aux yeux bleus. Voulant décourager ces monstres, l'agente s'était métamorphosée en brunette. Elle portait aussi des lentilles cornéennes de couleur vert sombre, qui la changeaient du tout au tout.

Ses camarades de travail l'avaient félicitée pour son nouveau look, notamment lorsqu'elle avait troqué ses vêtements roses pour une toute nouvelle garde-robe dans tous les tons de vert. Seul Aodhan Loup Blanc avait vu cette transformation d'un mauvais œil. À son avis, la fuite ne réglait jamais rien et tout le monde était en mesure d'affronter ses démons en puisant dans ses forces intérieures. Il avait donc observé de près le comportement de la jeune femme. Il l'avait aussi suivie jusqu'à l'école de karaté. Lui-même était d'ailleurs un adepte des arts martiaux, dans lesquels il s'était distingué avant de devenir un membre de l'ANGE.

Ce jeudi-là, Aodhan poussa l'audace jusqu'à franchir la porte du dojo et à étudier les progrès de Cindy. En tenue de combat, elle était en train de massacrer un mannequin en caoutchouc à coups de pied en poussant de terribles cris de guerre. Comme le voulaient les règlements de l'établissement, Aodhan enleva ses chaussures et s'aventura sur les tatamis avec l'intention d'expliquer à sa collègue qu'il était inutile de recourir à la violence.

— Cindy? l'appela-t-il, pour mettre fin à sa fureur.

Elle fit volte-face avec une telle rapidité qu'il n'eut pas le temps de réagir. Avant qu'il comprenne ce qui lui arrivait, son dos heurta brutalement le sol.

— Aodhan! s'exclama Cindy en le reconnaissant. Oh, mon Dieu! Je suis vraiment désolée!

Elle lui saisit le bras et l'aida à se relever.

— Est-ce que je t'ai cassé quelque chose?

— Il n'y a pas de mal...

— Que fais-tu ici? Es-tu l'un des élèves du dojo?

— J'ai étudié le kung fu au Nouveau-Brunswick. Apparemment, je ne suis pas aussi alerte qu'autrefois.

— Comme tu le vois, je ne suis plus une proie sans défense, s'enorgueillit la jeune femme.

— Ça, c'est certain.

— J'ai fini pour aujourd'hui. Aimerais-tu manger quelque part avec moi?

— Oui, bien sûr.

Dès qu'elle fut prête, ils se rendirent dans un petit café du centre-ville. Aodhan la complimenta sur la robe émeraude qu'elle portait.

— Je me dirige progressivement vers le noir, précisa-t-elle.

– Comme Océane? la taquina l'Amérindien.

– Je comprends maintenant pourquoi elle n'achète aucun vêtement de couleur vive.

– Instruis-moi, je t'en prie, car s'il y a une personne au monde que je ne comprends pas, c'est bien Océane.

– Elle essaie simplement de passer inaperçue.

Aodhan ne put s'empêcher de sourire avec amusement. Même si elle avait été invisible, Océane se serait tout de même fait remarquer pour son cynisme et son manque de tact.

– La base de Montréal devrait bientôt être opérationnelle, laissa-t-il plutôt tomber, pour orienter leur conversation dans une autre direction.

– Cela ne changera rien pour moi. Théoriquement, j'ai péri dans l'explosion de la métropole, alors j'appartiens à la division internationale plutôt qu'à une division régionale.

– Un fantôme.

– Comme Océane et Vincent. Je ne sais pas ce que les hauts dirigeants envisagent pour moi, mais j'espère qu'ils ne me garderont pas enfermée à Toronto pour toujours.

– Si la situation internationale se corse comme l'annoncent les prophètes, ils auront sûrement besoin de toi quelque part sur la planète.

– En parlant de prophètes, as-tu lu les journaux ce matin?

– Tu fais référence à ce nouveau messie qui fait parler de lui aux États-Unis?

– Exactement. Nous devons enquêter sur lui sans délai.

– Je suis persuadé que la division américaine l'a déjà à l'œil, Cindy.

– Mais nous sommes les spécialistes des prophéties!

– Tout ce que nous recueillons dans nos bases de données est transmis à toutes les autres divisions. Il est donc prévisible que d'autres agents s'intéresseront eux aussi à cette question.

– J'ai tout de même l'intention de demander à Cédric de m'affecter à cette affaire. Mon statut d'agent fantôme me rend très mobile.

L'Amérindien jugea préférable de ne pas la contredire. Il prit une bouchée en l'écoutant raconter en détail tout ce qu'elle avait appris lors de ses cours d'autodéfense, puis ils rentrèrent ensemble à la base torontoise.

Cindy gambada jusqu'aux Laboratoires, plus en forme que jamais. Vincent McLeod travaillait depuis un moment déjà devant l'un des nombreux postes informatiques, profondément concentré sur une obscure recherche. La jeune femme ne l'importuna pas. Elle s'installa plutôt à l'autre extrémité de la salle devant un ordinateur vacant. Elle accéda à ses fichiers, dans lesquels elle accumulait tout ce qu'elle pouvait recueillir sur le nouveau messie. Yannick l'avait mise en garde contre les faux prophètes qui se manifesteraient avant le retour du Christ. Néanmoins, le parcours de cet homme la fascinait.

Cael Madden avait à peine trente ans. Il était né dans une petite ville du New Jersey, d'un père ouvrier et d'une mère infirmière. Il était l'aîné d'une famille de quatre enfants et n'avait que des sœurs. Les articles des journaux racontaient qu'il avait commencé à bavarder avec Dieu dès sa plus tendre enfance, mais que ses parents avaient toujours gardé secrets ses dons pour le protéger. En grandissant, Cael avait fréquenté l'école publique sans cacher son intérêt pour la spiritualité et la philosophie. Au secondaire, il avait surtout été perçu comme un garçon maigrelet et étrange qu'on préférait éviter. Ce n'était qu'une fois arrivé à l'université que son charisme avait commencé à se manifester.

Pour commencer, Madden avait pris du poids. Ses traits s'étaient ainsi adoucis et ses cheveux châtains touchaient maintenant ses épaules. Il avait enfin trouvé un public qui s'intéressait à ses conversations avec Dieu. Ses ouailles étaient même persuadées qu'il serait pape, un jour. À la cafétéria, à la bibliothèque ou sur la pelouse de l'établissement, Madden n'avait cessé d'attirer une foule de jeunes gens de tous les milieux.

Puis, au sortir de l'université, il avait changé du tout au tout, une fois de plus. Ses admirateurs s'attendaient à ce qu'il embrasse la prêtrise à la fin de ses études de théologie, mais Madden n'en avait rien fait. Sans prévenir personne, il avait quitté le New Jersey, pour ne réapparaître que quelques années plus tard à Washington.

– Qu'as-tu fait aujourd'hui, mon beau Cael? chantonna Cindy en pianotant sur le clavier de l'ordinateur.

Les plus récents articles de journaux lui apprirent que Madden recrutait des membres dans la capitale afin de mettre en place une armée de pacifistes. Les observateurs prétendaient qu'il s'agissait plutôt d'une nouvelle secte.

Cindy fit défiler l'article jusqu'à la photo du nouveau messie. Il ne ressemblait à personne qu'elle connaissait. Il portait ses cheveux longs et ses yeux bleus illuminaient son visage d'éternel adolescent.

– Tu ressembles à la description que me faisait Yannick du prophète Jeshua qu'il a tant aimé, réfléchit Cindy tout haut. Si seulement il était encore là pour m'aider à y voir plus clair dans cette histoire.

– Il y a d'autres membres de l'ANGE qui ne demandent que cela, fit la voix d'Aodhan derrière elle.

– Cédric t'a-t-il demandé de m'espionner? grommela-t-elle sans se retourner.

– Disons qu'il s'inquiète de ta soudaine explosion de vitalité.

– J'ai seulement décidé d'apprendre à me défendre. Il devrait plutôt être content de constater que je ne serai plus un poids mort pour l'Agence.

– Qui t'a dit une chose pareille? s'étonna l'Amérindien en s'approchant.

– Je n'ai pas eu besoin qu'on me fasse un dessin. Au lieu de vous aider à démasquer l'ennemi, je me suis constamment retrouvée entre ses griffes. Il était temps que cela change.

– On dirait bien que c'est devenu une affaire personnelle.

– Est-il vraiment important que vous connaissiez les motifs pour lesquels je veux devenir un super agent?

– Je peux te dire par expérience que lorsqu'on ne fait pas les choses pour les bonnes raisons, notre détermination s'use assez vite.

Aodhan jeta un coup d'œil à l'écran.

– Il est bien plus séduisant que ton dernier prophète, en tout cas, se moqua-t-il.

– C'était un Naas!

– Madden pourrait tout aussi bien être un reptilien.

– Je ne suis certaine de rien pour l'instant.

Aodhan fit pivoter la chaise de la jeune femme pour qu'elle soit face à lui.

– Cindy, je t'en prie, écoute-moi. Cet homme, même s'il était le diable en personne, est sous la juridiction de la division américaine. Il ne te sert à rien de perdre ton temps à étudier son parcours.

– Ce n'est pas de ma faute. Mes recherches m'ont menée jusqu'à lui.

– Dans ce cas, transmets tes conclusions à Kevin Lucas, qui se chargera de les acheminer aux bonnes personnes.

– Tu ne comprends pas…

Cindy se tourna de nouveau vers la page de journal affichée à l'écran.

– Alors, explique-moi cette fascination que je vois dans tes yeux, insista Aodhan.

– Tu vas sans doute penser que je suis folle, mais j'ai l'impression de connaître cet homme. Pourtant, je ne l'ai jamais rencontré.

– Je ne te dirai pas ce que tu dois croire. Je veux seulement te rappeler qu'il y a une hiérarchie dans cette agence. Les divisions canadiennes ne mènent pas d'enquêtes sur le sol américain.

– Si Madden traversait la frontière, théoriquement, nous aurions le droit de le surveiller nous-mêmes, n'est-ce pas?

– Ne me dis pas que tu vas le forcer à s'établir au Canada?

– Il semble que ce soit déjà dans ses plans.

Cindy glissa le bout d'un doigt le long d'une ligne de texte lumineuse sur l'écran.

– Apparemment, c'est tout l'est de l'Amérique du Nord qu'il veut conquérir.

– Pour commencer, si c'était un vrai messager de Dieu, il serait parti avec les autres lors du Ravissement, tu ne crois pas?

– Pas s'il lui est plus utile ici.

– Depuis quand défends-tu les faux prophètes?

– Il est écrit dans les textes bibliques que parmi tous les prétendus messies, l'un d'entre eux sera le sauveur du monde. Je ne suis certes pas une experte dans ce domaine, mais j'ai besoin de croire qu'une force surnaturelle nous protégera de la méchanceté de l'Antéchrist lorsque viendra le temps des massacres.

Le désespoir que l'Amérindien perçut alors dans les yeux de sa collègue le bouleversa. Des milliers de personnes sur Terre ressentaient la même terreur que Cindy. Les derniers mois avaient été très éprouvants pour les habitants de la planète, qui étaient hantés par la disparition de millions de personnes en une seule journée et par la cascade de catastrophes qui en avait résulté. Ceux qui avaient mystérieusement quitté cette existence étant pour la plupart de bonnes gens ou de simples innocents, les villes grouillaient désormais d'hommes et de femmes désoeuvrés ou carrément épouvantés, ainsi que de criminels qui profitaient de leur déséquilibre pour les exploiter. Ces derniers s'entretuaient également dans de sanglantes querelles de territoires. Quant à ceux qui avaient perdu la raison, ils finissaient par se suicider ou ils se regroupaient autour de prétendus messies comme Madden.

— Prends au moins le temps d'écouter ce qu'il a à nous dire, conseilla Cindy à son collègue.

— Je veux bien si, de ton côté, tu fais un effort de discernement.

— Je sais ce que je fais.

Aodhan serra doucement les doigts sur l'épaule de Cindy pour la rassurer.

— Cette couleur de cheveux te va très bien, ajouta-t-il. Elle fait ressortir tes yeux.

L'agente lui adressa un sourire reconnaissant, puis s'absorba à nouveau dans la lecture des articles suivants sur son nouveau héros.

Consciencieux de nature, l'Amérindien poussa son enquête plus loin sur ce nouveau messie. Apprendre à se battre dans un dojo et préserver son âme de l'influence d'un puissant gourou étaient deux choses différentes. Aodhan le savait mieux que quiconque. Il avait grandi dans le monde des Blancs, mais son grand-père chaman avait veillé à ce que son cœur ne perde pas contact avec l'héritage de ses ancêtres.

L'Amérindien s'installa plus loin dans la salle des Laboratoires, devant un ordinateur isolé. En bon espion, il avait mémorisé l'adresse du site Internet que Cindy était en train de consulter. Il y accéda et vit tout de suite qu'il avait été conçu par de fervents admirateurs de Madden. Il devrait donc s'en méfier, car ce dernier ne lui permettrait de ne connaître qu'une partie de la vérité. Il étudia le plan du site pour ne pas perdre de temps et découvrit des vidéoconférences données par le faux prophète.

Aodhan mit les écouteurs et en visionna plusieurs. Le langage corporel de Madden et son choix de mots lui en apprirent davantage sur cet homme que les conclusions des journalistes sur le même site. «Si ces derniers possédaient mon sixième sens, la vérité serait mieux servie», songea Aodhan.

Cael Madden avait un visage adorable et une voix plutôt grave pour son âge. Son regard était hypnotique. En fait, il ne battait jamais des paupières. «Un autre reptilien?» se demanda l'agent de l'ANGE. Mais comment en être sûr sans le rencontrer en personne? Cet homme, vêtu d'un jeans et d'une chemise blanche toute simple, ne s'adressait pas à son public à la manière d'un prédicateur. Il adoptait plutôt une attitude de professeur devant une très grande classe.

Lors de ses premières conférences, il avait surtout parlé de sa relation privilégiée avec Dieu et des messages qu'il avait reçus de lui. Ce n'était que dans sa dernière présentation qu'il avait commencé à parler de sa mission de sauver les hommes de bonne volonté. Il allait jusqu'à promettre à ceux qui le suivraient des milliers d'années de béatitude. «Et si Cindy avait raison? songea Aodhan. Si c'était lui, le prophète qui les libérerait du joug de Satan?» Toutefois, l'Antéchrist n'avait pas encore martyrisé qui que ce soit...

L'Amérindien jeta ensuite un coup d'œil aux recherches de Yannick Jeffrey et surtout à ce que celui-ci disait à propos du retour du Christ sur Terre. Il n'y trouva évidement aucune description physique susceptible de l'aider à établir une relation avec Madden. Jeffrey déclarait, cependant, que ce messager divin ne se manifesterait que lorsque Satan serait entré en possession du corps de l'Antéchrist, soit trois ans et demi après le début des événements précédant la fin du monde. «Il s'est à peine passé un an depuis le Ravissement», calcula mentalement Aodhan. Cette information suffit à le convaincre que Cael Madden n'était qu'un faux prophète comme des centaines d'autres à travers le monde. «Mais comment le faire comprendre à Cindy?» se demanda l'agent de l'ANGE.

Il éplucha les rapports les plus récents de la division internationale et de la division américaine en utilisant comme mot clé le nom de l'imposteur. Tout comme il s'y attendait, les autres groupes s'intéressaient déjà de près à ses activités. Pour l'instant, ils classaient Madden parmi les problèmes potentiels et ne considéraient pas qu'il soit une véritable menace. Rien n'indiquait qu'on avait affecté qui que ce soit à son dossier. La seule façon d'obtenir des renseignements de fond demeurait donc la communication directe avec la base de Washington, et seul Cédric Orléans pouvait passer un appel à son directeur.

– Qui risque rien n'a rien, murmura Aodhan en quittant son poste de travail.

Il traversa l'installation souterraine d'un pas assuré et aboutit dans la vaste salle des Renseignements stratégiques. Un nombre réduit de techniciens s'affairait devant les nombreux écrans. Alert Bay avait fait son possible pour combler les postes laissés vacants au Canada par le Ravissement. Elle avait même lancé dans la mêlée des apprentis qui n'avaient pas eu le temps de terminer leurs cours. Malgré tous les efforts de Christopher Shanks, toutes les bases manquaient cruellement de personnel.

Aodhan s'arrêta devant la porte métallique du bureau du directeur et attendit que l'ordinateur lui signale sa présence. Quelques secondes plus tard, les deux panneaux glissaient devant lui, lui permettant d'entrer. L'Amérindien trouva son patron là où il l'avait imaginé : assis à sa table de travail, les yeux rivés sur l'écran mural, le menton appuyé dans la paume de sa main.

– Si c'est un mauvais moment, je reviendrai, s'excusa aussitôt Aodhan.

– Dans ce cas, ce sera dans six ou sept ans, grommela Cédric.

Le directeur soupira avec découragement et leva le regard vers son agent.

– De mauvaises nouvelles? s'enquit l'Amérindien.

– Entre autres. Tu connais aussi bien que moi la situation politique et économique de la planète en ce moment. Les gouvernements qui nous appuyaient ne reconnaissent plus l'importance de nos services, alors nos ressources s'en ressentent.

– Mais le Canada s'en tire plutôt bien, si j'en crois les derniers rapports.

– Ce n'est qu'une question de temps avant que l'anarchie ne s'installe également ici.

– Nous serions donc forcés de devenir une société secrète?

– Ce n'est pas exclu, avoua Cédric. Mais tu n'es pas venu m'entendre me lamenter sur le sort de l'ANGE, n'est-ce pas?

– Non, mais si vous avez besoin d'en parler, il est de mon devoir de vous écouter.

– Que désires-tu, Aodhan?

– J'aimerais obtenir votre autorisation afin de m'entretenir avec certains de nos collègues américains au sujet d'un faux prophète qui recrute des adeptes dans la capitale américaine.

– Quel est ton intérêt dans cette affaire?

– Apparemment, ce soi-disant messie a des visées sur le Canada. Avant qu'il ne débarque ici, j'aimerais en apprendre davantage sur lui autrement que dans nos bases de données, qui ne sont plus vraiment à jour.

Cédric n'ignorait pas que toutes les divisions fonctionnaient avec un personnel réduit et que les techniciens travaillaient d'arrache-pied pour faire circuler le plus rapidement possible les renseignements entre les bases.

– Je n'y vois aucun mal, accepta finalement Cédric.

Depuis qu'il avait appris que son patron était un reptilien, Aodhan ne s'offensait plus de son apparente absence d'émotions. Il le remercia et quitta le bureau pour rejoindre la section des Laboratoires, où il pourrait discuter en paix avec les agents américains.

...005

Dès qu'Aodhan fut parti, Cédric Orléans sombra dans ses pensées. Directeur par intérim de la base de Toronto, il commençait à ressentir une grande lassitude. Toutefois, il ne savait pas très bien si c'étaient les événements mondiaux qui l'oppressaient de la sorte ou la nostalgie de son ancienne vie à Montréal. Depuis la disparition du tiers de la population, le pauvre homme n'avait pas eu beaucoup de temps pour réfléchir. Une crise n'attendait pas l'autre. Il lui avait d'abord fallu remplacer les techniciens manquants, surtout dans les postes clés aux Renseignements stratégiques, puis assurer la sécurité du personnel qui tenait à rentrer chez lui à la surface tous les jours. Comme dans toutes les autres villes du monde, les policiers torontois avaient eu du mal à rétablir l'ordre dans les rues.

Il y avait peu de temps que Cédric était retourné à son appartement, situé non loin de l'entrée de la Casa Loma. Toutefois, ce n'était pas la baisse des désordres civils qui avait motivé son geste, mais plutôt son besoin de trouver de la poudre d'or. Thierry Morin lui en avait fourni une bonne quantité, mais ses réserves avaient diminué à vue d'œil. Cédric avait donc dû se mettre lui-même à la recherche de cette substance rare qui lui permettait de conserver son apparence humaine.

Il ne lui avait pas été difficile de trouver des Dracos, car aucun reptilien n'avait suivi les élus lors du Ravissement. Ceux qui ne remplissaient plus de fonctions politiques importantes s'occupaient à présent en menant des activités illégales dans les rues de la ville. Cédric détestait traquer ces monstres, car il lui semblait alors s'abaisser à leur niveau bestial, mais il n'avait pas le choix. S'il voulait continuer son travail pour l'ANGE, il devait se procurer de la poudre d'or. Il avait réussi, à quelques reprises, à en voler dans les repaires de vendeurs de contrebande, mais en petites quantités seulement. Mais, dernièrement, il avait été forcé d'utiliser la manière forte pour survivre.

Cédric avait d'abord été hanté par une grande culpabilité lorsqu'il avait dû trancher la gorge d'un prince qui transportait de la poudre d'or avec l'intention de la vendre à un prix ridiculement élevé à des congénères qui avaient perdu leurs pourvoyeurs dans des rixes entre reptiliens. Puis il s'était répété une centaine de fois en tournant en rond dans son salon qu'il s'agissait de créatures immondes dont le seul but était d'asservir les humains, et il avait sauvagement continué à les attaquer. Au bout de quelques semaines, il avait réussi à se constituer une considérable réserve de poudre.

Tous les jours, dès qu'il avait terminé la lecture de tous les rapports, aussi bien internes qu'externes, Cédric s'informait des progrès de ses anciens agents. Théoriquement, une fois qu'ils atteignaient le statut de «fantômes», ils n'appartenaient plus à la base dont ils étaient issus. Ils relevaient en principe de la division internationale, même si cette dernière ne leur donnait plus aucune directive concernant leur ultime mission.

Cédric justifiait son intérêt pour les activités d'Océane en raison de leur lien familial. Même s'il ne l'avait pas élevée, la jeune femme n'en demeurait pas moins sa fille. Quant à Yannick, c'était surtout par curiosité intellectuelle que le directeur écoutait tous les discours que l'ancien agent prononçait sur la place publique à Jérusalem. Cédric ne croyait pas en Dieu, mais les exhortations du Témoin à résister à la poussée du Mal le fascinaient.

Yannick n'avait certes pas été le plus facile des agents qu'il avait dirigés à Montréal, mais il avait toujours admiré son audace et son aplomb, des qualités qui faisaient cruellement défaut à la plupart des races inférieures de reptiliens. Même s'il était lui-même un Anantas, Cédric avait cru toute sa vie qu'il était un Neterou, né pour servir les Dracos. Ses soudaines fureurs en présence de ses ennemis lui rappelaient cependant la triste vérité : les Anantas ne servaient personne. Ils avaient été créés pour régner sur les autres castes. «Combien de temps encore me contenterai-je d'un poste tout au bas de l'échelle hiérarchique de l'ANGE?» se demandait de plus en plus souvent Cédric.

Au grand étonnement du directeur, jamais il n'avait vu Océane au premier rang des milliers de personnes qui écoutaient religieusement les paroles de Yannick. Pourtant, la jeune femme se trouvait bel et bien à Jérusalem. Adielle Tobias faisait régulièrement parvenir un court rapport à la base torontoise énumérant les déplacements de l'ex-agente. Cédric ne comprenait pas non plus pourquoi Océane n'avait pas encore accompli sa mission, elle qui avait l'habitude de s'élancer sans réfléchir dans les situations les plus dangereuses.

«Ce ne sera plus pareil sans eux lorsque je réintégrerai ma base de Montréal», songea Cédric. Cindy et Vincent appartenaient désormais à la division internationale, car ils avaient été déclarés morts lors de l'explosion de l'ancienne place forte québécoise. Mithri pourrait sans doute utiliser Cindy ailleurs dans le monde, mais le cas de Vincent était plus problématique. Même s'il n'avait pas été tué par deux fois par des démons, jamais il n'aurait accepté de travailler sur le terrain. Depuis que Cédric le connaissait, soit depuis sa sortie d'Alert Bay, le jeune savant avait toujours préféré œuvrer dans l'ombre.

— Monsieur Orléans, vous avez un appel de madame Zachariah, fit soudainement la voix de l'ordinateur.

– Accepté, répondit le directeur en chassant ses pensées obsédantes.

Le visage de la grande dame de l'ANGE remplaça les actualités sur l'écran encastré dans le mur.

– Bonjour, Cédric.

– Bonjour, Mithri.

– Je t'apporte enfin un petit rayon de soleil dans l'obscurité de notre quotidien.

– La base est enfin prête ? devina-t-il sans afficher le moindre enthousiasme.

– C'est exact. Dans quelques semaines, tu pourras enfin rentrer chez toi. Mais je t'avertis, la situation à Montréal n'est pas plus reluisante qu'à Toronto.

– Je sais.

– Christopher t'enverra une ou deux recrues, et je laisse le soin à Kevin de te trouver au moins un vétéran, car tu n'en as plus aucun.

– Avec votre permission, Mithri, j'aimerais garder l'agent Loup Blanc.

– Je verrai ce que je peux faire.

– Qui dirigera la base de Toronto après mon départ ?

– Kevin m'a chaudement recommandé l'un de nos agents européens. Je suis certaine que tu as mis toute la base en ordre depuis que tu la diriges et qu'il n'aura aucun mal à te remplacer.

– J'ai fait de mon mieux. Merci, Mithri.

– Attends d'être de retour à Montréal pour me remercier.

La dirigeante de la division internationale mit fin à la conversation, et l'ordinateur fit disparaître son visage sur l'écran. Cédric était parfaitement au courant de ce qui se passait dans la ville où il avait longtemps travaillé. Le crime y était aussi présent qu'ailleurs, mais ce problème était du ressort de la police, pas de l'ANGE.

— Ordinateur, que pouvez-vous me dire sur la nouvelle base de Montréal? demanda le directeur en s'enfonçant dans son fauteuil.

— LES PLANS SONT MAINTENANT DISPONIBLES, MONSIEUR ORLÉANS.

— S'ils diffèrent de ceux de toutes les autres bases de l'ANGE, j'aimerais les voir.

— LA NOUVELLE BASE A EN EFFET ÉTÉ CONSTRUITE SELON LES SCHÉMAS APPROUVÉS PAR LA HAUTE DIRECTION EN 1959.

— Apprenez-moi donc quelque chose que je ne sais pas.

— MONSIEUR KEVIN LUCAS VIENT D'ARRIVER À LA PORTE DE VOTRE BUREAU.

Cédric sursauta.

— Kevin? Ici?

— DÉSIREZ-VOUS UN VISUEL, MONSIEUR?

— Cette question ne s'adressait pas à vous.

— DÉSIREZ-VOUS LE LAISSER ENTRER?

— Évidemment.

Les portes métalliques coulissèrent en chuintant. Le directeur canadien mit le pied dans le bureau, aussitôt suivi par un homme que Cédric ne connaissait pas. L'étranger devait avoir une soixantaine d'années, car ses cheveux blonds étaient parsemés de mèches argentées, mais son corps athlétique ne trahissait pas son âge.

— Bonjour, Cédric, le salua jovialement Kevin Lucas. Je suis vraiment satisfait du travail que tu as accompli ces derniers mois.

Le directeur torontois n'eut pas le temps d'ouvrir la bouche.

— Je te présente Kenneth Boyden, continua Lucas, apparemment surexcité.

— Vous pouvez m'appeler Ken, précisa le visiteur en tendant la main à Cédric, qui la serra volontiers.

Le contact de la paume de Boyden déclencha un indéchiffrable signal dans le système nerveux de l'Anantas. «Il n'est pas humain», comprit aussitôt Cédric. N'ayant pas reçu le même entraînement que Thierry Morin, il lui était

57

impossible de savoir de quelle race était vraiment cet individu. Le sourire qui s'étira sur les lèvres de Boyden fit comprendre au directeur torontois que ce dernier avait ressenti la même chose que lui.

— Ken te remplacera à Toronto lorsqu'il sera temps pour toi de retourner à Montréal, ce qui ne saurait tarder, expliqua Lucas qui, lui, n'avait rien remarqué. Il est impressionné par le travail que réussit à abattre ton équipe réduite.

— Ce sont les véritables héros de ces temps difficiles, articula enfin Cédric.

— Je dois le ramener avec moi à Ottawa cet après-midi, mais je veux bien vous laisser faire davantage connaissance tandis que je passe un appel à monsieur Ekdahl.

— Oui, bien sûr, agréa Cédric.

Kevin Lucas tapota amicalement le dos de son nouveau directeur et quitta le bureau. Afin de détendre l'atmosphère, Boyden prit place dans l'un des deux fauteuils devant le bureau, indiquant à Cédric qu'il n'était pas pressé de lui succéder.

— Qu'aimeriez-vous savoir à mon sujet? demanda le visiteur avec un fort accent britannique.

— D'où venez-vous? fit aussitôt Cédric en restant figé sur place.

— J'arrive tout droit de Londres où j'ai agi comme agent, puis comme adjoint au directeur.

«Adjoint?» s'étonna le directeur torontois. Il n'avait jamais entendu parler d'un tel poste au sein de l'ANGE.

— Avant cela, continua Boyden, j'ai travaillé en Russie, en Afrique du Sud et en France. Monsieur Lucas me croit maintenant prêt à diriger ma propre base.

— Je crains que votre premier geste ne soit de vous trouver de nouveaux agents.

— On m'a mis au courant de vos déboires.

— Déboires? répéta Cédric, offensé.

– Je ne considère pas que le passage de l'état d'agent actif à celui d'agent fantôme soit une promotion. Il nous fait perdre de bons espions.

Utilisant ses index, Boyden fit signe à son collègue qu'il désirait lui parler hors de la surveillance de l'ordinateur central. Cédric retourna donc derrière sa table de travail et pianota un code sur le clavier de son ordinateur personnel.

– C'est fait, annonça-t-il au Britannique.

– Ne jouons pas au chat et à la souris, voulez-vous? Votre réaction tout à l'heure m'a tout de suite indiqué que vous êtes une créature très spéciale.

– Pourriez-vous être plus vague?

«Je commence à parler comme Océane», déplora intérieurement Cédric.

– Vous n'êtes pas humain, laissa tomber Boyden. Je l'ai tout de suite senti.

– C'est votre formation d'agent en Russie, en Afrique du Sud et en France qui vous a enseigné à dépister les créatures très spéciales?

– C'est quelque chose que j'ai appris à faire bien avant d'être recruté par l'ANGE.

Cédric prit place derrière son bureau et joignit ses paumes, appuyant le bout de ses index sur sa lèvre inférieure, geste qu'il faisait généralement lorsqu'il était très contrarié. Il n'avait aucune envie de révéler quoi que ce soit à cet étranger avant de savoir qui il était réellement. Comprenant que son interlocuteur attendait de plus amples informations, le Britannique s'avança plus loin dans ses révélations.

– Je suis un *varan*, avoua-t-il.

– C'est impossible…, laissa échapper Cédric dans un murmure.

Des années auparavant, avant la naissance d'Océane, sa tête avait été mise à prix et des Nagas, lancés à ses trousses…

– Le fait que vous sachiez ce qu'est un *varan* finit de me convaincre que vous êtes reptilien, poursuivit l'aspirant directeur sur un ton de provocation. Toutefois, je n'arrive pas à définir votre race.

Les *varans* étaient des exécuteurs de Dracos et d'Anantas. Si Boyden venait à découvrir que son prédécesseur faisait partie de la deuxième famille, il aurait tôt fait de s'en prendre à lui. La mort inexpliquée de Michael Korsakoff figurait déjà au dossier de Cédric. S'il devait tuer le nouveau directeur de la base de Toronto, même en légitime défense, la sentence de Mithri Zachariah serait impitoyable.

– Ce que je sais des reptiliens, je l'ai appris dans notre base de données, répondit finalement Cédric.

– J'ai déjà décortiqué ces informations, monsieur Orléans. On n'y parle pas des *varans*. Où avez-vous entendu ce nom et pourquoi semblez-vous surpris que j'en sois un?

– Celui qui a enrichi nos connaissances sur les reptiliens est un Naga.

– Ici? Laissez-moi en douter.

– Il opérait surtout en Europe avant d'être envoyé à Montréal, puis à Toronto.

Le visage de Boyden devint grave. «Il connaît Morin», comprit Cédric.

– Où est-il, maintenant?

– Comment voulez-vous que je le sache? D'ailleurs, si vous faites partie de la même organisation que lui, vous êtes certainement mieux placé que moi pour le retrouver.

– Vous mentez, monsieur Orléans. Pourquoi?

– La vie m'a appris à ne pas faire confiance au premier venu. Je n'ai aucune preuve que vous êtes ce que vous prétendez, sauf votre parole.

– Vous me mettez au défi?

– Prouvez-moi hors de tout doute que vous êtes bien un traqueur, et je vous dirai tout ce que vous voulez savoir.

Les yeux clairs de Boyden fixaient cruellement Cédric. «Comme ceux d'un serpent...» observa ce dernier. Il aurait donné cher pour deviner ses pensées. «Pourquoi ne change-t-il pas d'apparence devant moi? se demanda Cédric. Cela aurait tôt fait de me convaincre.» Il ignorait beaucoup de choses au sujet de ses ancêtres ophidiens, mais il savait au moins que la peau des Nagas était d'un vert très pâle.

La petite lampe au-dessus de la porte d'entrée se mit à clignoter furieusement. Cédric en profita pour mettre fin à cette discussion qui risquait de mal tourner. Il pianota rapidement un nouveau code sur son clavier.

— Monsieur Lucas demande à vous voir, monsieur Orléans.

— Faites-le entrer.

Le directeur canadien entra dans le bureau, armé de sa bonne humeur habituelle.

— J'espère que vous avez eu le temps de fraterniser, car je dois partir immédiatement, annonça-t-il aux deux hommes. Monsieur Ekdahl m'a demandé de m'arrêter à son bureau avant de partir pour Ottawa.

— Nous aurons certainement une autre occasion de bavarder, répliqua Boyden en se levant.

Il tendit la main à Cédric, mais ce dernier se contenta de le saluer de la tête. Dès que les deux hommes furent sortis du bureau, le directeur torontois suivit leurs pas sur l'écran mural. Une fois qu'ils eurent quitté sa base, il s'adressa à l'ordinateur.

— Affichez-moi tout ce que vous pouvez trouver sur Kenneth Boyden.

— Cette information est confidentielle, monsieur Orléans. Vous devez obtenir l'autorisation de la division internationale pour y accéder.

— Pourquoi son dossier est-il inaccessible?

— Cette information est confidentielle, monsieur...

Cédric abattit durement son poing sur la table de travail.

— Désirez-vous communiquer avec madame Zachariah ?

— Non !

Cédric décrocha son manteau de la patère, l'enfila et s'engouffra dans son ascenseur personnel. Il avait besoin de respirer un peu d'air frais pour contenir ses émotions.

...006

Désireux de débarrasser une fois pour toutes la Terre de la mainmise des sanguinaires Dracos, les six Nagas qui avaient temporairement élu domicile à Saint-Hilaire s'étaient mis en route pour la Colombie-Britannique, pour suivre la trace de la reine des serpents. Ils avaient troqué leurs chitons pour des vêtements civils, plus discrets dans les aéroports. Damalis avait profité du vol entre Montréal et Vancouver pour réfléchir à sa stratégie. Ses frères l'avaient laissé tranquille et s'étaient plutôt occupés en jouant aux jeux vidéo mis à leur disposition par la compagnie aérienne.

Les six hommes, qui s'étaient métamorphosés en Spartiates pour faire plaisir à Andromède, étaient en fait d'efficaces mercenaires qui avaient souvent offert leurs services à divers groupes de résistance à travers le monde. Ces déplacements leur avaient permis d'échapper à la persécution des Dracos. Toutefois, Damalis savait qu'ils ne pourraient pas fuir éternellement, car les rois serpents étaient partout. Il leur était difficile de repérer un seul Naga, mais plutôt aisé d'en retrouver six qui ne se quittaient jamais.

La reine Perfidia était très dangereuse, Damalis ne l'ignorait pas. Mais Thierry Morin, le plus puissant traqueur de tous les temps, n'était plus en mesure de l'affronter à cause du poison qui le rongeait de l'intérieur. Il revenait donc à ses plus fervents admirateurs de lui rendre ce dernier service.

Damalis regarda par le hublot et vit la crête enneigée des Rocheuses. Dans les vallons creusés par les glaciers, des millions d'années auparavant, se nichaient de nombreux villages.

«Pourrions-nous y échapper à nos bourreaux?» se demanda le guerrier. Une fois sa mission accomplie, il lui faudrait bien trouver une terre d'asile pour ses frères. Ses pensées revinrent alors sur sa cible. Il savait que Perfidia voyageait en compagnie d'un roi Dracos et qu'elle s'était dirigée vers la Colombie-Britannique. C'était une province immense à passer au peigne fin. Damalis ne disposait pas de l'aide des Pléiadiens comme les *varans*. Il lui faudrait donc puiser dans ses propres ressources pour traquer la reine. Heureusement, Aeneas était un as de l'informatique. Il savait comment repérer les déplacements d'une personne grâce à l'utilisation de ses cartes de crédit. L'homme d'affaires qui escortait Perfidia s'en servait assez souvent pour qu'il puisse le suivre pas à pas.

Chacun des frères Nagas possédait un talent unique. Damalis était un leader naturel. Sa voix et sa prestance imposaient tout de suite le respect, et on lui obéissait sans poser de questions. Eraste avait une excellente compréhension de la comptabilité. C'était lui qui s'occupait des finances de la famille. Kyros avait de la facilité pour apprendre les langues. Il servait d'interprète au groupe lorsque ce dernier travaillait en pays étranger. Eryx était un spécialiste des explosifs. Il pouvait aussi démonter et remonter n'importe quelle arme à feu les yeux fermés. Quant à Thaddeus, c'était un expert de la nature et un excellent pisteur. Aucun détail ne lui échappait, aussi minuscule fut-il. De plus, les six frères pratiquaient différentes formes d'arts martiaux depuis leur tout jeune âge, ce qui en faisait des adversaires redoutables. «Cela sera-t-il suffisant pour accomplir cette mission?» se demanda Damalis.

Une fois le groupe arrivé à Vancouver, Aeneas utilisa son ordinateur portatif et découvrit que Perry Falsita, le roi serpent, avait loué une voiture pour un mois. Mieux encore, Aeneas parvint à se brancher au système de localisation du véhicule. Les fugitifs se trouvaient dans la partie nord-ouest de la province. Le Spartiate se tourna vers ses frères.

– Il n'y a pas de grandes villes dans cette région, leur apprit-il. On y trouve des réserves indiennes et des stations de ski.

– Mais il y a aussi d'importantes montagnes, ajouta Thaddeus.

– Un excellent incubateur pour des œufs de dragon, comprit Damalis.

– Il faut les rattraper avant qu'elle ne les ponde, les pressa Eryx.

– Ils ont beaucoup trop d'avance sur nous, déplora Eraste.

– Nous devons trouver un hélicoptère qui nous emmènera là-bas, décida Damalis.

Il n'avait pas terminé sa phrase qu'Aeneas cherchait déjà une entreprise capable de fournir ce transport à proximité de l'aéroport.

– Il y a un héliport à environ quarante-cinq minutes d'ici, annonça-t-il.

Les Spartiates se mirent en route, ne transportant pour tout bagage, qu'un sac à dos chacun. Ils s'entassèrent dans une camionnette-taxi et gardèrent le silence pendant tout le trajet. Il pleuvait à Vancouver. Les gouttes d'eau glissaient sur les fenêtres de la voiture, diminuant la visibilité des passagers. Mais Thaddeus savait exactement où ils se trouvaient. Il avait déplié la carte géographique de la ville sur ses genoux et suivait la course du taxi en lisant régulièrement le nom des rues.

– Nous y sommes presque, chuchota-t-il à Damalis.

Eraste régla la course et suivit ses frères jusqu'à l'établissement. Ce fut l'aîné des six qui négocia le prix du transport jusqu'à la rivière Iskut.

– Où est votre équipement de camping? demanda le propriétaire de l'héliport, suspicieux.

– Nous allons rejoindre des amis qui y sont déjà installés, répondit Damalis avec un sourire désarmant. Apparemment, c'est un endroit magnifique.

– Mais pratiquement inhabité. Si vous n'avez pas l'habitude des contrées sauvages, je peux vous suggérer de petits villages de pêche sur la côte où vous serez chaleureusement accueillis.

– Nous ne sommes pas du genre à faire faux bond à nos amis.

– Dans ce cas, j'aurai un pilote pour vous dans environ une heure.

– C'est parfait.

Damalis prit place au milieu de ses frères sur les chaises de bois de la petite pièce. À travers la baie vitrée, il pouvait voir les hélicoptères solidement attachés au sol. Ils semblaient plutôt neufs, ce qui le rassura. L'un d'entre eux ressemblait même aux appareils qu'ils avaient déjà utilisés lors de périlleuses missions en Amérique du Sud.

– D'après mes calculs, lui dit Aeneas, nous devrions atteindre la rivière un peu après le coucher du soleil.

Et il avait parfaitement raison. Lorsque le gros hélicoptère toucha finalement le sol, dans une clairière, il commençait à faire nuit. Damalis serra la main du pilote et rejoignit les autres, quelques mètres plus loin. Les Spartiates demeurèrent immobiles jusqu'à ce que leur transport se soit suffisamment éloigné, puis s'activèrent tous en même temps sans qu'aucun signal ne leur soit donné par l'aîné. Ils établirent un campement sur la berge, allumèrent un feu et formèrent un cercle autour des flammes pendant qu'Aeneas consultait son ordinateur.

– Où sont-ils rendus? le questionna Kyros.

– La voiture est arrêtée dans un village non loin d'ici.

– Regardez! lança Thaddeus en pointant le ciel.

Un énorme oiseau passa non loin, battant de ses longues ailes. Il se dirigeait vers le Mont Hoodoo.

– C'est elle, soupira Damalis.

– Le système de localisation est demeuré dans la voiture, déplora Aeneas. Comment ferons-nous pour la retrouver, maintenant?

– Nous nous en remettrons à Thaddeus, évidemment.

– Cela prendra des jours, voire des semaines! protesta Kyros.

– Alors, soit, trancha Damalis. Théo ne nous a pas imposé de délai. Il s'attend seulement à ce que nous réussissions.

Les Nagas déroulèrent leurs couvertures thermiques et dormirent quelques heures, serrés les uns contre les autres. Ils se levèrent avant le soleil et avalèrent une partie de leurs rations. Dès qu'elles seraient épuisées, ils chasseraient et pêcheraient pour survivre. Thaddeus en tête, les six hommes s'enfoncèrent dans la forêt, en direction de la montagne.

Ils marchèrent toute la journée, ne s'arrêtant que pour boire et manger. Ce territoire inhabité, d'une grande beauté abritait une grande variété d'animaux. Puisqu'ils étaient très silencieux, les Spartiates purent observer à loisir de grands orignaux qui paissaient dans des étangs cristallins, ainsi que des loups qui remontaient en meute vers le nord, à la poursuite d'un troupeau de daims.

– Pourquoi n'avons-nous pas disparu en même temps que tous les autres? demanda soudain Eryx.

– C'est maintenant qu'il s'en soucie? se moqua Kyros.

– On dit que Dieu est venu chercher les plus méritants, l'informa Damalis.

– Apparemment, nous n'en faisons pas partie, ajouta Eraste.

– Mais nous ne sommes pas de mauvaises personnes! s'entêta Eryx.

– Nous avons eu à prendre des vies lors de certaines missions, lui rappela Thaddeus.

– Pour défendre la nôtre!

– Je ne crois pas que Dieu fasse la différence, raisonna Eraste.

Les Nagas ne s'arrêtèrent que pour la nuit, après avoir trouvé une clairière au milieu de la forêt. Comme ils étaient habitués aux conditions extrêmes, ils apprécièrent la douceur de la sylve tant qu'ils le pouvaient. Plus ils remonteraient vers la montagne, plus ils seraient exposés aux caprices de la nature.

– Le temple d'Andromède me manque, soupira Eryx en s'enroulant dans sa couverture.

– Il était temps que nous partions, le douillet, le taquina Aeneas.

Damalis s'accroupit près de Thaddeus, qui regardait vers le ciel.

– Que vois-tu? demanda l'aîné.

– Je m'oriente avec les étoiles, pendant que je le peux. Des nuages approchent de l'ouest. Je crois qu'il pleuvra demain.

– Y a-t-il d'autres montagnes où Perfidia pourrait se cacher?

– Il y en a plusieurs, mais celle-ci est la plus probable.

– C'est ton instinct qui te guide?

– En partie, avoua Thaddeus. J'ai étudié les cartes de la région, et c'est l'endroit le plus rapproché de la principale source de nourriture des princes.

– La réserve?

– Jusqu'à la prochaine saison de ski, où ils pourront se régaler de sportifs venus de tous les coins du monde.

– Il faut empêcher que cela se produise.

– Si elle pond ses œufs au cours des prochains jours, ils écloront ce printemps. Cela nous donne encore beaucoup de temps.

Thaddeus planta son regard dans celui de Damalis.

– Et toi, tu sauras comment nous débarrasser de ces œufs?

– Je m'en remettrai à Eryx lorsque nous aurons pénétré dans son antre.

Damalis tapota affectueusement le dos de son frère et alla s'allonger sur la mousse, près du feu. Dans cette région éloignée, il ne craignait plus de rencontrer des garde-forestiers. De toute façon, les six hommes respectaient profondément la nature et ils n'allumaient des feux que dans des endroits sécuritaires pour se réchauffer ou pour faire cuire leur nourriture. Maîtres dans l'art du camouflage, ils passaient le plus souvent inaperçus.

– Dormez bien, Spartiates! lança Damalis.

– Justice et liberté! répondirent-ils en chœur.

L'aîné se perdit dans ses pensées. Il songea à sa dernière conversation avec Thierry Morin. Avait-il réussi à accomplir sa propre mission? Avait-il laissé une fois de plus l'amour l'empêcher de traquer convenablement? Ou avait-il tout simplement succombé à ses blessures? Damalis n'aimait pas les questions sans réponses. Sans le dire à ses frères, il avait donc apporté un téléphone cellulaire. «Si je capte un signal, j'appellerai l'ami de Théo lorsque nous serons sur la montagne», décida-t-il.

...007

Même s'il n'avait ni le physique ni l'esprit d'un aventurier, Vincent McLeod n'en demeurait pas moins un chercheur irréductible. Lorsqu'il s'intéressait à un projet, il y plongeait corps et âme. Avec l'accord de Cédric, il avait acquis le logiciel qui permettait de déchiffrer le code secret de la Bible et d'autres textes sacrés. Avant de les disséquer pour les étudier, il les avait utilisés en respectant les directives de leurs concepteurs. Ces programmes informatiques ne fonctionnaient qu'avec l'hébreu, soit la langue originale de ces documents. En fait, la Bible avait été construite comme une immense page de mots croisés. Il y avait pour ainsi dire un autre texte sous la Bible, qui avait attendu des milliers d'années que les hommes se mettent à son niveau.

En reproduisant les combinaisons suggérées par les auteurs du logiciel, Vincent ne pouvait s'empêcher de se demander si c'était bien une intelligence humaine qui avait codé les textes sacrés. Qui d'autre aurait pu établir de telles prédictions? «Un sacré médium», admit le jeune savant.

Alors qu'il s'émerveillait de la simplicité du système SLÉ, ou Séquences de Lettres Équidistantes, Vincent se rappela une conversation qu'il avait jadis eue avec Yannick Jeffrey, avant que ce dernier ne se transforme en Témoin de Dieu. Yannick lui avait dit que d'horribles événements surviendraient lorsqu'un certain livre secret serait ouvert par un réprouvé, à la fin des temps. En effet, seul le Messie était censé le faire en toute sécurité, car lui seul pouvait casser ses sept seaux. Ce livre secret était-il la Bible?

En tapant le nom de grands personnages historiques sur son clavier, Vincent avait trouvé des mots qui décrivaient assez bien ce qui leur était arrivé.

– Et si je lançais une recherche sur mon propre nom? réfléchit-il tout haut.

Il commença par le transposer en lettres hébraïques, puis questionna le logiciel à son sujet. À sa grande surprise, des mots s'illuminèrent diagonalement et verticalement dans le texte.

– Comment est-ce possible? bredouilla le savant. Le nom de McLeod n'existait pas en Judée il y a trois mille ans, tout de même.

Il hésita un long moment avant d'en demander une traduction en français, puis le fit en tremblant. Les mots «démons», «sacrifice» et «seul espoir» apparurent alors devant ses yeux stupéfaits.

– Mais qu'est-ce que cela veut dire? s'énerva-t-il.

Il comprenait fort bien la signification des deux premiers mots pour les avoir récemment vécus, mais quel était ce seul espoir dont parlait la Bible?

– Yannick, tu ne sais pas à quel point j'aimerais que tu sois ici, murmura-t-il, de plus en plus inquiet. La dernière chose que je veux, c'est que le sort du monde repose sur mes épaules.

Mais ce n'était qu'une interprétation possible parmi des centaines d'autres. Les créateurs du logiciel mettaient d'ailleurs ses utilisateurs en garde contre les explications trop faciles ou trop hâtives. Un même verset pouvait tout aussi bien contenir des histoires relevant du passé, du présent et de l'avenir.

– Calme-toi, Vincent, s'encouragea-t-il.

En faisant le même exercice avec les noms de ses collègues, sans doute arriverait-il à y voir plus clair. Il entra donc le nom de Cindy Bloom dans le système et trouva les mots «serpent», «trahison» et «fin du monde».

– Doux Jésus…, s'étrangla-t-il.

Au lieu d'élucider ces passages obscurs, il n'avait réussi qu'à s'embrouiller davantage. De plus en plus agité, il refit le même exercice avec le nom d'Océane Chevalier et serra les dents en attendant les résultats de la recherche. Les mots «séduction», «Satan» et «danger» se détachèrent du texte.

– Pourquoi tous nos noms se trouvent-ils dans un livre vieux de trois mille ans? paniqua-t-il.

Comment l'auteur de la Bible avait-il pu prévoir que trois personnes, devenues des agents de l'ANGE, seraient mêlées aux événements de la fin du monde?

Le visage livide, Vincent tapa le nom de Cédric Orléans. Il n'obtint que ces mots: «prince de sang» et «grande incertitude».

– Mais qu'est-ce que cela signifie? Prince de sang de quel pays?

Il constata alors qu'il ne savait pas grand-chose sur le passé de son directeur. Avant d'imprimer ses découvertes et de les lui soumettre, il fit une dernière recherche sur le nom de Yannick Jeffrey, mais rien n'apparut.

– Évidemment, puisque ce n'est pas son vrai nom…

Il tapa plutôt celui de Képhas. Le logiciel ne lui répondit que par un seul mot: «décapité». Horrifié, Vincent fit vivement reculer sa chaise. C'est alors qu'il vit les regards des autres techniciens rivés sur lui. Ne désirant pas expliquer son étrange comportement, le jeune savant bondit sur ses pieds, mit fin à sa session de travail et quitta les Laboratoires en courant. Ses pas résonnèrent si fort dans le long couloir qu'il n'entendit pas le bruit des petits talons qui le suivaient.

Il eut à peine le temps de refermer la porte de sa petite chambre qu'elle s'ouvrait de nouveau, laissant apparaître Cindy. Comme tous les autres employés qui travaillaient à des postes d'ordinateur, quelques minutes auparavant, elle avait assisté à la crise de panique de Vincent.

– Que s'est-il passé? le questionna-t-elle en agrippant les manches de son sarrau blanc. Qu'as-tu vu sur ton écran? Dis-moi que ce n'est pas un autre piège virtuel de l'Agence!

Des larmes coulaient sur les joues du pauvre agent.

– Vincent, parle-moi!

– Je pense que je vais changer de travail…, s'étrangla son ami.

– As-tu vu un autre démon?

– C'est pire encore…

Cindy le força à s'asseoir sur le lit avec elle.

– Dis-moi tout.

Il lui décrivit en quelques mots ce qu'il avait trouvé dans la Bible.

– Serpent, trahison et fin du monde? répéta-t-elle, n'ayant vraiment retenu que le passage qui la concernait. Mais qu'est-ce que ça signifie?

– Justement, je l'ignore. Il est plus facile de comprendre les mots associés à des personnages politiques parce que nous savons ce qui leur est arrivé.

– Le serpent fait peut-être référence à ce qui m'est arrivé avec les reptiliens. Quant à la trahison, ce peut être n'importe quoi.

– Moi, c'est plutôt ton association avec la fin du monde qui m'énerve.

– Nous y sommes tous mêlés, maintenant, Vincent, que nous le voulions ou non. Le Ravissement a eu lieu, alors nous sommes très certainement au beau milieu des Tribulations qui mèneront au règne de l'Antéchrist et au retour du sauveur du monde.

Cindy s'empara d'un bloc-notes et d'un crayon qui traînaient sur la petite commode.

– Soyons méthodiques, suggéra-t-elle.

Elle écrivit les noms sur lesquels Vincent avait fait des recherches, puis les mots révélés par le code.

– Tu n'as pas regardé ce qu'il disait sur Aodhan? s'étonna-t-elle.

– Non. Je me suis arrêté après «décapité».

– Il est évident que nous ne sommes pas au bout de nos peines, selon la Bible. Heureusement, je me suis préparée à me battre.

– Eh bien, moi pas.

– Je vais t'emmener au dojo dès demain.

– Je ne suis pas un homme violent, Cindy. Tout ce que je veux, c'est aider les gens à ma façon, derrière un ordinateur.

– Dans ce cas, les mots «seul espoir» devraient suffire à te rassurer. Il est évident que tu survivras à tous ces sombres événements. J'en suis moins sûre pour Océane, par contre. As-tu fait une recherche sur Océlus?

Le savant secoua la tête pour dire non.

– Tu as un esprit scientifique, Vincent. Tu es capable de poursuivre ce travail sans te laisser emporter par tes sentiments. Il est important que nous sachions ce qui va se passer.

– Malheureusement, celui qui a encodé les textes sacrés ne nous a pas laissé de manuel explicatif ou, s'il l'a fait, nous ne l'avons pas encore découvert.

– Et si c'était ce qu'il entend par «seul espoir»? C'est peut-être toi qui dois le trouver! Fais-moi plaisir et reviens devant l'ordinateur.

Elle le saisit par le bras et le tira vers la porte.

– Je ne veux pas qu'on me pose de questions aux Laboratoires, protesta Vincent.

– Allons ailleurs, dans ce cas.

Cindy l'emmena dans le bureau d'Aaron Fletcher, le chef de la sécurité, qui se trouvait à l'extérieur à cette heure-là de la journée.

– Es-tu sûre qu'on peut utiliser son appareil? résista Vincent.

— Nous ne sommes ici que parce que tu ne veux pas affronter tes collègues, rappelle-toi.

Le jeune savant prit place sur le confortable fauteuil capitonné et s'empressa d'accéder à ses fichiers. Debout derrière lui, Cindy tentait de comprendre ce qu'il faisait.

— Nous y sommes, annonça Vincent.

— Fais la recherche pour Aodhan.

Le code leur fournit trois mots pour l'Amérindien : «berger», «guérison» et «Montréal».

— Mais Montréal n'existait même pas lorsque la Bible a été écrite! protesta Cindy. Es-tu certain que ton logiciel de traduction est bon?

— J'ai eu la même réaction que toi quand le programme a trouvé mon nom dans ce texte.

— Essaie Océlus.

Vincent ne trouva évidemment rien. Il tapa plutôt le nom de Yahuda Ish Keriyot sur son clavier et obtint les mots «incompris», «exécution» et «tragédie».

— Ce n'est pas beaucoup plus rose que pour Képhas, soupira le savant.

— Si les prophètes disent vrai et, pour l'instant, je n'ai aucune raison d'en douter, les deux Témoins seront exécutés par l'Antéchrist, pas seulement Yannick. C'est très difficile, mais j'essaie de m'y préparer.

— Il doit y avoir une autre façon d'utiliser ce code…

— Pourrais-tu chercher un dernier nom pour moi?

— Oui, bien sûr, même si je doute que cela nous éclaire davantage. De qui s'agit-il?

— Cael Madden.

— Le faux prophète de Washington? C'est un charlatan!

— Nous n'avons aucune preuve qu'il soit un imposteur.

Vincent céda devant le regard insistant de la jeune femme et demanda à l'ordinateur de lui traduire le nom de Madden en hébreu.

— Le vert te va bien, murmura le savant en attendant le résultat de la recherche.

— Merci, répondit timidement Cindy.

Des lettres s'illuminèrent dans le texte s'entrecroisant verticalement et horizontalement : «libérateur», «controversé» et «Jérusalem».

— Eh bien! s'exclama triomphalement l'agente.

— C'est aussi obscur que pour les autres noms, si tu veux mon avis.

— Il libérera Jérusalem!

— Tu oublies le «controversé».

— C'est à cause des gens sceptiques comme toi. Je vais aller voir ce que je peux trouver dans nos bases de données sur tous ces mots. Peut-être font-ils partie ensemble d'articles de journaux ou d'extraits de documents importants.

Vincent en doutait, mais il ne voyait pas de mal à la laisser faire ce genre d'enquêtes. Il ferma ses fichiers pour ne pas se faire surprendre par le chef de la sécurité, puis suivit Cindy dans le long corridor. Elle retourna aux Laboratoires, tandis qu'il poursuivait sa route jusqu'aux Renseignements stratégiques. «Si seulement je savais comment contacter les *malachims* à volonté», regretta le jeune savant en se plantant derrière les techniciens.

Vincent aimait promener son regard sur la centaine d'écrans qui tapissaient le mur et qui transmettaient des images de tous les coins de la planète. Son esprit ultrarapide arrivait à suivre très facilement le cours des événements d'un pays à l'autre. Partout, c'était le chaos. Les policiers et les militaires faisaient de leur mieux pour rétablir l'ordre. «Combien de temps devrons-nous encore attendre avant de nous remettre de ces événements?» se demanda Vincent.

Il poursuivit son chemin jusqu'à la porte du bureau de Cédric et y fut informé qu'il était absent, ce qui était plutôt inhabituel. Forcé d'attendre son retour, Vincent se risqua aux Laboratoires. Sans faire de bruit, il se faufila jusqu'à la pièce isolée par des murs en plexiglas où les techniciens procédaient aux examens des objets suspects à l'aide de machines très sophistiquées. Elle était inoccupée depuis plusieurs semaines, alors le savant y serait enfin tranquille.

Vincent s'installa devant l'un des ordinateurs et prit une profonde inspiration avant de rappeler à l'écran le logiciel du code de la Bible. Cette fois-ci, au lieu de le questionner de nouveau sur les noms des gens qu'il connaissait, il plongea au cœur du programme pour voir comment il était composé.

— Il y a certainement une autre façon de procéder..., siffla-t-il entre ses dents en parcourant les longues lignes de codes informatiques.

...008

Le soleil n'était pas encore levé, mais tout le ciel au-dessus des maisons de Jérusalem était entièrement coloré en rose. Yannick contemplait ce paisible spectacle, assis, le dos appuyé contre un muret. Rien ne laissait entrevoir que quelques heures plus tôt, la ville avait été une fois de plus secouée par le retentissement de coups de feu ou de cris de terreur. Le Témoin ne s'en inquiétait pas, car le maître Jeshua lui avait dit qu'il en serait ainsi à la fin des temps. Il ne pouvait pas empêcher le crime de sévir partout à travers le monde. Ce n'était pas sa mission. Ce que le Père attendait de lui, c'était qu'il serve un avertissement, pas aux hommes de bonne volonté qui, de toute façon, étaient montés vers lui lors du Ravissement, mais à ceux qui pouvaient encore être sauvés.

Yahuda n'était revenu ni dans la grotte des chrétiens, ni sur les places publiques. Yannick avait questionné plusieurs fois le Père à son sujet, lors de ses périodes de récupération, sans jamais apprendre où il se trouvait. Les récentes fautes commises par cet apôtre lui avaient-elles valu un grave châtiment? Ignorant le sort de son ami, Yannick priait sans cesse pour le salut de son âme.

Les premières semaines, les fidèles avaient questionné Yannick à propos de l'absence du deuxième Témoin, puis ils l'avaient graduellement oublié pour se concentrer sur les prédications de celui qui restait. Il était beaucoup plus épuisant de prêcher seul. Yannick se vidait de toute son énergie tous les jours et devait passer de plus longues heures dans l'Éther pour recouvrer ses forces. Néanmoins, ses efforts n'étaient pas vains. De plus en plus de brebis perdues revenaient vers leur Créateur.

En ce beau matin de printemps, Yannick réfléchissait à tout ce qui s'était passé depuis un an. Même s'il servait le Père avec une profonde dévotion, il ne pouvait pas s'empêcher de penser aux amis qu'il avait perdus. Isolé dans la Ville sainte, il sentait souvent le poids de sa solitude. Curieusement, c'est à Vincent que le ramenaient souvent ses pensées. «Il est si peu préparé pour ce qui s'en vient», songea le Témoin. Lorsque le Prince des Ténèbres prendrait enfin possession du corps d'Asgad Ben-Adnah, il n'y aurait plus aucun endroit au monde où les gens naïfs comme lui pourraient se cacher, pas même dans les bases de l'ANGE.

Yannick sentit alors une présence dans le jardin où il se reposait. Pourtant, personne n'avait le droit de quitter sa maison avant le lever du soleil depuis l'instauration de la loi martiale. Une silhouette se détacha d'entre les oliviers, et il reconnut l'énergie rafraîchissante de Chantal Gareau. Contrairement à Océane, cette jeune femme était demeurée fidèle à ses idéaux même si elle s'entêtait à rester à Jérusalem…

– Tu ne devrais pas être ici, lui reprocha-t-il lorsqu'elle fut près de lui.

– Les soldats ne patrouillaient pas mon quartier, ce matin, alors j'en ai profité pour venir te voir.

– Comment as-tu su que j'étais ici?

– Je suis tous tes mouvements depuis plusieurs mois, Yannick. Je connais tes endroits préférés. Je les ai tous visités depuis ma sortie de l'hôtel et je t'ai finalement trouvé.

Elle prit place sur le sol devant le Témoin et ôta son sac à dos. Sans se presser, elle en sortit son cahier de notes et sa plume.

– Puisque tu seras entouré de milliers de personnes tout à l'heure, je vais en profiter pour te mettre au courant de mes progrès et te poser quelques questions, déclara-t-elle sur un ton professionnel.

– Je suis certain que ton texte est déjà parfait.

– Tu as utilisé tes pouvoirs pour le lire à mon insu?

– Non, assura Yannick avec un sourire amusé. Je le sais parce que je te connais bien, maintenant. Tu ne fais rien à moitié.

– Fais-moi plaisir et laisse-moi t'en parler.

– Pourquoi pas?

– Je l'ai intitulé : «*Les Témoins de la fin des temps*». Mon éditeur est d'avis que c'est un excellent titre.

– Je suis d'accord avec lui.

– Le premier chapitre relate ta première vie, celle que tu as passée auprès de Jeshua. Il manque tellement de détails dans la Bible que les lecteurs seront contents d'apprendre qui il était réellement comme homme. Je ne sais pas, par contre, comment ils réagiront lorsqu'ils apprendront qu'il était marié et qu'il avait des enfants.

– Ils n'auront qu'à consulter les livres d'histoire pour comprendre qu'il n'aurait jamais été pris au sérieux en tant que rabbin s'il n'avait pas fondé une famille. Ce sont les dirigeants religieux qui, des années plus tard, ont décidé d'en faire un célibataire pour des raisons économiques et politiques.

– Tu as raison. Je vais leur fournir cette explication.

Chantal prit quelques notes dans la marge de son manuscrit, toujours écrit à la main. «Aura-t-elle le temps de faire publier ce livre avant la mainmise de l'Antéchrist sur la planète?» se demanda Yannick.

– J'ai ajouté quelques passages sur les discussions que vous aviez avec Jeshua et j'ai aussi précisé que Yahuda n'était pas un traître comme on a voulu nous le faire croire. En passant, as-tu des nouvelles de lui?

L'apôtre secoua doucement la tête à la négative.

– Tu dois être très inquiet, comprit la jeune femme.

– J'essaie de ne pas questionner les décisions du Père, mais j'avoue que c'est difficile.

– Il était le disciple préféré de Jeshua, lui rappela Chantal. Je suis certaine qu'il ne laissera rien lui arriver. Peut-être avait-il simplement besoin de vacances au Ciel?

– C'est ce que j'essaie de croire aussi.

Chantal tourna quelques pages de son texte.

– Dans le deuxième chapitre, j'ai tenté de suivre ton évolution dans le temps et d'expliquer pourquoi tu étais immortel. C'était facile dans le cas de Yahuda, qui avait choisi de demeurer un pur esprit jusqu'à tout dernièrement, mais en ce qui te concerne... :

– Je ne me souviens pas de t'en avoir parlé.

– C'est justement cela, mon problème. Je veux savoir comment tu as fait pour vivre deux mille ans sans te lasser.

– Je me suis occupé constructivement.

– Où étais-tu pendant le Moyen Âge? La Renaissance? L'industrialisation? La Révolution française? La Première Guerre mondiale? La Deuxième?

– Est-il vraiment nécessaire que tu racontes tout cela? s'étonna Yannick.

– Oui, pour établir ta crédibilité.

– Que fais-tu de la foi?

– C'est dans mon troisième chapitre. Je t'en prie, parle-moi de ce que tu as fait pendant tout ce temps, même si c'est très sommairement.

– C'est beaucoup demander à ma mémoire...

Yannick commença par lui raconter qu'il avait été mis à mort par des soldats à Rome. Puisqu'il était chrétien, on l'avait balancé dans une fosse commune, au fond de laquelle il s'était réveillé après que son âme y ait été retournée par le Père. Désorienté, il avait longtemps travaillé sur une ferme à l'extérieur de la ville, mais comme il ne vieillissait pas, il avait dû quitter la tranquillité de cette vie pour retourner à Rome. Ses bourreaux étaient morts depuis longtemps lorsqu'il avait accepté un poste de précepteur auprès des enfants d'un sénateur.

— J'ai vécu parmi les Romains jusqu'à la chute de leur empire d'Occident. Je me suis alors mis en route pour Constantinople, où je suis resté jusqu'au XVe siècle. Par la suite, j'ai vécu dans plusieurs pays dont l'Irlande, l'Écosse, l'Angleterre, la France et l'Espagne. Je ne suis retourné en Italie qu'à la Renaissance. Puis je me suis établi en Angleterre, pour finalement aboutir en Amérique.

— Qu'as-tu fait tout ce temps?

— J'ai d'abord exercé tous les métiers, car je suis très curieux de nature et plutôt doué de mes mains. Puis, je me suis intéressé à la transmission de la connaissance et j'ai fréquenté tous les grands maîtres de la pensée. J'adorais la philosophie. Je l'ai étudiée et je l'ai enseignée pendant des centaines d'années.

— C'est tellement fascinant…

Le Témoin lui fournit même les noms de quelques-uns de ses illustres professeurs, dont Leibniz, de Biran, Cousin, Nietzsche, Bergson, James et Lukacs.

— J'aimais aussi l'art et l'architecture, ajouta-t-il, alors je me suis fait un devoir de visiter les plus beaux monuments du monde avant qu'ils ne soient détruits par la guerre.

Le visage de Képhas s'assombrit brusquement.

— Je déteste la guerre… et pourtant, il y en a eu partout où je me suis rendu. Certains chefs religieux, censés prôner la paix et la bonne entente sur Terre, sont même allés jusqu'à financer des campagnes militaires. Cela me révoltait. J'ai bien tenté de leur faire comprendre leur erreur dans des lettres anonymes, mais je n'ai rien pu changer.

— Je comprends exactement ce que tu ressens. C'est effroyable de penser que des hommes s'entretuent au lieu de se parler. Mais pourquoi Dieu ne fait-il rien pour rétablir la paix sur cette planète?

– Il a malheureusement donné aux êtres humains leur libre arbitre, ce qui ne l'a pas empêché d'envoyer son Fils et d'autres bonnes âmes dans la mêlée pour tenter de les raisonner, avec les résultats que l'on connaît. Je prie pour que le second retour de Jeshua parmi nous apporte enfin des changements durables.

– Moi aussi. Mais où était Yahuda pendant que tu parcourais le monde?

– Il évoluait surtout dans les sphères célestes, attendant que notre mission commence enfin. Il lui arrivait cependant de me visiter, là où j'avais choisi de demeurer. Je lui enseignais alors ce que je venais d'apprendre. Il ne comprenait pas toujours ce que je lui disais, mais mon enthousiasme lui apportait une grande joie.

– Vous ne vous êtes donc pas réellement quittés depuis Jérusalem?

– Pas dans le sens où vous l'entendez sur Terre.

Le soleil commençait à poindre au-dessus des immeubles, éclairant le visage de Yannick de sa lumière bienfaisante.

– Les gens vont bientôt se mettre à ta recherche, déplora Chantal.

– Il me reste encore au moins deux ans avant de périr aux mains de mon ennemi, dit-il en tentant maladroitement de la rassurer. Cela nous laisse beaucoup de temps.

– Tu me dis cela comme si ce n'était rien, se renfrogna la jeune femme.

– Je suis déjà mort, l'as-tu oublié?

– Je ferai appel au gouvernement canadien pour qu'il empêche cette exécution.

– Lorsque ce moment approchera, c'est moi qui lui demanderai plutôt de te rapatrier, car si Jérusalem n'est pas sûre en ce moment, elle deviendra un véritable enfer lorsque Satan s'y installera.

Chantal ouvrit la bouche pour protester, mais il leva vivement la main pour l'arrêter.

– Je dois me mettre en route, lui rappela-t-il.

– Non, attends! Je suis à peine parvenue à la partie vraiment importante de mon livre.

– Le chapitre sur la foi?

– J'y ai copié tous les entretiens que Yahuda et toi avez eus avec la foule depuis que vous avez commencé à prêcher à Jérusalem.

– Tous?

– Je les enregistre sur un petit magnétophone pendant la journée, et le soir je les transcris. Vos paroles sont chargées d'une si grande sagesse. Mais ce qui me fascine encore plus, c'est que vous vous adressiez à la foule en français et que tous vos auditeurs vous comprennent, peu importe la langue qu'ils parlent.

– Je l'ignorais, avoua le Témoin, surpris.

– Moi, j'appelle cela un miracle.

– Mais lorsque les gens me posent des questions, ils le font pourtant en français…

– Pas du tout, et je vais même t'en donner la preuve.

Elle sortit son magnétophone de son sac à dos et lui fit écouter quelques minutes de son plus récent sermon. Il entendit sa propre voix, puis celles de plusieurs personnes qui l'interrogeaient en allemand, en hébreu, en espagnol et en italien.

– Tu vois bien que c'est un prodige! se réjouit Chantal. C'est à mon avis la preuve indiscutable que Yahuda et toi détenez un réel pouvoir divin.

La sirène mettant fin au couvre-feu retentit à travers la ville de Jérusalem.

– Puis-je t'accompagner jusqu'à l'endroit où tu as choisi de prêcher aujourd'hui? l'implora la jeune écrivaine.

— Tu sais ce que tu risques si les médias te voient avec moi.

— Je ne ferai qu'un bout de chemin avec toi, puis j'irai m'installer parmi les fidèles comme d'habitude.

Yannick se pencha et l'embrassa sur le front.

— Je sais que je perds mon temps, mais je dois te demander encore une fois de rentrer au pays, lui dit-il.

— N'insiste pas, Yannick. Je ne partirai que lorsque j'aurai tout ce qu'il me faut pour mon livre.

— Dans ce cas, j'accepte de te rencontrer en privé encore deux ou trois fois et de te reconduire à l'aéroport.

— On verra.

Elle bondit sur ses pieds avec la fougue de sa jeunesse. Il marcha avec elle dans les petites rues qui commençaient à se réveiller.

— De quoi leur parleras-tu, ce matin?

— Je ne le sais jamais à l'avance.

Lorsqu'ils aboutirent à la place publique où le Témoin avait choisi de passer la journée, Chantal bifurqua vers la gauche et se mêla à la foule qui commençait à s'y rassembler. Plusieurs personnes saluèrent Yannick en l'appelant Maître. «Qu'importe, du moment qu'ils m'écoutent», se dit l'apôtre en s'arrêtant au milieu du forum.

— Es-tu bien certain que les événements dont tu parles se produiront? lança aussitôt un étudiant.

— Aussi certain que je te vois, répondit Yannick.

— Alors, nous sommes déjà perdus?

— Seulement si vous acceptez la marque de la Bête.

— Regarde combien nous sommes nombreux, intervint un autre jeune homme. Comment l'Antéchrist pourrait-il nous imposer sa loi?

— Ne le sous-estimez pas. Ce serait votre plus grave erreur.

— Penses-tu vraiment que nous le laisserons marquer notre chair au fer rouge sans rien faire?

– Ce n'est pas ainsi qu'il vous numérotera, mais par un processus commun à votre siècle. Il édictera une loi qui vous obligera à recevoir sous votre peau une toute petite puce électronique contenant tout ce qu'il aura besoin de savoir sur vous.

Des murmures inquiets s'élevèrent de l'assemblée, car ce genre de systèmes de repérage était déjà utilisé chez les animaux.

– Il nous suffit donc tout simplement de la refuser? voulut savoir un vieil homme.

– C'est exact.

– Que fera l'Antéchrist à ceux qui lui tiendront tête? demanda une femme cachée derrière un voile noir.

– Il persécutera ceux qui refuseront la marque.

– Tu nous demandes de mourir plutôt que de nous battre pour sauver notre foi? s'insurgea un soldat qui venait de contourner la foule.

– Non. Je préférerais de loin que vous preniez la fuite lorsque viendra le temps de recevoir cette puce.

– Mais tu as dis l'autre jour que le bras du Prince des Ténèbres était long et qu'il commanderait à presque toutes les nations, lui rappela un rabbin. Où pourrions-nous lui échapper?

– Dans les montagnes des régions qu'il aura soumises ou dans les pays qu'il n'aura pas encore conquis. N'oubliez pas que l'Antéchrist ne régnera que trois ans et six mois avant que le Fils de Dieu ne revienne pour le jeter dans le lac de feu avec son Faux Prophète. Vous devrez tenir jusque là afin de recevoir la récompense des justes.

Voyant le scepticisme s'afficher sur la plupart des visages, Yannick s'entêta toute la journée à convaincre son auditoire du bien-fondé de ses paroles. Lorsque la sirène rappela finalement les habitants dans leurs maisons, le pauvre apôtre épuisé se dématérialisa. Jamais il n'avait tant eu besoin de l'amour du Père pour poursuivre sa mission.

...009

Fort des merveilleux résultats qu'il avait obtenus auprès des malades en Syrie, Asgad Ben-Adnah ne se contenta pas de rencontrer uniquement les chefs des gouvernements qui le conviaient dans leurs pays. Partout où il allait, il visitait aussi les hôpitaux, les asiles, les hospices et même les sanatoriums. Personne ne pouvait le dissuader de s'acquitter de sa nouvelle mission divine, pas même Océane, Benhayil et Antinous, à qui il parlait régulièrement au téléphone. Il continuait de leur promettre qu'il allait bientôt rentrer à Jérusalem, mais dès qu'une autre nation lui lançait une invitation, il l'acceptait et faisait tout de suite changer ses plans de vol.

Il marqua ainsi son passage en Croatie, en Bulgarie, en Serbie, en Roumanie, en Ukraine et en Albanie par des guérisons miraculeuses, allant même jusqu'à sauver la nièce du président croate d'une mort certaine. Toutefois, Asgad ne suscitait pas seulement l'émerveillement de la population mondiale, il s'attirait aussi la haine de certains groupes qui ne désiraient pas voir la paix s'installer sur Terre, dont l'Alliance. Si cette dernière n'avait pas pu se manifester ouvertement avant le Ravissement, depuis quelques mois, elle étendait de plus en plus ses tentacules sur l'Europe et le Moyen-Orient, désireuse de devenir une importante force politique.

C'était l'Alliance qui avait commandité la première tentative d'assassinat contre Asgad Ben-Adnah en empoisonnant le cerveau d'un jeune Syrien militant de gauche. En apprenant que l'homme d'affaires avait survécu à ses blessures, les démons s'étaient rassemblés sur une île déserte de la Méditerranée pour préparer leur prochain attentat.

Depuis qu'Ahriman avait cessé de les diriger pour s'occuper uniquement des affaires de Satan, ces cruels reptiliens avaient élu un nouveau chef parmi eux. Ne désirant pour rien au monde être de nouveau à la merci d'un membre d'une caste magique, ils avaient opté pour un Shesha plutôt que pour un Orphis.

Les sanguinaires Sheshas étaient apparentés, à un certain degré, aux Draghanis et aux Anantas. Tout comme ces derniers, leurs écailles étaient bleues plutôt que vertes, et ils partageaient leurs envies de domination. Dénués par contre de l'intelligence de leurs cousins de la haute caste, ils s'imaginaient qu'en dévorant le plus de chefs humains possible, ils parviendraient à paver la voie de conquête du Prince du Ténèbres. Ils n'avaient pas non plus pris la peine de s'informer au sujet de leur prochaine victime. Les Sheshas savaient seulement qu'elle gagnait de plus en plus le cœur de la population, ce qui les horripilait au plus haut point. Ils ignoraient aussi que le Faux Prophète lui-même veillait sur Asgad...

Asmodeus n'adoptait pas souvent une forme humaine, car celle-ci le répugnait. Il préférait de loin son apparence reptilienne. Physiquement, il était difficile de distinguer un Shesha d'un Anantas, car ils étaient sensiblement de la même couleur et de la même taille, en plus d'avoir des habitudes alimentaires semblables. Ce n'était qu'au niveau de leurs pouvoirs qu'on pouvait établir la distinction entre ces deux races. Les Anantas étaient de puissants magiciens. On pouvait toutefois différencier les Sheshas des Draghanis par les petites nageoires vertes que ces derniers portaient au-dessus des oreilles.

Après avoir fait le tour de ses effectifs, Asmodeus en vint à la conclusion qu'aucun d'eux n'était suffisamment subtil pour commettre ce meurtre, même les Naas qui pouvaient se déplacer dans les airs. Suite à leur premier misérable échec, Ben-Adnah était maintenant entouré de redoutables gardes du corps recrutés parmi la crème de l'armée israélienne. Le nouveau chef de l'Alliance n'avait plus le choix : il devait s'acquitter lui-même de cette mission.

Les Sheshas n'étant nullement de puissants nageurs comme les Nagas, Asmodeus avait dû emprunter le bateau de l'un de ses subalternes pour se rendre en Turquie, où l'entrepreneur prodige était en train de conquérir le cœur de la population. Le commandant des reptiliens commença par s'informer des déplacements de Ben-Adnah, qui n'étaient nullement secrets. Les journaux les affichaient en grosses lettres, ajoutant que tous les pays accueillaient le nouveau leader mondial, les bras ouverts. Partout où il arrivait, les aéroports étaient bondés de gens qui lui lançaient des fleurs et lui soufflaient des baisers. «Son temps achève», gronda intérieurement le démon.

Asmodeus se réfugia ensuite dans un *gecekondu*, non loin de la ville qui recevrait bientôt l'homme d'affaires. C'était un rassemblement de cabanes en parpaing, sans rues ni égouts, dépourvues d'eau et d'électricité, comme il en surgissait parfois la nuit le long des rues. Tout en échafaudant son plan, le démon pourrait s'y nourrir à volonté des jeunes gens qui y erraient sans que personne ne remarque leur disparition. Là, il attendit le moment de frapper.

Publius Aelius Hadrianus, qui sommeillait au cœur d'Asgad Ben-Adnah, se réjouissait chaque fois qu'il reprenait sous son aile l'une des provinces de son ancien empire. Il avait mémorisé la carte géographique que Pallas lui avait montrée, dans sa villa de Jérusalem, et il entendait régner une fois de plus sur ses contrées d'antan. Cette fois, au lieu de les conquérir par la force, il utilisait une arme bien plus dangereuse : la politique.

Il avait déjà charmé ses anciens sujets de Judea, de Syria, de Dacia et de Dalmatia. Il avait encore fort à faire pour rétablir sa domination sur le monde, mais n'était-ce pas là l'œuvre de toute une vie ? « Océane et Antinous seront fiers de moi lorsque je serai proclamé une fois de plus empereur », se réjouit intérieurement Asgad. Il devait maintenant se concentrer sur un pays qui regroupait plusieurs des anciens états de Lycia, Pamphylia, Galatia, Cappadocia et Thracia, soit la Turquie. Ce remembrement lui faciliterait les choses.

En plus d'un important comité d'accueil, un grand nombre de personnes vint l'accueillir à l'aéroport Atatürk. Sans doute ces gens avaient-ils entendu parler de ses dons de guérisseur. Flanqué de ses propres gardes du corps et d'une escorte militaire digne du pape lui-même, l'homme d'affaires salua la foule, tandis qu'il marchait vers la sortie de l'immeuble. On lui avait proposé de venir le chercher directement sur le tarmac en voiture, mais il avait catégoriquement refusé en clamant très fort qu'il était un homme du peuple.

On le fit entrer dans une limousine allongée, dans laquelle l'attendait le président de la Turquie. Des agents de surveillance montèrent à l'avant de la voiture et dans d'autres véhicules blindés qui la précédaient.

– Je suis enchanté que vous ayez accepté notre invitation, déclara le président turc en serrant la main d'Asgad.

– Comment aurais-je pu la refuser ? rétorqua le visiteur avec un large sourire. J'ai toujours aimé votre pays.

Il n'ajouta toutefois pas qu'il l'avait souvent traversé deux mille ans auparavant avec ses armées.

– En plus des réunions diplomatiques dont vous avez été informé, j'ai fait rassembler à Sultanahmet Camii, la Mosquée bleue, ainsi qu'à Ayasofya, l'ancienne église chrétienne de

Constantinople, les malades qui avaient le plus besoin de vous, ajouta l'homme d'État.

– Vous me comblez.

Asgad n'avait pas encore tenté de guérisons de masse, mais il ne doutait pas une seule seconde d'avoir la force d'opérer ce type de miracles. «Il y a une première fois à tout», se répétait-il depuis la première année de son règne à Rome. Si cette tentative ne réussissait pas, alors il prendrait le temps de voir ces pauvres gens un par un.

– Votre renommée vous précède, monsieur Ben-Adnah. Avant votre arrivée, j'ai rencontré plusieurs des chefs des pays voisins. Nous sommes impressionnés par vos prouesses à un point tel que nous avons songé à former un regroupement politique dont vous seriez le chef.

– De quels pays parlez-vous?

– De la Croatie, la Bulgarie, la Serbie, la Roumanie, l'Ukraine et l'Albanie, que vous avez déjà séduites, en plus de l'Arménie, la Hongrie, la Slovaquie, la Bosnie, la Slovénie et l'Autriche, qui ont manifesté leur désir de se joindre à nous.

Il s'agissait d'une conjoncture intéressante pour un homme en quête de pouvoir. Asgad n'y était pas du tout indifférent. Il ne lui resterait qu'à annexer les provinces de Bithynia-Pontus, de Macedonia, de Tracia, de Rhaetia, de Belgica, de Gallia, d'Hispania, de Britania et d'Italia pour que son empire lui soit enfin rendu.

– Il nous faudra évidemment trouver un nouveau nom à cet état souverain qui tiendra compte de toutes ces nations, poursuivit le président. Mais on m'a dit que vous n'êtes jamais à court d'idées. En guise d'appréciation de l'effort de paix que vous menez au Moyen-Orient, la Turquie aimerait vous offrir une villa dans la capitale.

– Il n'est pas nécessaire de m'offrir des présents, monsieur le président, mais je l'accepte avec humilité.

Asgad ignorait évidemment que c'était le pouvoir de séduction de l'Anantas en lui qui continuait de faire des ravages. Il n'avait qu'à parler pour être obéi ou à fixer son interlocuteur pour le soumettre.

– Nous allons d'abord nous arrêter dans le meilleur hôtel de la ville, où vous attendent tous vos hôtes. Ils ont vraiment hâte de faire votre connaissance.

Pendant que les deux hommes conversaient, le cortège de voitures noires se frayait un chemin dans les grandes artères d'Istanbul, avec l'aide de la police. Mais pour s'approcher de l'hôtel, il devait s'engager dans plusieurs rues plus étroites. Celles-ci avaient été préalablement évacuées et jalonnées de soldats armés pour prévenir tout attentat à la vie des deux hommes politiques. Mais si ces précautions suffisaient à décourager un assassin humain, il n'en était pas de même pour un reptilien.

Malgré toutes les dispositions prises par le gouvernement turc pour éviter une tragédie, se produisit l'impensable. À trois cent mètres à peine de la destination du convoi, un bolide tomba du ciel comme un météorite, s'écrasant durement sur le capot de la limousine. Effrayé, le chauffeur donna un brusque coup de volant, emboutissant le nez de la grosse voiture dans un conteneur en métal. Le choc ne fut pas suffisant pour blesser ses passagers, qui se redressèrent plutôt pour voir ce qui se passait. Sans perdre une seconde, les soldats foncèrent sur les lieux de l'accident, tandis que les gardes du corps jaillissaient des véhicules.

Les militaires atteignirent la limousine mitraillettes à la main, mais à leur grand étonnement, ils constatèrent que ce qu'ils croyaient être un gros bloc de pierre était en fait une créature d'un bleu très sombre. Cette méprise leur coûta la vie. Asmodeus tourna sur lui-même comme une toupie en tendant les bras. Ses longues griffes tranchèrent les gorges non protégées de ces humains en quelques secondes à peine.

Voyant que la première ligne de défense avait été fauchée, les gardes du corps ouvrirent le feu tous en même temps. Ils ne trouvèrent pas leur cible : elle avait disparu! Avant qu'ils puissent comprendre ce qui venait de se passer, ils furent attaqués par-derrière par une bête déchaînée. Le sang gicla dans les fenêtres de la limousine au milieu des cris de terreur d'hommes qui étaient pourtant habitués à se battre. Le président turc n'était évidemment pas armé. Il fit donc la seule chose qu'il pouvait faire : il appuya sur un bouton qui verrouillait toutes les portes de la limousine et s'empara de son téléphone cellulaire pour appeler des renforts.

Asgad, quant à lui, observait la scène avec une curiosité morbide. Sans comprendre comment c'était possible, il lui semblait tout à coup revivre des scènes familières. «J'ai déjà tué des ennemis à la guerre, se rappela-t-il, mais jamais avec autant de furie.» Quel genre de guerrier se battait-il ainsi?

– Nous sommes parfaitement en sécurité dans la voiture, tenta de le rassurer le président d'une voix tremblante.

– Je n'ai pas peur, affirma le visiteur.

La gueule d'une créature immonde recouverte d'écailles bleu sombre apparut alors dans la vitre de la portière.

– C'est le diable! hurla le président en s'enfonçant dans le siège de cuir.

Asgad ne savait plus très bien ce qu'il éprouvait. Ce qu'il observait n'était pas un visage humain, mais celui d'une bête se rapprochant étrangement d'un lézard. Pourtant, il n'en existait nulle part de cette taille et encore moins qui se tenaient ainsi sur deux pattes. Les yeux rouges de l'assaillant étaient immobiles et sauvages, et son nez saillant ressemblait à un long museau. Asgad vit même une étroite langue fourchue en émerger à plusieurs reprises.

«Pourquoi ne suis-je pas terrorisé?» s'étonna l'entrepreneur. Au contraire, il montait en lui une envie de se mesurer à ce monstre...

– C'est moi qu'il veut, conclut Asgad.

– Surtout, ne bougez pas, l'avertit le président. Toute l'armée sera ici dans un instant.

Le reptilien se mit alors à frapper si durement sur le verre de la fenêtre qu'il fit trembler le gros véhicule. Au volant, le chauffeur récitait maintenant des prières à son dieu en pleurant. Voyant qu'il n'arrivait à rien, Asmodeus souleva la voiture et la renversa sur le côté, balançant ses occupants sur les portes opposées.

– Laissez-moi sortir! supplia Asgad. Je peux éviter un massacre.

– Il vous tuera!

– Je vous ordonne de me laisser sortir!

Dans un soudain état de transe, le président appuya sur le bouton qui actionnait le déverrouillage. Découvrant que la portière était trop lourde pour être ouverte à l'horizontale, Asgad utilisa plutôt la fenêtre. Le verre glissa avec un chuintement. À son grand étonnement, l'entrepreneur se propulsa sans aucune difficulté à l'extérieur, comme s'il avait eu des pattes de grenouille. Il atterrit souplement dans la rue, face au cauchemardesque meurtrier.

– Voilà donc le futur maître du monde, grimaça Asmodeus.

Asgad continuait à observer son opposant en se demandant pourquoi il ne le craignait pas.

– Malheureusement pour toi, l'Alliance a décidé de t'éliminer.

– Quelle alliance?

– Celle de tous les démons de la Terre, évidemment.

«Je suis peut-être couché dans mon lit en train de faire un cauchemar...» songea soudain l'Israélien.

– Le jour approche où nous pourrons enfin vivre au grand jour, mais pour que cela se produise, nous ne devons être sous la domination de personne.

– Vous défiez l'empereur de Rome?

La créature pencha la tête de côté, ne comprenant pas où sa victime voulait en venir.

– Peu importe qui tu es, tu mourras aujourd'hui, car c'est ton destin.

Asgad aurait donné n'importe quoi pour avoir un glaive sur sa hanche. Asmodeus profita de cette courte distraction pour l'attaquer. C'est alors qu'émergea enfin l'Anantas qui sommeillait au cœur de l'empereur. Tandis qu'on entendait au loin le martèlement des bottes des soldats qui accouraient, la peau du visage d'Asgad se couvrit de petites écailles bleues.

– Mais comment…? s'étrangla Asmodeus, stupéfait.

Son corps reptilien étant sensiblement de la même taille que son corps humain, les vêtements de l'Israélien ne gênèrent pas ses mouvements. Sans la moindre frayeur, il fonça sur le Shesha. Ce dernier commença par reculer devant sa fureur, puis défendit sa vie. Les deux reptiliens roulèrent dans la rue recouverte de sang, se griffant et se mordant tout en poussant des grondements rauques. Atterrés par ce curieux spectacle, les soldats ne surent plus très bien quoi faire lorsqu'ils atteignirent enfin la limousine.

– Mettez-les en joue! hurla leur commandant. Mais ne tirez pas!

Il grimpa lui-même sur la voiture et jeta un coup d'œil par la fenêtre ouverte. Le président était écrasé tout au fond, le visage blafard.

– Sauvez monsieur Ben-Adnah! supplia-t-il.

– Où est-il?

– Je n'en sais rien! Il est sorti de la voiture!

Le commandant se redressa et regarda rapidement autour de lui sans apercevoir la moindre trace de l'homme d'affaires. Les deux combattants, qui essayaient de s'arracher mutuellement la tête, ressemblaient plutôt à des assassins affublés de cagoules bleues. Ni l'un ni l'autre ne pouvaient être Asgad Ben-Adnah. Le pauvre militaire n'avait jamais été confronté à ce genre de situation. Devait-il tuer les deux hommes? L'un d'eux pouvait très bien être en train de protéger le président... S'il n'arrêtait pas bientôt ce duel, il n'en saurait jamais rien.

Jouant le tout pour le tout, il visa les deux hommes et ne tira qu'un seul coup. Touché au bras, Asgad repoussa brutalement son assaillant contre le mur et se tourna vers celui qui l'avait blessé.

– Si vous faites un pas de plus, je vous tue! l'avertit le soldat.

Sous sa forme d'Anantas, le célèbre entrepreneur ne raisonnait plus de la même façon. Il releva brusquement le bras. Le commandant n'eut pas le temps de presser sur la gâchette de son arme. Une terrible force invisible le projeta comme un vent violent avec tous ses hommes, jusqu'au carrefour suivant, cinq cents mètres plus loin! Asmodeus profita de ce moment d'inattention de son adversaire et l'attaqua par-derrière, plantant ses griffes dans sa gorge. Asgad se débattit férocement, mais n'arriva pas à décrocher le Shesha. Du sang bleu s'échappait de ses blessures et tachait son bel habit. Perdant rapidement des forces, il tomba à genoux.

Asmodeus s'apprêtait à sectionner l'une des veines jugulaires de l'Anantas lorsqu'un fantastique éclair blanc l'aveugla. Il ne laissa cependant pas s'échapper sa proie. Il battit frénétiquement des paupières et distingua la silhouette d'un humain. «Encore un autre qui veut se faire tuer», gronda intérieurement le Shesha. Il baissa la tête pour mordre Asgad, mais reçut une boule de feu sur l'épaule avant d'avoir pu planter ses crocs dans la chair de son adversaire. En proie à une déchirante douleur, il laissa tomber l'Anantas sur le sol et regarda ce nouvel ennemi avec plus d'attention. Ce dernier portait un imperméable noir sur un habit de la même couleur, comme les hommes d'affaires, mais quelque chose dans son regard incandescent indiqua à Asmodeus qu'il ne le vaincrait pas.

— Comment oses-tu t'en prendre au Prince des Ténèbres? hurla Ahriman, ivre de colère.

— Personne ne régnera sur nous, rugit le Shesha.

Une autre sphère incandescente prit naissance dans la paume du Faux Prophète. Asmodeus ne demanda pas son reste. S'il voulait un jour faire payer à cet Orphis son insolence, il devait survivre à cet affrontement. Vif comme l'éclair, malgré sa blessure à l'épaule, le reptilien bleu grimpa comme une araignée sur la façade de l'immeuble derrière lui. Ahriman lança la boule de feu, mais elle frappa la brique, car le Shesha venait de sauter sur le toit.

Le Faux Prophète ne le prit pas en chasse. Il se pencha plutôt sur son protégé et referma très rapidement ses blessures à la gorge. Satan ne le lui pardonnerait jamais si Asgad venait à perdre la vie avant qu'il ne soit prêt à prendre possession de son corps. Les écailles sur le visage de l'Israélien se mirent à disparaître et il reprit son apparence humaine. Juste à temps, d'ailleurs. Les soldats revenaient à la charge. Ahriman changea aussitôt la couleur du sang sur les vêtements d'Asgad, car il aurait été incapable de leur expliquer pourquoi il était bleu.

— Docteur Wolff…, murmura le blessé en battant des paupières.

— Ménagez vos forces, monsieur Ben-Adnah. Tout va très bien, maintenant.

Le soi-disant médecin déchira la manche de son patient et examina la plaie noircie laissée par la balle du militaire. Il profita du fait que les soldats aidaient le président à sortir de la limousine pour extirper magiquement le projectile et arrêter le sang.

— Je vais encore me retrouver à l'hôpital…, geignit Asgad.

– En effet, on dirait bien que c'est votre lot, acquiesça Wolff. Malheureusement, les hommes politiques qui veulent sauver le monde deviennent tôt ou tard la cible de ceux qui ne désirent pas le voir changer.

Ahriman souleva Asgad par le bras qui n'avait pas été touché et le remit sur pied. Ce dernier vacilla dangereusement. Maintenant qu'il s'était changé une première fois en reptilien, il lui serait plus facile de répéter la métamorphose. Cela ne plaisait pas du tout au Faux Prophète.

– Je ne me sens pas très bien, balbutia Ben-Adnah avant de s'effondrer contre la poitrine de son médecin.

– Aidez-moi! hurla l'Orphis à l'intention des soldats. Il a besoin de soins que je ne peux pas lui prodiguer ici.

Utilisant sa petite radio, le commandant demanda qu'on lui apporte immédiatement une civière.

...010

Après de très longues heures à tenter d'établir des liens entre les mots dévoilés par le code de la Bible au sujet des agents de l'ANGE, Cindy était rentrée chez elle, rompue de fatigue. Son quartier, situé non loin de la base, était l'un des plus sûrs de la ville. Malgré tout, elle utilisait désormais les transports de l'Agence pour retourner à son appartement. Les membres de la sécurité qui la reconduisaient chez elle ne repartaient qu'une fois qu'elle avait franchi sa porte d'entrée.

Cindy n'avait avalé qu'une bouchée, trop épuisée pour mastiquer. Elle avait passé un long moment sous la douche à réfléchir aux propos de Vincent concernant ce nouveau prophète qui faisait fureur aux États-Unis. Rien dans les textes sacrés n'indiquait de quel pays serait issu le Messie lorsqu'il reviendrait enfin sur Terre. «Ce pourrait très bien être Cael Madden», s'entêta-t-elle.

Elle sécha ses cheveux et enfila une nuisette rose, seul vestige de son ancienne garde-robe, persuadée que les reptiliens n'oseraient jamais s'infiltrer chez elle. Assise sur le sofa du petit salon, elle fit ses ongles, incapable de chasser le visage enfantin de Madden de son esprit.

– Il m'obsède trop pour que nous ne soyons pas reliés d'une certaine façon, soupira Cindy.

Elle se demanda si elle devait lui écrire une lettre en changeant son nom, ne serait-ce que pour lui exposer sa fascination pour ses paroles. Cela allait évidemment à l'encontre des règles de l'ANGE, mais était-elle vraiment obligée de tout leur dire? Ne pas révéler quelque chose équivalait-il à mentir? Si Madden était réellement le Messie qui allait sauver le monde, était-elle prête à tout laisser tomber pour le suivre?

– Ma place n'est peut-être pas avec l'Agence, après tout, se dit-elle en rangeant sa trousse de manucure. Depuis que j'y suis entrée, tout va de travers dans ma vie.

Cindy éteignit les lampes et se dirigea vers sa chambre à coucher, espérant que le sommeil lui ferait oublier cette obsession. Le lendemain, c'était son jour de congé, alors elle pourrait dormir autant qu'elle le voudrait. Elle se glissa sous les draps et tenta de fermer les yeux, en vain.

– En réalité, je suis un agent fantôme, se rappela-t-elle. Cédric n'est donc plus vraiment mon patron. Je pourrais quitter l'ANGE n'importe quand.

Elle se cala contre son oreiller et tenta de nouveau de s'assoupir. L'engourdissement du sommeil s'emparait enfin d'elle lorsqu'elle sentit que quelqu'un venait de se coucher dans son dos. Se rappelant des recommandations de son instructeur d'autodéfense, elle se retourna brusquement, agrippa l'intrus par ses vêtements et le balança par-dessus elle en poussant un cri aigu. Avant que son adversaire puisse se relever, la jeune femme brandit la main vers la lampe de chevet et alluma la lumière. Sans perdre une seule seconde, elle adopta une position de combat, à genoux sur son lit. Une tête aux cheveux noirs bouclés s'éleva entre le lit et le mur.

– Océlus? s'étonna Cindy.

– Cindy?

La couleur de ses cheveux était différente, mais c'était toujours le même visage auréolé d'innocence.

– Pourquoi m'avez-vous fait cela?

– Je croyais que tu étais un reptilien!

– Moi?

– Je suis leur victime préférée, rappelle-toi.

Elle le saisit par les bras et l'aida à grimper sur le matelas.

– Que viens-tu faire ici? l'interrogea la jeune femme.

– J'avais besoin de votre tendresse et de votre compréhension, mais pendant un instant, j'ai cru que je m'étais trompé d'immeuble.

– Non, non, tu es à la bonne adresse. J'ai seulement appris à me défendre depuis que tu es parti pour Jérusalem.

Il ouvrit la bouche pour la questionner à son tour, mais Cindy l'embrassa en l'écrasant sur le lit.

– Tu m'as tellement manqué, susurra-t-elle.

Ils échangèrent de langoureux baisers avant de se fournir mutuellement plus d'explications. La présence de Cindy dans ses bras apportait à Yahuda autant d'amour que celle du Père, dans laquelle il avait baigné un long moment. «Les femmes ont la même énergie que lui…» se surprit à penser le Témoin.

– Pourquoi n'es-tu pas avec Yannick? Dieu vous a-t-il libérés de votre mission?

– Il n'a rien fait de tel. Képhas est toujours à Jérusalem, en train d'ouvrir la conscience de ceux qui viennent le voir. Quant à moi, j'ai été absent pendant un certain temps.

Particulièrement empathique, Cindy ressentit aussitôt sa tristesse, même s'il tentait de la lui cacher.

– Vous êtes-vous disputés? voulut-elle savoir.

– Oui, un peu, et c'est ma faute.

– Mais vous avez été les meilleurs amis du monde pendant plus de deux mille ans!

– J'ai été envoûté par un démon qui m'a fait commettre des actes blâmables.

– Pas toi aussi!

– Même les Témoins du Père ne sont pas à l'abri des sombres machinations du Mal, je le crains.

– Vincent en a aussi été la victime par deux fois!

– Je sais. Sans doute me suis-je affaibli en lui venant en aide dans l'Éther.

– Une simple mortelle comme moi peut-elle y changer quelque chose?

– Seul un ange ou un archange peut sauver l'âme d'un messager qui a flanché, et j'ai eu cette chance.

– Alors, pourquoi es-tu ici, ce soir? insista Cindy.

– Parce que je suis follement amoureux de vous, même si cet amour ne pourra jamais s'épanouir.

– C'est tellement injuste…

– J'aurais voulu vous connaître plus tôt et partager votre vie avant le début de ma mission. Ma seule consolation, c'est de savoir que nous passerons l'éternité ensemble.

– J'imagine que ce ne sera pas tout à fait la même chose… Je veux dire, en tant qu'âmes…

– Nous n'aurons plus de corps, c'est vrai, mais rien ne pourra plus nous séparer.

Cindy avait beaucoup de mal à imaginer comment deux petites flammes arriveraient à se combler mutuellement.

– Dois-tu retourner auprès de Yannick? demanda-t-elle plutôt.

– Oui, mais rien ne presse. J'ai commencé ma rédemption dans le monde invisible et je veux l'achever dans vos bras.

Il se blottit contre elle, la serrant de toutes ses forces entre ses bras.

– Tu veux me parler de ce qui t'a valu ce châtiment? murmura Cindy à son oreille.

– Le démon m'a replongé dans mon passé, et je n'ai pas su l'en empêcher. Képhas a bien essayé de me mettre en garde, mais je ne l'ai pas écouté.

– De quel passé s'agit-il, au juste?

– Avant de devenir un apôtre de Jeshua, je fréquentais des individus peu recommandables. Pour débarrasser la Judée de l'envahisseur romain, nous avions convenu d'assassiner tous les commandants militaires et leurs familles.

— Je ne vois pas comment tu aurais pu récidiver, puisqu'il n'y a plus de Romains…

— Le démon avait déjà choisi des victimes dans le monde moderne, mais il me faisait croire qu'ils étaient des chefs de légion. J'ai même failli tuer un de vos dirigeants de l'ANGE.

— La directrice de Jérusalem?

Le Témoin hocha misérablement la tête à l'affirmative.

— Je suis certaine qu'elle a compris que tu n'étais pas toi-même et qu'elle t'a pardonné. Moi, je te pardonne.

— Je vous aime, Cindy.

— Est-ce que je pourrais te demander une faveur?

— N'importe quoi.

— Pendant le peu de temps qu'il nous reste sous cette forme physique, est-ce que tu pourrais me tutoyer comme tu tutoies Képhas?

— Si c'est important pour vous, oui, je le ferai.

— Pour toi.

— Oui, pour toi.

Maintenant qu'elle savait que son ami ne risquait plus de perdre ses pouvoirs, Cindy lui arracha sa longue tunique. Ils passèrent une longue nuit d'amour sans penser au lendemain. Lorsque la jeune femme se réveilla, au matin, Océlus l'observait, appuyé sur un coude.

— J'aimerais retourner marcher dans le parc avec toi, la pria-t-il.

— C'est bien trop dangereux, maintenant, surtout à cet endroit. La police exerce une bonne surveillance dans cette ville, mais elle ne peut pas être partout. En fait, il n'y a plus vraiment de lieux où nous pourrions être en sécurité.

Yahuda fronça les sourcils en se concentrant profondément. Un sourire illumina alors son visage. Au même moment, la chambre de la jeune agente fut inondée de soleil, la forçant à se protéger les yeux d'une main.

– Qu'est-ce que tu as fait? s'étonna-t-elle.

Sa vision s'étant habituée à l'intense luminosité, Cindy regarda autour d'elle. Son lit se trouvait sur une plage de sable blanc! Elle remonta aussitôt le drap jusqu'à son cou.

– Il n'y a absolument personne, ici, la rassura son amant.

– Où sommes-nous?

– Sur une île déserte.

– Tu en es bien sûr?

Il l'affirma d'un signe de tête.

– Tu es vraiment merveilleux!

Yahuda prit sa main et l'invita à le suivre en direction de la mer. Oubliant tous leurs soucis, le Témoin et sa belle se baignèrent, coururent sur la plage et se dorlotèrent toute la journée. Le soir venu, lorsque le lit réintégra l'appartement de Toronto, il était rempli de sable.

...011

Les soldats israéliens avaient relâché leurs trois importants protégés lorsqu'ils furent informés qu'Asgad Ben-Adnah s'était remis de ses blessures en Syrie. Océane s'était entretenue à plusieurs reprises au téléphone avec l'homme d'affaires. Il lui avait parlé de ses nouveaux talents de guérisseur et de son intention de poursuivre son périple vers le nord. Se doutant qu'il y aurait d'autres attentats à la vie d'Asgad, Océane s'était jurée de ne révéler son propre horaire à personne, pour ne pas se retrouver chaque fois à la base militaire.

«Pourquoi voudrait-on tuer un homme qui tente de rétablir enfin la paix sur Terre? se demanda-t-elle. Parce qu'il deviendra peut-être un jour un tyran?» Océane ne savait plus quoi penser d'Asgad. Il n'était certainement pas le monstre que l'on décrivait dans la Bible. Mais si on annonçait l'apparition de plusieurs faux prophètes avant le retour du Messie, peut-être y aurait-il également de faux Antéchrists? De toute façon, l'agente de l'ANGE ne pouvait pas éliminer l'homme d'affaires tant qu'il était à l'étranger.

En attendant son retour, Océane se concentra davantage sur son travail de supervision des travaux du temple. Toutefois, les paroles du jeune Antinous continuaient à la hanter. Elles lui rappelaient cruellement qu'elle ne connaissait pas vraiment Ben-Adnah. Quels autres secrets gardait-il encore pour lui-même?

En ce doux matin d'été, Océane arriva un peu plus tôt sur le chantier de Jérusalem. Les bâtiments religieux avaient été démantelés et transportés dans le désert, où on les reconstruisait un par un avec beaucoup de soin. Sur le terrain dénudé, les ouvriers avaient déjà commencé à jeter les fondations du futur temple de Salomon. Au centre de cette immense base rectangulaire, sur une simple table de bois, reposait la maquette de cet imposant édifice. Chaque fois qu'Océane arrivait au travail, elle ne pouvait s'empêcher d'admirer le modèle réduit qui serait le symbole de la gloire d'Asgad Ben-Adnah. « Il est pourtant bien écrit dans les textes sacrés que ce sera l'Antéchrist qui rebâtira cet important temple, se souvint la jeune femme. Alors, pourquoi ai-je tant de mal à croire que c'est lui? »

Elle marcha jusqu'au bout de la grande place, qui rivaliserait avec celle du Vatican, une fois terminée. Des camions apportaient justement les premières pierres qui formeraient le côté ouest du grand mur. Les ouvriers saluèrent vivement Océane sur leur passage et poursuivirent leur travail, encouragés par les cris stridents des contremaîtres. Elle s'installa sur un gros bloc de pierre et observa leur travail. S'ils continuaient à avancer à ce rythme, les croyants du monde entier pourraient profiter du temple dans un an. Coupée des sources d'information de l'Agence, Océane ne pouvait pas savoir qu'il en restait bien peu sur la Terre.

Incapable de s'en empêcher, elle se remit à penser à Yannick. Était-il d'accord qu'on reconstruise ce lieu saint? Puisqu'il était âgé de deux mille ans, il avait certainement dû assister à ses deux premières destructions. « Il est probablement la seule personne qui pourra nous dire s'il est conforme à l'original », songea-t-elle. Elle était si profondément perdue dans ses souvenirs que le préposé de la cantine la fit sursauter lorsqu'il déposa un sandwich dans sa main.

– Pardonnez-moi, je croyais que vous étiez une statue, la taquina-t-il.

– Très drôle, Èlichâ.

– Vous n'êtes pas en train de changer tous les plans, j'espère, ajouta-t-il en s'asseyant près d'elle.

– Je n'ai pas envie de me faire lapider.

– C'est ce que je pensais.

Il lui tendit un gobelet de thé chaud.

– Vous prenez bien soin de moi, Èlichâ.

– Oh, mais je m'achète des faveurs, bien sûr.

– On dirait que c'est une pratique courante, de nos jours. Au moins vous, vous avez le courage de l'affirmer tout haut. Surtout, ne vous arrêtez pas là. Dites-moi ce que vous espérez recevoir en retour de vos gentilles attentions.

– Mes enfants et ma femme ont disparu l'année dernière, alors ma requête va vous paraître bien égoïste. Je voudrais être parmi les premiers fidèles qui franchiront les portes de cette église lorsqu'elle sera terminée.

– Si ce n'est que cela, je vous l'accorde sur-le-champ.

– Vous avez l'oreille du grand patron, n'est-ce pas?

«L'oreille, les yeux, les lèvres…» s'amusa intérieurement Océane.

– Si on veut, répondit-elle. Il y a eu comme un déclic la première fois que nous nous sommes rencontrés.

– On appelle cela de l'amour, mademoiselle Orléans.

– Ou un coup de foudre qui ne durera pas longtemps.

– Le plus gros problème auquel nous faisons face dans ce monde moderne, c'est justement de ne pas être capables de reconnaître l'amour quand nous l'avons directement sous le nez. Alors, les hommes et les femmes changent de partenaires comme ils changent de chemise, sans jamais vivre le moindre bonheur. C'est vraiment triste à voir.

– Vous êtes un vieux sage, dites donc.

– Parfois. Ma femme disait que j'étais un philosophe. Rappelez-vous bien de ce que vais vous dire, mademoiselle Orléans. Si votre cœur bat pour ce bel homme d'affaires, ne le laissez pas partir.

«Thierry l'étriperait s'il l'entendait», réfléchit Océane. Èlichâ la salua et se leva, afin d'aller offrir le goûter aux ouvriers sur le chantier.

– Je ne sais même plus si j'ai encore un cœur, soupira la jeune femme, une fois de plus seule avec ses pensées obsédantes.

Elle avait pourtant aimé Yannick et Thierry, plus qu'elle aimait en ce moment Asgad. L'Anantas exerçait-il vraiment sur elle un pouvoir hypnotique qui lui faisait perdre tous ses moyens? Océane n'avait plus personne vers qui se tourner pour obtenir des conseils. Il ne lui était pas permis d'entrer en contact avec sa famille, ses amis ou ses anciens collègues. Un agent fantôme ne pouvait compter que sur lui-même. «Si je fais de la recherche sur Internet, Asgad le saura», se désespéra-t-elle. Pourtant, elle éprouvait un urgent besoin de relire tout ce que Yannick Jeffrey avait écrit sur la résurgence de l'empire romain.

Océane but une gorgée de thé et constata qu'il était froid. Étonnée, elle jeta un coup d'œil à sa montre. C'était presque le milieu de l'après-midi. Pourquoi le temps passait-il si rapidement tout à coup? Était-ce là un autre signe de la fin du monde? Elle retourna à l'entrée du chantier, de plus en plus accablée par la chaleur. Son chauffeur n'était pas encore arrivé. Par contre, une autre limousine noire était stationnée de l'autre côté de la rue. «Asgad?» s'égaya-t-elle.

Un jeune homme descendit de la grosse voiture. Océane reconnut tout de suite son visage. C'était le compagnon d'Antinous qu'elle avait aperçu à la base militaire souterraine. «Pas un autre de ses amants, j'espère?» se demanda-t-elle, découragée.

– Mademoiselle Orléans, j'aimerais vous parler, l'aborda-t-il avec un brin de timidité.

– Il y a un petit café non loin d'ici, où nous pourrions nous abriter du soleil.

Il lui offrit de l'y conduire en voiture, mais Océane préféra y aller à pied. Benhayil marcha près d'elle en silence jusqu'à ce qu'ils aient pris place dans l'établissement public sous un éventail de paille, qui grinçait en tournant au plafond. La jeune femme commanda une boisson gazeuse glacée. Quant au secrétaire vêtu comme un homme d'affaires, il ne voulut rien consommer.

– Si nous allions droit au but? suggéra Océane.

– Je m'appelle Benhayil Erad.

– Je sais. Il aurait été gentil de me parler davantage lorsque nous nous sommes rencontrés sous terre.

– J'étais bouleversé par l'attentat à la vie de monsieur Ben-Adnah, pour qui je travaille.

– Comme la moitié de cette ville, en ce moment.

– Je m'occupais de ses affaires bien avant qu'il lui prenne l'envie de reconstruire le plus important temple de tous les temps.

– Que me voulez-vous, monsieur Erad?

– Je ne sais pas encore comment vous poser cette question…

– Laissez-moi deviner. Vous voulez savoir quel genre de lien j'entretiens avec votre patron, c'est bien cela?

– J'ai appris que vous aviez un chauffeur et un appartement payés par monsieur Ben-Adnah. Pourtant, aucune de ces dépenses n'apparaît dans ses comptes.

– Je ne l'ai jamais questionné sur ses sources de revenus ou ses prodigalités.

– Êtes-vous sa maîtresse?

– Parfois… quand il daigne revenir à Jérusalem. Et vous?

– Je suis uniquement son secrétaire privé.

– Alors, pourquoi vous ai-je vu en compagnie du joli Antinous?

– Je veille sur lui en l'absence de monsieur Ben-Adnah.

– Vous approuvez donc la bisexualité du plus grand conciliateur de tous les temps?

– Je n'ai pas vraiment le choix, avoua le jeune homme, découragé.

– Donc, tout ce que vous avez à me reprocher, c'est ce que je coûte à votre patron?

– Ce que je n'aime pas, ce sont les choses qui ne sont pas claires.

– Dans ce cas, laissez-moi démêler cela avec vous une fois pour toutes. J'ai accepté les avances de monsieur Ben-Adnah, car je les croyais sincères. J'ai continué à le fréquenter parce qu'il me plaît. Je ne voyais pas d'inconvénient à ce qu'il m'offre de payer mon loyer et mon chauffeur. Il m'achète aussi des vêtements griffés et des bijoux. Est-il aussi généreux avec Antinoüs?

– Ce n'est pas ce que vous pensez.

– Cet adolescent m'a dit lui-même qu'il était son amoureux, mais il m'a aussi révélé qu'il était revenu de la mort et plein de trucs étranges. Est-il sain d'esprit?

– Je n'en sais rien. Je ne sais même pas d'où il vient. La seule chose qui m'importe, c'est de le préserver de la méchanceté de ce monde.

– Vous n'êtes ni dans le bon pays ni dans le bon siècle.

– Monsieur Ben-Adnah a rétabli la paix au Moyen-Orient et il a l'intention de le faire dans le monde entier.

– Pendant que vous jouez à la nounou avec son petit ami.

– Je comprends que vous soyez fâchée d'apprendre que monsieur Ben-Adnah n'est pas un saint, mais vous n'avez aucune raison de vous en prendre à moi.

– Alors, nous n'avons plus rien à nous dire, monsieur Erad, trancha Océane en se levant.

– J'ai une dernière question.

Elle sortit de la monnaie de son sac à main et la déposa sur la table.

– L'aimez-vous vraiment? demanda Benhayil.

– Est-ce vraiment important?

Océane quitta le café, la tête haute. Si tout le monde commençait à s'interposer entre Asgad et elle, comment arriverait-elle à accomplir sa mission? Pour se changer les idées, elle alla se balader dans la partie la plus sécuritaire de la ville, jusqu'au couvre-feu. Voyant qu'elle était loin de son quartier, Océane héla un taxi. Ils étaient tous bondés, les habitants de Jérusalem étant pressés d'aller se barricader dans leurs maisons. Elle commença à marcher en direction de son appartement tout en gardant l'œil ouvert. Finalement, une petite voiture, qui n'était pas un taxi, s'arrêta près d'elle.

– Montez, la pria un jeune homme aux traits nordiques, sinon ils vous arrêteront.

Océane avait appris à ne pas faire confiance au premier venu, mais elle savait également qu'elle n'arriverait jamais à son immeuble à temps. Elle grimpa donc sur le siège du passager et referma la portière.

– Je suis Hans Drukker, se présenta-t-il.

– Et moi, Océane Orléans.

– Vous êtes française?

– Québécoise. Et vous, allemand?

– D'origine, mais j'habite l'Angleterre depuis mon tout jeune âge.

– L'Angleterre? Vous êtes bien loin de chez vous.

– Je suis journaliste.

Une alarme silencieuse se fit entendre dans la tête de l'agente. Elle avait appris depuis longtemps à se méfier des gens qui manipulaient l'information.

– Vous êtes sur une affaire importante? s'enquit-elle à tout hasard.

– Je fais des reportages quotidiens sur les messages des deux Témoins de Dieu, même s'il n'en reste plus qu'un.

Puisqu'il disparaît toujours avant le couvre-feu, j'ai toute la soirée pour écrire mes articles. Et vous? Touriste?

– Non. Je supervise les travaux de construction du nouveau temple.

– Pas vrai! J'avais demandé à mon chef de pupitre de m'en charger, mais il m'a dépêché d'abord au Mur des lamentations, puis dans tous les parcs où les deux Témoins apparaissent. Vous pouvez m'en parler?

– Je suis désolée, c'est confidentiel. Vous n'auriez pas grand-chose à dire à vos lecteurs si vous aviez obtenu l'affectation que vous vouliez.

– Je vois... À quel hôtel logez-vous?

– Vous pouvez me déposer dans six pâtés de maisons d'ici.

Drukker était beau garçon, blond comme Thierry, mais sa curiosité de reporter risquait de mettre son identité secrète en péril. Océane ne prononça plus un seul mot, se contentant de répondre à ses interminables questions par des sons vagues. Arrivée à destination, elle descendit de la voiture, remercia le bon samaritain et disparut dans une petite ruelle où le véhicule ne pourrait pas la suivre.

Océane zigzagua entre les édifices pour s'assurer de ne pas être suivie. Presque tous les citadins s'étaient déjà enfermés chez eux, car l'armée allait bientôt commencer ses rondes. L'agente n'était plus qu'à quelques minutes de son appartement, et il commençait à faire sombre. Elle tourna le dernier coin et fut saisie à la gorge. D'instinct, Océane chercha à échapper à cette prise, en vain. Celui qui la retenait maintenant contre sa poitrine déployait une force hors du commun. Ce ne pouvait pas être Thierry, puisque le poison de la reine lui avait fait pratiquement perdre l'usage de ses bras...

La jeune femme se débattit comme une furie, mais son assaillant ne lâcha pas prise. «Pourquoi n'essaie-t-il pas de m'étrangler? s'étonna-t-elle. Pourquoi se contente-t-il de me retenir?» Elle craignit pendant un instant qu'il n'attende des renforts!

— Cessez toute résistance et écoutez-moi, fit alors une voix rauque.

— Qui êtes-vous? ragea Océane, à bout de force.

— Il ne vous servirait à rien de connaître mon nom. Sachez seulement que nous existons.

— Nous? Vous êtes combien à m'immobiliser?

— Je représente une race qui habite aussi cette planète.

— Vous êtes un Dracos!

Un rire guttural s'échappa de la créature qu'elle ne pouvait toujours pas voir.

— Un Naga, alors?

— Si vous connaissez si bien les reptiliens, alors vous savez déjà qui nous sommes.

— Je ne me souviens pas de tous vos noms! protesta Océane.

— Je suis des Brasskins.

«Des quoi?» s'étonna l'agente. Comme tout le monde, elle avait jeté un rapide coup d'œil aux ajouts que Thierry Morin avait faits à la base de données de l'ANGE sur les ophidiens, mais elle ne se rappelait pas d'avoir vu quoi que ce soit sur les Brasskins.

— Cela ne me dit rien du tout, avoua-t-elle finalement.

— Vous faites pourtant partie de la haute caste.

«Il a le pouvoir de flairer le sang d'autres reptiliens!» comprit enfin Océane.

— Seulement à moitié, rectifia-t-elle aussitôt. Ma mère n'était pas des vôtres.

— Cela ne vous soustrait pas à vos devoirs.

— Pourrait-on remettre la leçon d'éthique à une autre fois? Qu'attendez-vous de moi?

— Nous voulons la paix sur cette planète.

— En agressant les gens dans la rue?

— Nous connaissons vos intentions et nous les désapprouvons.

— Dans ce cas, vous avez un pas d'avance sur moi, car je n'ai aucune idée de ce que je mangerai ce soir.

— Les Dracos et les Anantas se croient tout permis. Ils sont prêts à détruire ce monde plutôt que de le céder à l'autre. Jamais nous ne les laisserons le mettre en péril. Il n'est pas dans nos habitudes de tuer, mais si cela devient nécessaire…

— Je ne vois vraiment pas où vous voulez en venir.

— Mon peuple appuie les démarches de paix du Prince. Ceux qui s'en prendront à lui seront anéantis.

Océane réagissait toujours très mal à la menace.

— Vous voulez que je vous prenne au sérieux alors que vous n'avez même pas le courage de me montrer votre visage?

Le Brasskin tenait sa proie à la gorge par une seule main. Il lui aurait été facile de la retourner vers lui, mais il n'en fit rien.

— Mes paroles devraient suffire à vous faire comprendre que nous ne plaisantons pas.

Océane eut alors la présence d'esprit de chercher de l'aide du regard. Dans une vitre de la maison d'en face, elle aperçut le reflet de son agresseur. Il la dépassait d'une tête et son visage était brillant comme de l'or!

— Rappelez-vous-en, ajouta-t-il en plantant le bout de ses griffes dans la peau de l'agente.

La pression exercée sur des points précis de la gorge d'Océane provoqua un étourdissement passager. Le Brasskin la lâcha et elle tomba sur ses genoux. Combattant la nausée qui s'emparait d'elle, elle pivota en s'asseyant dans la rue. Il n'y avait plus aucune trace du reptilien. Elle entendit alors les moteurs des véhicules militaires qui commençaient à sillonner la ville et tenta de se relever malgré sa tête qui tournait, mais ne réussit qu'à s'effondrer tête première sur le pavé.

«Si Cédric me voyait maintenant, il aurait bien honte», songea-t-elle en sombrant lentement dans l'inconscience. Elle sentit alors qu'on la soulevait de terre. Elle ne vit cependant pas son sauveteur, car ses paupières étaient trop lourdes. Ce n'est que quelques minutes plus tard, allongée sur le lit de son appartement, qu'elle reprit connaissance. Elle sursauta en distinguant une silhouette agenouillée à son chevet.

– Ce n'est que moi, fit une voix qu'elle reconnut aussitôt.

– Thierry…

– Que faisais-tu couchée au milieu de la rue?

– J'avais sommeil.

– Océane!

– J'ai été attaquée par un reptilien.

Thierry se redressa d'un seul coup comme s'il avait été frappé par la foudre.

– Et avant que tu me le demandes, non, ce n'était pas un Dracos.

Océane parvint à s'asseoir sur son lit et vit que son chemisier était taché de sang.

– C'est un Brasskin, selon ses dires.

Le traqueur pencha doucement la tête de côté, braquant sur elle un regard incrédule.

– Tu n'en as jamais entendu parler, toi non plus? se découragea la jeune femme.

– Au contraire, mais ils ne vivent pas ici. Ce sont les très lointains ancêtres des Dracos.

– Dans ce cas, vos informateurs sont pourris.

– À quoi ressemble-t-il?

– Je n'ai vu que sa réflexion dans une vitre. Il était plus grand que moi et il semblait recouvert d'or. Sa force physique était franchement déconcertante.

– C'est impossible…, s'étrangla le Naga.

– Je pensais que tu avais fini de me traiter de menteuse.

– Est-ce qu'il t'a parlé?

– Évidemment, et son message était très clair. Si je touche à un seul cheveu du Prince, qui est sans aucun doute l'Antéchrist, il me tuera.

– Alors, tu n'as plus le choix, déclara Thierry en se levant. Tu dois me laisser le faire.

– Une petite minute. Quand as-tu décidé que je devais céder devant le terrorisme?

– Je t'aime trop pour courir ce risque.

Il recula et s'enfonça dans le mur de ciment.

– Thierry Morin, je n'ai pas fini de parler! hurla-t-elle.

Mais il ne réapparut pas.

Pour un convalescent, Asgad Ben-Adnah était plutôt actif. Après un examen de santé sommaire dans le meilleur hôpital de Turquie, il avait insisté pour poursuivre sa mission de paix, telle qu'il l'avait établie avec soin. Sa prochaine escale était la Grèce. À l'époque où il dirigeait Rome, Hadrien avait adoré ce pays au point d'en adopter toutes ses coutumes. Il portait donc la barbe, contrairement à tous les empereurs romains avant lui, et se vêtait comme les Grecs lorsqu'il ne remplissait pas ses fonctions officielles. En fait, Hadrien avait passé très peu de temps à Rome, ayant surtout été un chef qui visitait régulièrement toutes ses provinces. Il avait même voyagé jusqu'en Angleterre, où il avait d'ailleurs fait ériger un grand mur pour repousser les invasions barbares qui menaçaient ses colonies.

Une fois installé dans sa chambre d'hôtel, qui disposait d'une vue magnifique sur la mer Méditerranée, l'entrepreneur joignit par téléphone les trois personnes qui lui étaient les plus chères : Antinous, Océane et Benhayil. Son secrétaire voulut connaître tous les détails de l'attentat, tandis qu'Océane le pria de s'entourer de meilleurs protecteurs. Quant au jeune Grec, il se contenta de pleurer pendant les vingt minutes que dura l'appel. Voyant qu'il était inconsolable, Asgad demanda à Benhayil de mettre son protégé dans un avion à destination d'Athènes.

Malgré sa grande frayeur, Antinous monta dans le jet privé qui lui permettrait de retrouver son bienfaiteur. Il laissa l'hôtesse attacher sa ceinture et se cramponna à son fauteuil tandis que l'avion décollait de Jérusalem. Ne désirant pas voir le sol se dérober sous ses pieds, il garda les yeux fermés jusqu'à ce qu'on lui annonce qu'il était enfin arrivé. Un garde du corps vint le chercher à l'intérieur de l'appareil et l'accompagna jusqu'à une limousine noire aux vitres teintées. Cette fois-ci, Antinous garda les yeux bien ouverts. Il revenait enfin au pays qui l'avait vu naître.

Il ne se tourna pas vers l'intérieur des côtes, le long desquelles avaient poussé des milliers de maisons, mais plutôt vers la mer qui, elle, n'avait pas changé. Il se rappela son village, niché au pied d'une colline, au bord de l'océan. Il avait joui d'une enfance heureuse auprès de ses frères et sœurs. Puis, un jour, un navire s'était arrêté le long du quai de pierre. Par curiosité, les enfants avaient accouru. Un important personnage venait de débarquer en Grèce. On disait que c'était un Romain, mais qu'il parlait et lisait toutes les langues.

Tous les gamins avaient pris la fuite lorsque l'empereur avait commencé à s'avancer sur le quai. Tous sauf Antinous. Les yeux gris de Hadrien s'étaient alors posés sur lui. Jamais le garçon n'avait ressenti autant de fierté que lorsqu'un sourire s'était dessiné sur le visage du noble visiteur. Sans qu'il comprenne comment, quelques jours plus tard, l'empereur le faisait monter sur son bateau. Jamais plus Antinous n'avait revu ses parents.

Le garde du corps ne fit descendre le passager qu'une fois le périmètre de l'hôtel sécurisé. L'adolescent se soumit docilement à cette précaution, puis suivit l'homme jusqu'à la suite qu'occupait Hadrien. On lui en ouvrit la porte sans l'y suivre. Antinous fit quelques pas sur le magnifique tapis de Turquie qui reposait sur le plancher de tuiles brillantes. Il tendit l'oreille et entendit son protecteur qui s'entretenait avec quelqu'un. Il suivit sa voix et le trouva sur le balcon. Il parlait dans une de ces curieuses petites boîtes qu'on appelait des téléphones.

Lorsqu'il aperçut son jeune amant, Asgad indiqua à son interlocuteur qu'il le verrait plus tard dans la journée. Il déposa le petit appareil sur la table de fer forgé et ouvrit les bras. Antinous vint s'y blottir sans la moindre hésitation.

— Es-tu rassuré, maintenant? chuchota l'homme d'affaires dans son oreille.

— Vos blessures vous font-elles encore souffrir?

— Elles sont complètement guéries grâce au docteur Wolff.

Antinous se raidit dans ses bras.

— Comment te prouverai-je un jour qu'il ne veut que mon bien? soupira Asgad avec découragement.

— Malgré tout le respect que je vous dois, monseigneur, vous n'y arriverez jamais, car j'ai vu le nécromant s'entretenir avec un démon.

— Je continue de croire que ce n'était qu'un mauvais rêve.

— J'étais pourtant debout lorsque vous m'avez vu près de la fenêtre, lui rappela l'adolescent.

— Certaines personnes rêvent éveillées, mon petit.

— Vous ne doutiez jamais de mes paroles, jadis.

Asgad lui frotta le dos pour le réconforter.

— Si nous parlions plutôt de choses réjouissantes? proposa-t-il.

Il l'emmena s'asseoir à la table de la terrasse.

— Veux-tu du thé?

Antinous secoua vivement la tête pour dire non.

— Tu es adorable même quand tu fais l'enfant, le taquina Hadrien.

— Ne vous préoccupez pas de moi et dites-moi plutôt quelles sont ces bonnes nouvelles.

— Je suis en train de reconquérir mon empire.

— Sans armée?

— Par mes seuls talents de négociateur. D'ailleurs, je suis bien content que tu sois ici avec moi, car tu pourrais bien assister à un événement extraordinaire avant la fin de la semaine.

– Est-ce que le docteur Wolff y participera?

– Antinous, pour l'amour du ciel!

Le jeune Grec baissa la tête et ses boucles brunes cachèrent son visage.

– Je suis sur le point d'être nommé président de la nouvelle Union eurasiatique! Pourrions-nous arrêter de parler de mon médecin?

– Vos désirs sont des ordres, monseigneur.

– Je veux que tu te réjouisses de mon bonheur, Antinous, pas que tu t'inquiètes continuellement de mon âme.

– Les deux sont importants pour moi.

Asgad sortit de la poche de son veston une carte géographique pliée en quatre. Il l'ouvrit devant son jeune ami. Elle avait été imprimée en noir et blanc, mais certains pays avaient été colorés en jaune à l'aide d'un marqueur.

– Voilà où j'en suis, déclara-t-il fièrement. Certains peuples seront plus difficiles à persuader que d'autres, mais j'ai confiance en mon pouvoir. Bientôt, je retournerai à Rome et réclamerai mon titre d'empereur. Je ferai aussi de toi mon seul héritier aux yeux de loi et, à ma mort, tu auras le monde à tes pieds.

– Je trouverai un moyen de vous ramener de l'Hadès…

– Il y a un moment à peine, tu disais détester les nécromants, se moqua Asgad.

– Je n'ai pas dit que j'utiliserais les services de celui auquel vous pensez.

– Aurai-je un jour le dernier mot avec toi?

– Jurez-moi que vous me garderez désormais à vos côtés.

– Tu n'aimes pas la compagnie de Pallas?

– Si, mais mon cœur ne bat pas pour lui.

Antinous jugea que le moment n'était pas opportun de lui parler de sa rencontre avec Océane.

– Alors, soit. Mais tu devras porter ces vêtements que tu réprouves tant.

– Je ferai n'importe quoi.

Pour lui changer les idées, Asgad l'emmena à l'endroit même où ils s'étaient rencontrés des siècles auparavant. À leur grand étonnement, malgré la modernisation du village, le quai était toujours là! La mer l'avait quelque peu érodé et de petites barques avaient remplacé les embarcations impériales, mais l'endroit le plus sacré aux yeux d'Antinous n'avait pas disparu comme tous les palais où il avait jadis vécu avec son bien-aimé.

L'adolescent ne se fit pas prier lorsque Asgad lui offrit d'aller marcher quelques minutes sur les pierres usées. Les gardes du corps se postèrent sur la grève, pivotant lentement sur eux-mêmes, comme des antennes télescopiques à la recherche d'extraterrestres. Antinous ne s'en soucia pas. Il gambada sur la rade comme un chevreau, revivant dans son esprit les merveilleux moments de son passé. Les pêcheurs l'observèrent avec consternation, puis quittèrent finalement leurs bateaux en emportant leurs prises.

Asgad rejoignit son protégé d'un pas plus prudent. Il se rappela alors que ce qui l'avait le plus frappé chez cet enfant grec, c'était son regard d'une grande intelligence. L'empereur avait fait retrouver sa famille, qui avait accepté sans la moindre hésitation la petite fortune qu'on lui offrait pour leur fils. Antinous serait éduqué comme un prince à Rome.

– Je me suis embarqué ici-même avec vous! s'exclama alors l'adolescent, sortant Asgad de sa rêverie.

«Il est bon de le revoir si heureux», songea l'homme d'affaires.

– C'était le premier jour d'une vie merveilleuse! continua Antinous.

«Mais si courte», déplora Asgad.

– Je louerai un bateau et je t'emmènerai une fois de plus sur la mer, si tu le veux, offrit-il.

Antinous revint vers lui, le visage rayonnant.

– J'interpréterai donc ce sourire comme un oui, se réjouit Asgad.

Suivi de leur cortège de protecteurs, l'homme et l'adolescent tentèrent de retracer leurs pas jusqu'à la chaumière qu'habitaient les parents du jeune Grec, autrefois. Ils furent bien peinés de constater qu'un immeuble à logements s'élevait désormais à cet endroit.

– Peut-être que quelqu'un saurait où ils sont allés, suggéra innocemment Antinous.

Lorsqu'il avait ouvert les yeux dans le sarcophage fourni par le docteur Wolff, le jeune Grec avait eu l'impression de n'être demeuré inconscient qu'un instant. Son ancienne vie, même si elle remontait à près de deux mille ans, était encore fraîche dans sa mémoire.

– Nous ferons cette recherche une autre fois, répondit finalement Asgad pour ne pas gâcher sa belle humeur. Je dois assister à un important dîner ce soir.

– Pourrais-je vous y accompagner?

– J'allais justement te le demander.

Ravi, Antinous le suivit jusqu'à la voiture. Il accepta même de mettre de belles chaussures avec son pantalon et sa chemise blanche. Le président grec les attendait sur la terrasse près de la piscine, d'où on avait chassé tous les touristes. Des soldats se tenaient au garde-à-vous à toutes les sorties.

Asgad présenta son jeune ami au président et à ses conseillers, puis tous les convives prirent place autour d'une grande table ronde. De la musique jouait en sourdine. Assis près de son aimé, Antinous ne pouvait s'empêcher de regarder autour de lui. Tout était si nouveau pour lui. L'éclairage de l'endroit le fascinait surtout. Il y avait de petites ampoules dans tous les arbres et même la piscine produisait sa propre lumière. Un hélicoptère patrouillait le secteur, balayant les collines avoisinantes d'un puissant faisceau bleuâtre. «Ce monde regorge de magie», conclut finalement l'adolescent.

Il se demanda si un simple mortel comme lui pourrait y survivre bien longtemps.

Antinous ne prêta pas attention aux propos échangés autour de la table. La seule présence de son protecteur suffisait à son bonheur. Au moment du digestif, les invités d'Asgad marchèrent avec lui autour de la piscine pour se dégourdir les jambes. Antinous grimpa plutôt sur le tremplin pour observer le fond de l'eau. C'est alors qu'il entendit un curieux craquement dans les buissons qui encerclaient la terrasse. Les soldats qui sécurisaient le jardin ne réagirent pas.

Jadis, lorsque l'empereur s'entretenait avec ses généraux ou ses conseillers, il arrivait que des espions se glissent dans le palais, ou sous la tente lorsqu'ils étaient en route pour une autre contrée. Ces sycophantes ne vivaient jamais assez longtemps pour répéter ce qu'ils avaient appris. Même s'il adorait les arts et la poésie, Hadrien avait été soldat. Il était sans pitié pour ceux qui transgressaient ses lois.

— Antinous, viens un peu par ici, l'appela alors Asgad.

L'adolescent bondit de son perchoir et s'approcha de son bien-aimé.

— Ces hommes désirent connaître l'identité de mon héritier, lui dit l'homme d'affaires.

Le jeune Grec les salua poliment de la tête, mais sans prononcer un seul mot.

— Il est timide, mais c'est un grand guerrier.

— Pas aussi puissant que vous… monsieur, répliqua Antinous.

Il avait failli l'appeler monseigneur devant les politiciens, ce qu'Asgad lui avait formellement défendu. «À Rome, on fait comme les Romains», avait-il ajouté. Dans cet univers, Hadrien s'appelait Asgad et c'était un monsieur, pas un empereur.

La soirée se termina par des poignées de main chaleureuses et même quelques claques amicales dans le dos. Le sourire qui éclairait le visage d'Asgad réjouissait Antinous. Tout allait pour le mieux jusqu'à ce qu'ils réintègrent l'hôtel. Au milieu du lobby se tenait le docteur Wolff.

— Monsieur Ben-Adnah, je dois vous parler, s'annonça le médecin.

— À cette heure? s'étonna l'entrepreneur.

— Il s'agit de votre santé.

— Dans ce cas, montez avec nous.

Antinous écarquilla les yeux, horrifié. Les paupières lourdes, l'empereur ne perçut pas son malaise. Il se traîna plutôt les pieds jusqu'à sa suite.

— Tu peux te coucher, mon petit, dit-il à l'adolescent, lorsqu'ils furent à l'intérieur. Tout en se débarrassant de ses vêtements modernes et en enfilant son chiton, le jeune Grec prit soin de rester près de la porte pour entendre leur conversation.

— Pourquoi êtes-vous inquiet, docteur? demanda Asgad en dénouant sa cravate.

— J'ai obtenu les résultats des tests que je vous ai fait subir à l'hôpital, en Turquie, mentit Ahriman. Si vous voulez poursuivre cette odyssée diplomatique, vous devrez prendre un nouveau médicament de façon régulière.

— Je me sens pourtant remis.

Le Faux Prophète marcha jusqu'au bar. Il sortit une bouteille d'eau du réfrigérateur, la déboucha et y versa une petite quantité de poudre dorée. Il tendit ensuite le mélange à son patient.

— Qu'est-ce que c'est? se méfia Asgad.

— Lorsqu'un homme perd beaucoup de sang, il a besoin de fer pour s'en remettre. Je vous en prie, n'attendez pas plus longtemps et buvez.

Asgad en avala d'abord une gorgée. La boisson n'avait aucun goût particulier, même si elle scintillait comme une décoration de Noël.

– Combien de fois par jour devrai-je boire cette mixture?

– Au moins une fois par semaine, mais soyez sans crainte, je vous l'apporterai en temps voulu. Vous pouvez compter sur moi.

L'entrepreneur but le reste de l'eau brillante d'un seul trait pour se débarrasser du médecin qui terrorisait Antinous.

– Très bien, le félicita Ahriman. Je vous souhaite une bonne nuit, monseigneur.

Le démon quitta la suite en dissimulant de son mieux sa satisfaction. Dès qu'il fut parti, Asgad regagna sa chambre. À peine s'était-il dévêtu qu'il posait la tête sur l'oreiller, sombrant dans un sommeil profond. Antinous le secoua sans parvenir à le réveiller. «Mais son cœur bat toujours», constata l'adolescent en appuyant l'oreille sur sa poitrine.

– Ce n'est pas un remède qu'il lui a fait avaler…, comprit-il finalement.

Furieux, le jeune Grec courut dans le corridor avec l'intention de pourchasser le sorcier et de le sommer de laisser l'empereur tranquille. Il entendit des pas dans l'escalier de secours et se pencha par-dessus la balustrade. Les pans de l'imperméable noir du Faux Prophète volaient sur les marches. Antinous le suivit sans réfléchir. Il atteignit le rez-de-chaussée au moment où la porte de sortie se refermait. Le temps qu'il comprenne le fonctionnement de la poignée permit à Ahriman de distancer l'adolescent.

Antinous ouvrit la porte et vit qu'Ahriman avait traversé la route. Il marchait vers la falaise où se brisaient les vagues de l'océan sous les rayons de la lune. Puis il disparut d'un seul coup! Abasourdi, le jeune Grec suivit le démon. Il s'accroupit sur le sol en arrivant au bord du précipice et jeta un coup d'œil en bas. Ahriman était debout sur un écueil. Autour de lui volait une étrange créature qui n'était pas un oiseau.

«Zeus, je vous en conjure, ne laissez pas le nécromant s'emparer de l'âme de Hadrien», pria Antinous. Il ignorait évidement que l'enveloppe physique d'Asgad appartenait déjà à Satan.

Le Naas effectuait des cercles autour du Faux Prophète comme un pigeon incapable de se poser sur une corniche. En fait, il était surprenant qu'il arrive à se maintenir dans les airs avec de semblables ailes en lambeaux.

– Qui m'a attaqué? le questionna l'Orphis.

– Il se trame une révolte dans les mondes souterrains, l'avertit son informateur dans son langage grinçant.

– Qui est-ce? rugit Ahriman en reprenant sa forme reptilienne.

– Asmodeus a persuadé plusieurs d'entre nous de le suivre pendant que vous faites la belle vie à la surface.

– Bande d'imbéciles...

Des nuages noirs apparurent de nulle part, masquant la lune.

– Écoutez-moi! ordonna le Faux Prophète.

Pour les humains, sa voix s'était transformée en de violents coups de tonnerre. Antinous se mit les mains sur les oreilles pour les protéger. Le sol tremblait sous ses genoux. «Il est en train de jeter un sort à quelqu'un», s'énerva-t-il. Pourquoi Hadrien avait-il gardé ce sorcier à son service? Pourquoi n'avait-il pas pris au sérieux les mises en garde de la seule personne qui voulait son bien?

– Tous ceux qui obéiront à Asmodeus périront de ma main! poursuivit Ahriman, en colère. Je suis le bras droit du Prince des Ténèbres en ce monde! C'est moi seul qui vous commande!

Des éclairs fulgurants frappèrent la mer à plusieurs endroits. Cette fois, Antinous perçut le danger. Il recula, se leva et courut vers l'hôtel pour se mettre à l'abri. La foudre tomba à quelques centimètres de ses talons, lui causant une atroce douleur dans les jambes. Perdant l'équilibre, il tomba de tout son long dans le lobby sous le regard étonné de l'unique préposé à la réception. Antinous se traîna de peine et de misère jusqu'à l'ascenseur. Revenu de sa surprise, le majordome se précipita à son secours.

– Aidez-moi à monter à la chambre! supplia l'adolescent.

– Si vous êtes blessé, il serait plus utile que je vous fasse conduire à l'hôpital, monsieur.

– Je dois m'assurer qu'il est encore là!

– De qui parlez-vous?

– De… Asgad.

Voyant qu'il n'arriverait pas à le mettre dans un taxi, le réceptionniste l'aida à se relever et à se rendre à la suite. Il utilisa son passe-partout pour y accéder et épaula Antinous jusqu'à la porte de la chambre. Asgad dormait paisiblement dans son lit, malgré la tempête qui faisait rage.

– Laissez-nous, maintenant, exigea l'adolescent, soulagé.

...013

Dès que l'ordinateur l'eut prévenu que son patron était de retour à la base, Vincent McLeod quitta les Laboratoires pour aller lui parler de ses étranges découvertes. Il vit tout de suite sur son visage que Cédric n'était pas dans son assiette, mais jugea que sa trouvaille était trop importante pour faire demi-tour.

— Tu me sembles angoissé, Vincent, remarqua tout de suite le directeur.

— J'ai de bonnes raisons de l'être.

Le savant lui tendit un rapport de quelques feuilles. Intrigué, Cédric n'en fit qu'une bouchée.

— C'est troublant, en effet. Mais, à mon avis, tous ces mots sont des morceaux d'un casse-tête. Ils ne voudront rien dire tant que tu n'auras pas trouvé la vraie clé du code.

— J'avais peur que tu me répondes de cette manière.

— Parce que la recherche de cette clé pourrait t'obliger à quitter la base?

— Je vais évidemment tenter tout ce que je peux à l'aide de l'ordinateur, mais il se pourrait que j'en arrive là.

— Nous traverserons le pont lorsque nous y serons, Vincent. Moi, j'ai confiance en tes talents d'informaticien.

— Avant que je retourne décrypter la Bible, dis-moi pourquoi la présence des mots «prince de sang» et «grande incertitude» à côté de ton nom ne te cause pas une grande détresse.

— Parce que je ne sais pas à quoi ils riment. Peut-être que lorsque tu en découvriras le contexte, j'aurai de bonnes raisons de paniquer. Pour l'instant, il est de mon devoir de dirigeant de l'ANGE de garder mon sang-froid.

— Je t'admire beaucoup, Cédric, parce que moi, j'ai la trouille.

— En fait, je préfère seulement attendre de voir mon adversaire avant d'être effrayé.

— Parce que ça t'arrive?

— Comme tout le monde. Je ne suis pas à l'abri de la peur. J'ai seulement appris à la repousser jusqu'à la dernière seconde.

Vincent poussa un soupir de découragement.

— Te connaissant, poursuivit Cédric, tu vas sans doute t'installer à l'ordinateur et oublier de manger et de dormir.

— J'essaierai d'être raisonnable.

— Avant que tu ne partes, dis-moi pourquoi tu as effectué une recherche sur Cael Madden.

— C'était une idée de Cindy.

— Je vois…

— Elle cherche le Messie, on dirait.

— Et elle n'est pas la seule, soupira Cédric.

— Avant que je sorte, tu veux me dire ce qui te tracasse?

— C'est mon retour à Montréal, je crois. J'ai perdu tous mes agents.

— Pas moi.

— Ton statut est celui d'un fantôme, Vincent, lui rappela le directeur. L'ANGE pourrait t'envoyer n'importe où dans le monde, et je n'aurais pas un mot à dire.

— S'ils ne me laissent pas te suivre à Montréal, je démissionnerai.

« Il est sérieux », constata Cédric avec une certaine satisfaction.

— Je le ferai savoir à madame Zachariah, promit-il.

— Merci.

Vincent retourna aux Laboratoires en essayant de se persuader que son patron avait raison et que les mots qu'il avait extraits de la Bible n'étaient que des morceaux épars d'un bien plus grand ouvrage. S'il y avait dans ce texte des bribes de phrases en langue moderne, alors il existait certainement une façon de le traduire dans son ensemble. Toute la journée, il appliqua toutes les formules mathématiques qu'il connaissait sur les codes sources du programme original. C'est alors que des paroles de Yannick lui revinrent en mémoire. *Tu auras beau chercher tant que tu voudras sur Internet, les vraies réponses se trouveront toujours dans les livres.* Il fonça vers la salle de Formation, où se dressait une bibliothèque. Il en parcourut tous les titres sans trouver ce qu'il cherchait.

— Ordinateur, j'ai besoin d'une Bible, demanda-t-il.

— Toutes les versions de la Bible sont disponibles à partir de n'importe quel poste de travail, monsieur McLeod.

— Je ne veux pas d'un document électronique. Je cherche une vraie Bible en papier.

— Personne n'a programmé cette information dans nos bases de données.

Comme le voulait le protocole de l'ANGE, dès qu'un agent adressait à l'ordinateur une requête à laquelle il lui était impossible de répondre, le directeur de la base en question en était immédiatement avisé. Alors, quelques minutes plus tard, Cédric entra dans les Laboratoires et tendit un gros livre à son jeune savant.

— C'est ce que tu cherches?

Vincent feuilleta rapidement l'ouvrage aux pages jaunies.

— Grâce à toi, je n'aurai pas besoin de sortir d'ici pour en acheter une.

— Tu aurais pourtant intérêt à prendre l'air, Vincent.

— Pas avant d'avoir élucidé ce mystère.

— Des chercheurs ont passé des années là-dessus.

— Alors, je terminerai ce travail à Montréal.

«Il est aussi obsédé que moi lorsque j'ai une idée en tête», observa Cédric. Voyant que le jeune savant s'était déjà plongé dans le vieux livre, il quitta la vaste salle en douce. En réintégrant son bureau, il ordonna cependant à l'ordinateur central de surveiller de près son agent prodige.

Vincent ne savait pas exactement ce qu'il cherchait. Tout ce qu'il savait des textes sacrés, il l'avait entendu de la bouche de Yannick. C'était en fait la première fois qu'il ouvrait la Bible. Il commença par la feuilleter au hasard. Peut-être les *malachims* en profiteraient-ils pour lui transmettre un nouveau message... Au bout d'un moment, il dut se rendre à l'évidence qu'il poursuivait une fausse piste. Il alla se chercher du café et constata qu'il était tard. L'équipe de jour venait de quitter la base. La nuit, Cédric ne gardait désormais sur place que des effectifs réduits. Lorsqu'il revint aux Laboratoires, il n'y avait plus personne.

En avalant son café par petites gorgées, il se tortura les méninges pour trouver une façon ingénieuse de s'attaquer à son problème. Un vent froid souleva alors ses mèches blondes. Il pivota pour voir si quelqu'un avait ouvert la porte. Un frisson d'horreur parcourut sa colonne vertébrale quand il découvrit qu'elle était bien fermée. Un léger crépitement le fit sursauter. Il se tourna vers sa table de travail. Les pages de la Bible s'étaient mises à tourner, comme mues par une main invisible.

– Vincent, calme-toi, murmura le savant, de plus en plus pâle.

Le phénomène cessa au bout de quelques secondes. S'efforçant de respirer le plus normalement possible, le jeune savant avança la main vers le livre. Un rayon aveuglant s'en échappa à la verticale. Vincent en fut si surpris qu'il se projeta lui-même sur le sol avec sa chaise et en perdit presque ses lunettes. Il se redressa sur ses coudes et assista à une scène sortie tout droit d'un film de science-fiction. Au lieu de s'estomper, la lumière continuait de sortir du milieu de l'ouvrage en s'agrandissant comme un entonnoir et formait un cercle au plafond.

«Pourquoi l'ordinateur ne donne-t-il pas l'alerte? s'énerva Vincent. Est-ce que je suis le seul à voir ce faisceau qui ne devrait pas être là?» Il se demanda s'il ne s'était pas endormi sur son clavier. Tout ceci n'était peut-être qu'un rêve... Rassemblant son courage, il se releva et s'approcha de la table. Un être, dont il ne vit d'abord que le contour, apparut dans la lumière.

– Pas un autre démon, s'effraya Vincent.

Il tourna les talons avec l'intention de quitter les Laboratoires et de ne plus jamais y mettre les pieds.

– Vincent, l'appela une voix d'une exquise douceur.

Le jeune savant venait de poser la main sur la poignée de la porte. Il ne fit que tourner légèrement la tête, comme s'il ne voulait qu'entrevoir la créature. Il découvrit, à son grand étonnement, qu'il ne s'agissait pas d'une entité démoniaque. Au contraire, l'homme dont on ne voyait que le torse ne pouvait pas être autre chose qu'un ange. Il ne portait aucun vêtement. Ses longs cheveux blonds balayaient ses épaules et sa poitrine, comme s'il avait été captif d'un tourbillon de vent. Dans son dos s'ouvraient deux larges ailes recouvertes de plumes blanches.

– Qui êtes-vous? balbutia Vincent.

– Je suis Haaiah, de la Sephirah Hesed. Je suis le Tisserand du Temps.

– Vous ressemblez étrangement à un prêtre que je connais. Il s'appelle Reiyel Sinclair.

Un large sourire apparut sur le visage parfait de l'ange.

– Nous sommes tous les deux sous le commandement de l'archange Zadkiel.

– Mais lui, il n'est pas tout en lumière comme vous... Il a un corps physique comme moi.

– Nous avons tous la possibilité d'œuvrer sur ce plan ou dans l'autre.

– D'être matériels ou pas, vous voulez dire?

– Reiyel a pour devoir de libérer les âmes du mal, des sortilèges et des ensorcellements. Mon rôle est de protéger ceux qui recherchent la vérité et la contemplation des choses divines.

– Dans ce cas, vous tombez pile.

– Je suis celui qui permet de comprendre la parole du sage. Je suis la source de vos origines, la mémoire de la nature humaine.

– Avez-vous rédigé la Bible?

– Peu d'humains ont cette extraordinaire qualité d'aller droit au but, Vincent.

– C'est donc vous…

Le jeune savant était à la fois étonné et admiratif.

– Je suis l'infini, le passé et le futur, poursuivit Haaiah. Je suis la force du Verbe, la conscience ultime en devenir.

– Des milliers de personnes ont ouvert ce livre. Leur êtes-vous toutes apparu?

– Tu es le deuxième, car malgré toutes leurs bonnes intentions, même les plus grands chercheurs ne savent pas toujours où chercher.

– Je travaille sur les codes secrets depuis des heures et pourtant, je m'acquitte assez facilement de ce genre de travail. Je commençais à me douter que l'auteur de ces textes n'était pas de ce monde. Mais comment avez-vous fait pour écrire un livre à l'intérieur d'un autre livre?

– Mon esprit ne fonctionne pas comme celui des humains. Il est partout à la fois.

– Et vous connaissiez l'avenir du monde quand vous l'avez écrit, c'est cela?

– Le temps n'existe pas pour les êtres qui habitent ma dimension. Tout se passe en même temps dans notre esprit.

– C'est fascinant…

Vincent remit sa chaise sur pied et prit place devant le bel ange lumineux.

– J'ai trouvé les noms de mes collègues dans cet ouvrage vieux de trois mille ans et, avec ces noms, des faits troublants, ce qui me porte évidemment à conclure qu'il y a tout un autre texte sous celui qu'on veut bien nous laisser lire, pas seulement quelques mots au hasard. Mais je n'arrive pas à obtenir la clé qui me permettrait de l'en extraire en entier.

– Nous savions que ce jour arriverait.

– Vous serait-il possible de me donner un petit coup de pouce?

– Il est écrit qu'au début de la fin des temps, l'homme découvrirait enfin ses véritables origines. Toutefois, cette ultime révélation, si elle est mal utilisée, pourrait avoir de fâcheuses conséquences.

– Pour moi ou pour tout l'univers?

– Pour tout ce qui a été créé et qui vit.

– C'est une grosse responsabilité..., se découragea Vincent. Moi, tout ce que je veux, c'est empêcher mes amis de se faire tuer.

– Et si tel était leur destin?

Vincent baissa misérablement la tête. Qui était-il pour décider du sort du monde?

– Reiyel me dit que je peux te faire confiance, Vincent, continua Haaiah.

Avant que l'informaticien n'ait pu ouvrir la bouche pour se déprécier, l'ange se mit à tourner sur lui-même, agitant les feuilles du livre. Puis il disparut aussi abruptement qu'il était apparu. Vincent demeura interdit un moment, se demandant s'il avait rêvé cette extraordinaire rencontre. Il avança prudemment sa main vers la Bible et la toucha du bout des doigts. Elle n'était pas chaude comme il s'y attendait. Il s'approcha donc de la table de travail avec l'intention de la refermer, lorsqu'il vit qu'elle n'était plus écrite de la même façon! Le texte était manuscrit!

– Mais comment..., balbutia Vincent.

Il vérifia un peu partout dans l'ouvrage : à la fin, au début, au milieu. Tout y était écrit à la main et en français, de surcroît! Il revint à la première page et se mit à lire, écarquillant de plus en plus les yeux. L'auteur ne s'exprimait plus en allégories ou en paraboles. En fait, il ne pouvait pas être plus clair.

Vincent n'était pas pratiquant, mais il connaissait les grandes lignes de sa religion. La traduction les reprenait une à une, mais avec des éclaircissements supplémentaires. La création du monde ne s'était pas produite en quelques jours, mais en quelques milliards d'années. Adam et Ève avaient bel et bien existé, mais ils avaient été fabriqués dans des éprouvettes et ensemencés sur la Terre. «Je savais bien que nous ne pouvions pas descendre du singe», songea le jeune savant, soulagé.

Les communications entre le Ciel et les hommes mentionnées dans l'Ancien Testament avaient bel et bien eu lieu, sauf qu'elles avaient parfois été déformées, car elles allaient au-delà de la compréhension des gens de l'époque.

— Monsieur McLeod, si vous ne quittez pas votre poste de travail dans les prochaines minutes, le courant sera coupé dans les Laboratoires.

— Quoi? sursauta Vincent.

— Vous avez dépassé le maximum d'heures allouées devant cet écran. Vous devez vous reposer.

— Oui, bien sûr…

Il referma le vieux livre et l'emporta avec lui. Même s'il avait acquis un appartement à quelques rues à peine de la Casa Loma, il jugea plus prudent de ne pas sortir l'ouvrage de la base. Il alla donc s'allonger sur le ventre dans l'une des petites chambres attenantes à la salle de Formation et poursuivit sa lecture, oubliant complètement l'heure.

Les passages qui parlaient du prophète Jeshua le captivèrent tout particulièrement. L'auteur parlait de lui comme d'un homme intelligent, éduqué, d'une grande bonté. Jeshua avait été envoyé sur Terre pour enseigner sa science aux hommes, mais il s'était vite aperçu que la race humaine n'avait pas atteint l'évolution anticipée par son créateur. Le prophète avait tout de même laissé sa marque dans l'histoire et il avait promis de revenir, lorsque les hommes seraient enfin prêts à l'entendre.

Jeshua avait été crucifié comme le prétendait l'autre Bible, mais l'histoire de Judas était fort différente. Apparemment, le prophète avait demandé à son apôtre préféré de le livrer aux Romains, afin qu'il puisse quitter le monde terrestre sans avoir à se suicider, car le suicide était très mal vu au Ciel. Il n'avait pas été difficile pour Jeshua de revenir auprès de ses disciples au moyen de son corps de lumière qui, lui, n'était pas soumis aux lois de la physique.

Lorsqu'il arriva enfin à l'Apocalypse, il la trouva beaucoup plus claire que l'originale. Il était écrit en noir sur blanc que l'Antéchrist serait un personnage politique qui s'emparerait avec une facilité déconcertante de plusieurs pays d'Europe et du Moyen-Orient. L'auteur allait même jusqu'à le nommer par son nom!

— Ben-Adnah, lut Vincent à voix haute. Yannick avait raison…

Les trois premières années de son règne inquiéteraient le monde entier, même s'il ne commettait aucun acte répréhensible. Ce seraient surtout sa puissance et son pouvoir de persuasion qui inciteraient les autres contrées à se liguer contre lui. Le passage suivant donna la chair de poule au jeune savant.

— Environ quarante mois après son entrée sur la scène internationale, il sera tué d'un coup d'épée à la nuque, lut encore Vincent.

Il se redressa net, comprenant aussitôt qu'il serait exécuté par un Naga, sinon plusieurs. Il chercha plus loin ce qu'on disait au sujet de l'assassin, sans rien trouver. La suite des événements était si effroyable que l'auteur du document avait sans doute jugé que ce détail n'était pas vraiment important.

Satan profiterait de cette décapitation pour s'emparer du corps de l'Antéchrist. Devant des millions de personnes, tant sur les lieux que devant les écrans de télévision, il ressusciterait Ben-Adnah et établirait son nouvel empire sur la terre d'Israël, avant de l'étendre sur presque toute l'Europe. Il éliminerait également tous ceux qui s'opposeraient à lui et serait finalement responsable de la mort d'un tiers de la population de la Terre.

– Et ceux qui resteront seront à son service, comprit Vincent, horrifié.

Malgré sa grande fatigue, le jeune savant s'obligea à lire une autre page. Les phrases suivantes plantèrent un pieu dans son cœur.

La femme serpent entrera dans le lit du maître du monde avec l'intention de le tuer, mais il saura ce qu'elle était venue y faire et il la châtiera cruellement.

– Océane...

Un irrépressible sentiment de terreur s'empara de lui. Il sortit du lit en serrant le livre contre sa poitrine. Il pivota vers la porte avec l'intention d'aller montrer ces mots à Cédric, malgré l'heure, lorsqu'il heurta quelqu'un.

– Où vas-tu comme cela, Vincent?

Il reconnut sa voix avant de voir les traits de son visiteur.

– Reiyel...

Vincent recula de quelques pas, soulagé de voir arriver la cavalerie. Le révérend Sinclair n'avait absolument pas changé depuis leur dernière rencontre. En fait, il portait les mêmes vêtements...

– J'ai ressenti ton affolement de très, très loin. Et si moi j'y suis sensible, les forces obscures le sont aussi. Il est important que tu chasses ces pensées tout de suite.

– Est-ce bien la seule raison de votre présence ici?

– Rassure-toi, tu n'es pas possédé par un démon. Assieds-toi et fais-moi confiance.

Vincent n'avait aucune raison de se méfier de cet homme qui avait été si bon pour lui. Il fit donc ce qu'il demandait. Reiyel ne perdit pas de temps. Il posa la main sur la tête de l'informaticien. Une lumière dorée s'en échappa et enveloppa entièrement Vincent. Ce dernier ressentit d'abord une curieuse chaleur, puis un grand sentiment de réconfort.

– L'Enfer ne peut plus t'entendre, maintenant, assura Reiyel avec un large sourire.

Sans afficher la moindre émotion, Cédric Orléans écouta, de la bouche même de Vincent, le récit de son étrange soirée de la veille. Pourtant, l'ordinateur n'avait signalé aucune activité spéciale dans les Laboratoires ou ailleurs dans la base, sauf qu'il avait dû servir un avertissement à l'informaticien qui travaillait depuis bien trop longtemps. Ce qui étonnait le plus le directeur sortant, c'était le calme avec lequel son agent lui racontait ses terribles découvertes. Cela ne lui ressemblait pas du tout.

— Nous devons absolument sortir Océane de là, conclut finalement le jeune savant.

— Je l'avais déjà compris, assura Cédric, et je ferai tout ce que je pourrai pour que la division internationale intervienne, car elle est désormais sous sa juridiction. D'ici là, j'aimerais bien lire ce texte moi-même.

— Oui, bien sûr. Toutefois, sans vouloir paraître paranoïaque, j'apprécierais que tu le gardes ensuite dans ton coffre-fort personnel.

— Cela va de soi.

Vincent décrocha le vieux livre de sa poitrine et le tendit à son patron. Avec plus de curiosité que de déférence, Cédric tourna les premières pages. Il haussa aussitôt les sourcils.

— Ce n'est pas du tout ce que tu viens de me raconter, apprit-il à Vincent.

— Quoi?

L'informaticien contourna la table de travail du directeur et se pencha sur le texte qu'il avait sous les yeux.

– Il a disparu! s'exclama-t-il, désarçonné.

Cédric leva un regard inquiet vers lui.

– Je te jure que tout ce que je t'ai dit est vrai, se défendit Vincent.

– Je ne mets nullement ta parole en doute.

– Cette Bible sous la Bible n'est peut-être pas destinée à être lue par tout le monde…

– C'est exactement ce à quoi je pensais. Reprends-la et vois si le texte change. Sinon, écris sans tarder ce dont tu te souviens, même si ce ne sont que des résumés succincts de chaque passage. Il est important que nous ayons un compte-rendu écrit de ton expérience.

– Tout de suite.

Vincent quitta le bureau en emportant son trésor avec lui. Cédric demeura songeur un instant. Était-ce en raison de son sang reptilien que le livre sacré n'avait pas voulu se révéler à lui? Il vérifia une seconde fois les données de l'ordinateur concernant les activités de la veille à travers toute la base, puis visionna les images captées dans les Laboratoires. Vincent était demeuré debout un long moment devant la Bible ouverte, mais il semblait surtout réfléchir. Il n'y avait aucune caméra dans les petites chambres que l'ANGE mettait à la disposition de son personnel en cas d'urgence, mais on y avait laissé des micros pour que l'ordinateur central puisse capter tout bruit suspect. Cédric demanda à ce dernier de démarrer la bande audio de toutes ces pièces.

– Il n'y a aucun enregistrement pour la date demandée.

Vincent avait pourtant conversé avec le révérend Sinclair.

– Y a-t-il eu des visiteurs?

– Aucun, monsieur Orléans.

Mais les anges avaient-ils vraiment besoin d'emprunter les entrées normales de la base?

– Si une présence divine se manifestait dans la base, les capteurs en garderaient-ils la trace, par quelque moyen que ce soit?

– Il n'y a aucune définition de « présence divine » dans mes bases de données.

Cela étonna Cédric, compte tenu de tout ce que Yannick avait intégré au système sur les textes sacrés et l'histoire biblique.

– Cela comprend toute créature immatérielle, comme les démons enregistrés sur les dernières bandes vidéo de la base de Montréal.

L'ordinateur mit un certain temps à répondre au directeur, mais Cédric ne s'en inquiéta pas, car il s'agissait d'une requête plutôt inhabituelle.

– Plusieurs bases de l'ANGE sont maintenant équipées de senseurs capables de détecter des êtres invisibles qui laissent une trace d'énergie.

– Dont celle de Toronto?

– Non, monsieur Orléans. Votre prédécesseur a fait savoir à la division internationale qu'il n'en avait nul besoin.

– Évidemment, soupira Cédric.

Les rois serpents étaient d'abord et avant tout des entités immatérielles avant de s'emparer d'un corps humain. Il n'était pas impossible qu'Andrew Ashby ait planifié une invasion reptilienne de ses installations.

– Faites savoir à la division internationale que j'apprécierais que ce système soit installé dans la base de Toronto et dans la nouvelle base de Montréal.

– Ce sera fait à l'instant, monsieur Orléans.

Cédric allait se renseigner sur les déplacements de Cindy Bloom et d'Aodhan Loup Blanc, lorsque son téléphone cellulaire personnel joua une des symphonies de Wagner, programmée en guise de sonnerie. Il sentit son corps se figer, car personne ne possédait le numéro de cet appareil sauf

Andromède et Thierry Morin, tous deux reliés à Océane. «Lui est-il arrivé malheur?» se demanda le directeur en fouillant dans la poche de son veston accroché à la patère.

– Allô…, fit-il d'une voix peu assurée.

– Êtes-vous Cédric Orléans? s'enquit un homme dont il ne reconnaissait pas la voix.

– Qui le demande?

– Un ami de Thierry Morin. On me connaît sous le nom de Damalis.

– Comment avez-vous eu ce numéro?

– Thierry Morin a programmé un renvoi d'appel de son cellulaire au vôtre. Par conséquent, j'ignore votre numéro, monsieur Orléans.

– Pourquoi a-t-il agi ainsi?

– Il est parti traquer celui qu'il croit être l'Antéchrist et ne peut pas communiquer avec nous. Il nous a dit que vous étiez la seule personne qui puisse nous venir en aide.

– Je ne sais même pas qui vous êtes et ce que vous faites. Et pourquoi dites-vous «nous»?

– Mes cinq frères et moi sommes des Nagas.

Cédric sentit le poil de ses bras se hérisser.

– Nous traquons la reine des Dracos en Colombie-Britannique, poursuivit Damalis.

– Je ne me trouve pas dans cette province. Comment pourrais-je vous être utile?

– Pour éviter d'être persécutés par les Dracos, mes frères et moi nous sommes arraché la glande qui leur permet de nous retrouver. Mais cette glande nous aurait été utile pour repérer la reine sans difficultés.

– J'ignore ce que monsieur Morin vous a dit à mon sujet, mais je ne suis pas un *varan*.

– J'allais justement vous le demander.

Cédric n'allait tout de même leur révéler ses origines.

– Je possède toutefois d'importantes ressources pour localiser les gens, lui dit-il, mais j'ai besoin d'un minimum d'informations.

Damalis lui raconta alors que Perfidia s'était enfuie du Québec par avion avec un roi serpent et qu'elle semblait maintenant se diriger vers le mont Hoodoo.

– C'est une contrée sauvage où elle ne risque pas d'utiliser de cartes de crédit, ajouta le chef des Spartiates.

– Je vais voir ce que je peux faire.

– Vous pouvez me rappeler en utilisant la fonction recomposition.

En ne lui donnant pas directement son numéro au téléphone, le mercenaire ne risquait pas d'être repéré si d'autres personnes venaient à intercepter ses appels.

– Cela ne devrait pas tarder, monsieur Damalis, assura Cédric.

Il raccrocha et prit en note le numéro qui apparaissait sur l'afficheur. Puis il l'entra sur le clavier de son ordinateur personnel.

– Un appel vient d'être placé sur mon téléphone cellulaire à partir de ce numéro. Je veux en connaître l'origine.

– J'effectue tout de suite la recherche, monsieur Orléans.

Cédric s'adossa profondément dans son fauteuil, songeur. Il n'acceptait pas d'être lui-même reptilien, alors comment pourrait-il venir en aide à une meute de traqueurs? Mais tuer Perfidia n'était-il pas un but louable?

– L'appel a été passé d'un premier cellulaire à un autre appartenant à monsieur Thierry Morin.

– À qui est le premier?

– À monsieur Jordan Martell.

– Trouvez tout ce que vous pouvez sur cet homme. C'est urgent.

– Tout de suite, monsieur Orléans.

Pourquoi Martell avait-il choisi de s'appeler Damalis? Il s'agissait d'un nom grec, de toute évidence, mais surtout porté par des filles... «Une brillante façon de brouiller sa piste», songea Cédric.

— JORDAN MARTELL EST UN NOM PORTÉ PAR PLUSIEURS INDIVIDUS AU CANADA ET AUX ÉTATS-UNIS, lui apprit l'ordinateur. IL EST TOUTEFOIS IMPORTANT DE VOUS SIGNALER L'EXISTENCE D'UN JORDAN MARTELL, MAINTENANT ÂGÉ DE TRENTE-NEUF ANS, DONT LE DOSSIER A ÉTÉ CLASSÉ CONFIDENTIEL PAR LE GOUVERNEMENT AMÉRICAIN.

— Voyez si vous pouvez obtenir ces renseignements de la part de notre base de Washington.

— UN INSTANT, JE VOUS PRIE.

«C'est sûrement le traqueur», songea Cédric.

— MONSIEUR KEEL AIMERAIT S'ENTRETENIR AVEC VOUS RELATIVEMENT À VOTRE REQUÊTE.

— Mettez-nous en communication.

Cédric ne connaissait Dennis Keel que de réputation. Avant de diriger la base de l'ANGE à Washington, il avait travaillé comme agent aux Indes et en Russie. Possédant un flair infaillible pour dépister les complots, il avait fait échouer au moins sept tentatives d'assassinat dans ces deux pays. Le visage de Keel apparut sur l'écran mural.

— Je vous salue, monsieur Orléans. Puisque vous vous adressez directement à moi sans passer par votre directeur national, j'ai décidé de faire de même. J'espère que cela ne nous causera pas d'ennuis.

— Il s'agit d'une simple demande de renseignements, monsieur Keel.

— Qui concerne cependant un homme qui a jadis rendu de précieux services à son pays.

— Est-il toujours vivant?

— Personne ne le sait. Il a cessé de se rapporter au Pentagone il y a environ trois ans.

— J'imagine que sa description physique n'apparaît nulle part.

– Le gouvernement conserve le moins d'informations possible sur les mercenaires qu'il emploie, même lorsque ces derniers disparaissent mystérieusement.

– Je vous remercie de votre collaboration, monsieur Keel.

– Dites-moi au moins pourquoi vous vous intéressez à cet homme.

– J'ai vu son nom dans un rapport émanant de la police de Toronto et j'ai voulu savoir qui il était exactement, mentit Cédric.

– Si jamais vous découvrez où il se cache, la base de Washington serait certainement intéressée de l'apprendre.

– Oui, bien sûr. Merci encore.

Cédric mit fin à la communication et se rendit dans la vaste salle des Renseignements stratégiques. Il se posta aussitôt derrière le meilleur technicien, après Vincent McLeod.

– Donnez-moi une image satellitaire du mont Hoodoo, en Colombie-Britannique, ordonna le directeur.

L'homme pianota sur son clavier en surveillant le large écran devant lui.

– Cela nécessitera quelques minutes, monsieur.

– Je ne suis pas pressé.

Un satellite ne se manipulait évidemment pas de la même façon qu'un avion. Il fallait prendre le temps de bien le positionner.

– La voilà, monsieur Orléans.

L'image apparut sur l'écran, du haut des airs. Le mont Hoodoo était un volcan plat de mille huit cent soixante-dix mètres d'altitude, sur la crête nord de la rivière Iskut, à environ cent kilomètres de la ville de Stewart, dans le nord-ouest de la Colombie-Britannique. Il était recouvert d'une calotte glacière de trois kilomètres de diamètre. Plusieurs grands champs miniers se trouvaient à moins de quinze kilomètres du versant sud du volcan. Il y avait au moins sept mille ans qu'il n'était pas entré en éruption.

– Vous serait-il possible de repérer des êtres humains sur le flanc même de la montagne?

– Oui, en utilisant le système de thermographie du satellite. Les détecteurs d'infrarouge nous indiqueront aussi la présence de tout mammifère dans la région visée. Je leur demanderai ensuite d'isoler les signatures humaines. Il y a tout de même une différence entre un homme et un lapin.

«Et un dragon?» se demanda Cédric. Pour pouvoir repérer Perfidia et son nouveau prince consort au moyen de cet équipement, il fallait à tout le moins qu'ils n'aient pas adopté définitivement leur forme reptilienne.

Une multitude de petits points rouges apparurent à la base du volcan, aussitôt analysés par l'ordinateur central.

– Il y a un groupe d'êtres humains dans ce camp établi à l'orée de la forêt, indiqua le technicien.

– Et à l'intérieur de la montagne?

– Le laser pourrait sans doute nous le dire, mais pourquoi y aurait-il du monde dans un volcan?

– Je suis à la recherche de deux fugitifs qui aiment se cacher dans des grottes. Nos derniers renseignements indiquent qu'ils se dirigeaient vers le mont Hoodoo.

– C'est en Colombie-Britannique, alors pourquoi la base de Vancouver ne fait-elle pas elle-même cette enquête?

– Je l'ignore, Michael, dut lui mentir Cédric. Je ne fais que suivre mes ordres.

La réponse du directeur sembla satisfaire le technicien, qui transmit aussitôt les nouveaux paramètres à l'ordinateur du satellite. Cédric détestait mentir à ses employés, mais il ne pouvait pas non plus mettre en péril la mission de Damalis et de ses frères. La reine des Dracos devait périr.

– Vous avez raison, monsieur Orléans. Les deux fuyards sont bel et bien dans le volcan, à ces coordonnées. Il y a plusieurs grottes sur le flanc nord.

– Merci, Michael. Envoyez-moi cette image télémétrique sur mon ordinateur personnel et mettez fin au contact avec le satellite, au cas où d'autres bases auraient besoin de ses services.

– Oui, monsieur.

Cédric retourna dans son bureau. Dès qu'il eut reçu l'image, il la transmit à son téléphone cellulaire, puis rappela Damalis.

– J'ai obtenu l'information que vous m'avez demandée, monsieur Martell, lâcha le directeur sans aucune émotion dans la voix.

– Vous savez donc qui je suis.

– Je ne connais que votre nom. Le gouvernement américain est plutôt avare de détails à votre sujet.

– En réalité, il était censé détruire mon dossier après notre dernière mission en territoire ennemi, mais les Dracos ont le bras long.

– Êtes-vous des mercenaires?

– Nous le sommes devenus lorsque l'oncle Sam nous a abandonnés à notre sort en Irak. Nous avons réussi à survivre en offrant nos services à ceux qui nous payaient comptant et à l'avance. Cela ne veut pas dire que nous sommes fiers de ce que nous avons fait, mais c'était la seule façon de nous en sortir. Cela vous empêchera-t-il de nous venir en aide?

– Non, car je déteste les Dracos autant que vous. Avez-vous la capacité de recevoir une image télémétrique?

– Je possède un téléphone cellulaire qui accepte ce genre de données.

– Bonne chance, monsieur Damalis.

Cédric appuya sur le bouton d'envoi, puis raccrocha, espérant de tout cœur que ces soldats pourraient mettre fin au règne des Dracos sur Terre.

...015

Comme tous les soirs, assis au centre de la grotte des anciens chrétiens, Yannick Jeffrey s'entoura d'une aura divine afin de recharger son énergie. Il refusait de se décourager devant l'obscurité qui régnait sur la planète, persuadé que certaines âmes avaient seulement besoin d'entendre la bonne parole pour se convertir et ranimer la flamme du Bien. Tandis qu'il s'abandonnait à l'amour du Père, il sentit une présence près de lui et ouvrit les yeux, s'attendant à voir le visage repentant de son ami Yahuda. Celui qui se tenait devant lui était auréolé de bonté, mais ce n'était pas un apôtre. Yannick n'eut aucun mal à reconnaître son essence angélique, même en l'absence de ses ailes. Il baissa aussitôt la tête en signe de respect.

– Le Père vous estime beaucoup, Képhas, lui dit Reiyel.

– A-t-il une nouvelle mission pour moi? s'enquit le Témoin, immobile.

– Pas à ce que je sache.

Le ton jovial du messager surprit Yannick. Les quelques anges qu'il avait connus durant sa très longue vie avaient affiché une attitude plus austère.

– Je suis Reiyel et je chemine sur cette planète depuis presque aussi longtemps que vous. Je vous en prie, oubliez tout ce qu'on vous a dit au sujet des soldats de lumière et regardez-moi dans les yeux.

Le Témoin s'exécuta sans cacher sa surprise.

– Lorsqu'on passe beaucoup de temps avec les mortels, on finit par adopter certains de leurs comportements, expliqua l'ange avec un sourire aimable. Vous devriez le savoir.

— Pourquoi êtes-vous ici, Reiyel?

— En fait, je suis venu voir si Yahuda se portait bien.

— Il est parti depuis des mois.

— C'est moi qui l'ai arrêté avant qu'il ne commette un dernier acte regrettable. Je l'ai conduit jusqu'au Père pour qu'il lui pardonne ses errements. Dans sa grande bonté, il lui a finalement donné la permission de revenir en ce monde. Je croyais bien le trouver avec vous.

— Hélas, il semble avoir choisi une autre destination.

Le regard de Reiyel s'immobilisa, et Yannick comprit aussitôt ce qu'il faisait.

— Regardez du côté de Toronto, suggéra-t-il.

— Ah…

— Yahuda a passé les deux derniers millénaires en grande partie dans l'Éther. Il n'a pris goût aux fruits défendus que tout récemment.

Reiyel s'assit sur le sol devant Yannick, qui était demeuré dans son cocon lumineux.

— Mon rôle sur Terre, depuis que Zadkiel m'y a dépêché, est de soutenir les femmes et les hommes méritants à combattre le Mal, expliqua-t-il. D'ailleurs, tout récemment, je suis venu en aide à l'un de vos amis de l'ANGE.

— Yahuda m'a raconté qu'il avait ramené Vincent dans son corps après sa mort.

— Sa lutte contre le démon tenace qui s'était installé en lui l'avait en effet vidé de ses forces. Il est beaucoup plus fort qu'il le croit.

— Il ne sera pas facile de l'en convaincre, je le crains.

— Il aura son moment de gloire comme nous tous. Il est d'ailleurs plus en sûreté au Canada que vous ne l'êtes ici, Képhas.

— Je n'ai nulle intention d'échapper à mon destin.

— Votre mission est importante, mais si vous voulez vous en acquitter jusqu'au bout, il faudra prendre davantage garde aux machinations du Faux Prophète. Il a failli détruire l'âme de Yahuda.

– Et je ne m'en suis même pas aperçu, regretta Yannick.

– N'allez pas penser que l'Antéchrist est le plus fort de ces deux créatures. Ahriman le manipule à sa guise.

– Il m'a échappé à Montréal…

– Tant mieux pour vous, car il vous aurait très certainement réduit en cendres. Il faut être un archange pour se mesurer au bras droit de Satan.

«Ou un Naga», songea le Témoin.

– Qu'est-ce que c'est? demanda Reiyel, qui lisait ses pensées.

– J'ai tout récemment appris qu'il y avait d'autres races pensantes sur cette planète. Je ne m'en suis probablement pas aperçu avant parce qu'elles peuvent adopter une apparence humaine, mais elles sont en réalité reptiliennes.

– La plupart d'entre eux ont une âme, vous savez.

– Je doute fort que ceux que j'ai rencontrés fassent partie de ce groupe. Jeshua condamnait le meurtre, et ces monstres tuent des enfants pour se nourrir. Vous n'êtes sûrement pas sans savoir à quel point le Maître aimait les enfants.

– Les meurtriers sont durement châtiés lorsqu'ils arrivent dans l'autre monde, tout comme les criminels incorrigibles, s'attrista Reiyel. Sachez toutefois qu'avant d'en arriver là, le Père déploie des efforts considérables pour les remettre sur la bonne voie. Malheureusement, les très jeunes âmes sont influençables, et lorsque Satan s'en empare, il est difficile, sinon impossible de les réformer.

– Alors l'Enfer doit être peuplé de Dracos…

– Je n'ai jamais eu à sauver de reptiliens et j'aimerais certainement en apprendre davantage sur eux, même si cela ne fait pas vraiment partie de ma mission, enfin, pour l'instant. M'en parlerez-vous, Képhas?

– J'ai vécu pendant deux mille ans sur cette planète sans me douter de leur existence, alors vous comprendrez que mes connaissances à leur sujet sont plutôt limitées. De toute façon, avec la recrudescence du crime dans toutes les grandes villes du monde, n'avez-vous pas suffisamment de pain sur la planche?

– Oui, certes, mais tout comme vous, j'ai besoin de revenir régulièrement à la Source si je veux poursuivre mon travail.

– Vous pourriez commencer par rappeler à Yahuda qu'il est l'un des deux Témoins de la fin du monde.

– Contrairement aux anges, les humains ont reçu en cadeau du Père leur libre-arbitre. Je peux lui conseiller de revenir auprès de vous, mais pas l'y contraindre.

Yannick ne le savait que trop bien.

– Merci d'avoir partagé ces quelques instants avec moi, Képhas. Gardez à l'esprit que le premier sceau a été brisé et que les autres ne sauraient tarder. Il n'est pas en notre pouvoir d'arrêter la progression du Mal jusqu'au retour du Fils de Dieu, mais nous pouvons encore sauver beaucoup d'âmes de la damnation, à commencer par les nôtres. Méfiez-vous du Faux Prophète et surtout, ne vous attaquez pas directement à l'Antéchrist.

– Je serai prudent.

Yannick le salua d'un léger mouvement de la tête. Reiyel s'estompa comme un mirage, laissant l'apôtre profiter de quelques heures de quiétude avant que le peuple ne le réclame. Il fila vers l'Éther, ce lieu de pure énergie où les serviteurs du Père étaient toujours les bienvenus.

Tous les anges n'appartenaient pas à une Sephirah. En fait, la plupart étaient de simples soldats, des gardiens ou des guides auprès des humains. Sauf pour une seule, chaque Sephirah comprenait huit anges sous la gouverne d'un archange. Reiyel faisait partie de la Sephirah Hesed, qui exprimait la richesse et la clémence du Père, et il se rapportait à l'archange Zadkiel. Les soixante-douze anges de la Kabbale représentaient les qualités, les vertus et les pouvoirs du Créateur. Reiyel était «celui qui libère» et il oeuvrait auprès des humains depuis des milliers d'années. Même si ces derniers étaient bien souvent mesquins et déraisonnables, Reiyel avait appris à les aimer. S'il l'avait pu, il les aurait tous sauvés, mais le temps commençait à lui manquer. Bientôt, les créatures préférées de Dieu seraient obligées de faire face à un ennemi qu'elles ne pourraient pas vaincre.

Reiyel savait qu'il existait une multitude de formes de vie dans l'univers. D'autres regroupements d'anges veillaient sur elles. Mais quels étaient ceux qui s'occupaient des reptiliens qui vivaient sur Terre? De nature curieuse, l'exorciste se rendit sur le champ de bataille céleste où les démons et les soldats du Père continuaient à se faire la guerre. Sur ses gardes, il observa attentivement les combattants et leurs boucliers humanoïdes. Pourtant, aucun d'entre eux ne ressemblait de près ou de loin à un lézard... Quel sort le Père réservait-il donc à ces meurtriers d'enfants?

Désireux d'obtenir une réponse à cette question avant de retourner auprès des possédés qui avaient besoin de lui, Reiyel grimpa vers les plus hauts sommets des plans invisibles. Cette ascension ne requérait aucun effort pour les anges, car ils pouvaient circuler à leur guise dans les cieux. Il retrouva facilement son chemin jusqu'à la grande cellule où les archanges s'entretenaient entre eux.

Zadkiel n'avait jamais adopté d'autre apparence que celle que lui avait donnée le Créateur. Il ressemblait à une brillante flamme violette. Pour se rendre jusqu'à lui, Reiyel dut évidemment revenir à sa forme originale d'étoile étincelante.

– Qu'y a-t-il, Reiyel? s'enquit l'archange en l'enveloppant de sa douce énergie.

– Je viens humblement chercher une bribe de connaissance que je ne possède pas, vénérable Zadkiel.

– Quelque chose qui t'aidera à guérir des âmes?

– Peut-être bien…

– Que veux-tu savoir?

– Qui d'entre nous a reçu pour mission de sauver les âmes des reptiliens qui habitent la Terre des humains?

– Cela ne nous concerne pas, Reiyel.

– Le Père les aurait-il abandonnés?

– Il y a des milliers de cellules comme celle-ci dans l'univers, et chacune s'est vue attribuer une forme de vie quelque part. J'ignore laquelle s'occupe de ces créatures.

– Dieu traite-t-il les âmes irrécupérables des reptiliens de la même façon qu'il traite celles des criminels humains? Y a-t-il des endroits de damnation dont nous ignorerions l'existence?

– Sans doute, mais tu n'as pas besoin de les connaître pour remplir le mandat que je t'ai confié. Retourne auprès de ceux qui attendent la délivrance. Ils sont nombreux, Reiyel.

– Il en sera fait ainsi, vénérable Zadkiel.

L'ange retourna dans les dimensions mortelles, encore plus intrigué. Si toutes ces races vivaient sur une seule et même planète, n'aurait-il pas été normal que les archanges qui prenaient soin de chacune d'entre elles travaillent ensemble?

Reiyel capta la détresse d'une mère qui tentait d'arracher sa fille des griffes du Mal. Képhas lui avait demandé de porter un message à Yahuda, mais l'ange considéra que la possession de la jeune femme était trop avancée pour qu'il remette son intervention à plus tard. Il reprit donc l'aspect du révérend Sinclair et frappa à la porte de la maison de la possédée.

016

Malgré les nombreuses mises en garde de Cindy, Océlus insista pour aller marcher avec elle dans le parc où ils avaient déjà passé un moment magique ensemble. La jeune femme eut beau lui répéter que depuis le Ravissement, cet endroit était moins que sûr, le Témoin ne voulut rien entendre. Découragée, Cindy céda devant son obstination. Il se rendrait bien compte lui-même que le monde n'était plus ce qu'il était. Si ses nouvelles techniques d'art martial ne suffisaient pas à les protéger des bandits, sans doute Océlus pourrait-il les ramener magiquement à l'appartement.

Le terrain boisé était aussi beau en hiver qu'en cette fin de printemps. Il n'y avait plus de neige et les bourgeons avaient éclaté. Cindy avait trouvé au Témoin un long manteau et des souliers, car sa tunique aurait trop attiré l'attention. Il s'était laissé habiller sans se plaindre, dévorant sa belle du regard.

Cindy glissa sa main dans la sienne et l'entraîna sur toutes les allées, sans vraiment regarder où elle allait.

– Où t'enverront-ils en mission? voulut soudainement savoir Océlus.

– J'aimerais bien suivre la trace d'un prophète américain, mais il faudrait pour cela que la division internationale me le permette ou que je démissionne.

– Tu es toujours sous les ordres de Cédric?

– Pas vraiment, puisque je fais maintenant partie des agents fantômes.

Océlus haussa les sourcils avec surprise.

– Mais il faut être mort pour être un fantôme! protesta-t-il.

– Je ne suis pas réellement morte, mais je figure sur la liste des victimes ayant péri lors de la destruction de la base de Montréal. Je sais que c'est difficile à comprendre, mais l'Agence fait souvent disparaître certains de ses agents de la circulation pour pouvoir les utiliser ailleurs dans le monde. Donc, si l'ennemi fait des recherches pour les identifier, il ne trouvera que leurs certificats de décès.

– Cela signifie-t-il que tu pourrais maintenant m'accompagner à Jérusalem?

– En principe, mais pas tout de suite. J'ai encore quelques trucs à régler avant de partir.

Le sourire radieux de son compagnon réchauffa le cœur de Cindy. De son côté, pour lui plaire, Océlus fit disparaître le soleil derrière d'épais nuages et alluma des milliers de petites étoiles dans les branches des arbres qui bordaient l'allée.

– C'est magnifique! s'exclama Cindy.

– Ce sera notre signe secret à nous, pour toujours.

– Secret, oui, mais certainement pas discret.

Elle se faufila dans les bras du Témoin et le serra de toutes ses forces.

– Est-ce que tu m'aimes, Océlus?

– Plus que tout au monde…

– Il nous reste si peu de temps à passer ensemble.

– Tu oublies que je suis immortel.

– Que t'arrivera-t-il une fois que Satan vous aura fait exécuter Yannick et toi sur la place publique? As-tu le pouvoir de recoller ta propre tête?

– Tout dépendra de la volonté du Père. Rien ne lui est impossible. Sinon, je t'attendrai dans l'autre monde aussi longtemps qu'il le faudra.

«Si le Prince des Ténèbres gouverne la Terre dans quelques années, il ne restera pas longtemps seul là-haut», songea Cindy. Yannick lui avait raconté que Satan exigerait que tous ses sujets portent la marque de la Bête et que ceux qui la refuseraient seraient immédiatement mis à mort. Jamais Cindy ne renierait sa foi…

Tandis que le couple demeurait enlacé au milieu du sentier, une dizaine de voyous surgirent de la forêt, armés de couteaux, et les encerclèrent.

– Donnez-nous votre argent! cria l'un d'eux.

Toutes les petites lumières s'éteignirent dans les arbres.

– Nous n'en avons pas, répondit Cindy en se dégageant de l'étreinte d'Océlus.

– Ne nous obligez pas à vous tuer!

Cindy ne s'énervait pas, car elle croyait que son compagnon les débarrasserait de ces prédateurs en utilisant sa magie. Elle ignorait évidemment la leçon que Reiyel lui avait servie peu de temps auparavant. Devant les yeux de Yahuda voltigeaient des anges guerriers qui se servaient d'êtres humains comme boucliers contre les attaques de démons aux ailes déchiquetées. Le Père lui avait pardonné ses derniers accès de violence, mais ce dernier ne serait pas aussi clément si son serviteur devait prendre d'autres vies. Alors, au lieu de protéger sa belle, l'apôtre demeurait interdit et presque soumis.

L'un des mécréants fonça sur eux. Mettant en pratique ce qu'elle avait appris au dojo, Cindy exécuta une rapide pirouette sur elle-même et, de son pied, frappa violemment le poignet de l'agresseur. La lame vola dans les airs. Sans attendre la prochaine attaque, l'agente se mit en position de combat. Croyant que leur nombre leur permettrait de subjuguer les tourtereaux, deux des truands s'élancèrent. Ils furent reçus par une pluie de coups de pied et de poing qui les envoya rapidement au tapis. Pendant que Cindy sauvait sa vie, Océlus se tenait là, immobile comme une statue! «Il n'est pas étonnant que l'Antéchrist n'en fera qu'une bouchée», grommela intérieurement la jeune femme.

– Que se passe-t-il? tonna alors une voix d'homme.

Les voyous ramassèrent ceux qui étaient tombés et s'enfuirent entre les arbres. Cindy ne se relaxa que lorsqu'ils furent hors de vue. Elle se tourna alors vers son sauveteur providentiel, qui arrivait en courant, et reconnut Vincent McLeod en sarrau blanc!

– Mais qu'est-ce que tu fais ici? s'exclama-t-elle, surprise. Tu ne quittes presque jamais la base!

– Il fallait que je te parle et je ne voulais pas le faire sur ta montre.

– Merci d'avoir fait fuir ces chenapans.

– C'est peut-être mon apparence qui leur a fait peur.

Cindy se tourna vers le Témoin, toujours en transe. Peut-être était-il en panne de magie. L'agente lui saisit les bras et le secoua doucement.

– Tout va bien, maintenant, le rassura-t-elle.

– Je n'ai plus le droit de tuer, murmura-t-il.

– Parce que toi, un disciple de Jésus, tu l'as déjà eu? s'étonna Vincent.

L'informaticien n'avait pas vraiment le temps de réfléchir à cette aberration.

– J'ai fait une importante découverte, dit-il plutôt, et je ne peux pas en parler à tout le monde.

– Tu ne peux pas le faire ici non plus, l'avertit Cindy. Il se cache un peu trop de chacals dans ces bois. Nous devons trouver un endroit tranquille et désert.

– À Toronto? se découragea Vincent.

Océlus les transporta aussitôt au sommet d'une des tours du château de la Casa Loma interdites au public. Cindy se pencha dans l'escalier en colimaçon et ne vit personne dans les parages.

– Y a-t-il des micros, ici? voulut-elle savoir.

Vincent ne transportait pas sur lui l'équipement requis pour le vérifier, alors il actionna, au cas où, le mécanisme de brouillage dissimulé dans son épingle à cravate.

– Qu'as-tu trouvé? le pressa Cindy.

– La Bible renferme un autre texte, beaucoup plus facile à comprendre, d'ailleurs. Ce dernier raconte le passé, le présent et le futur du monde, comme si tous ces événements s'étaient déjà produits. Et pourtant, il a été écrit il y a au moins trois mille ans.

– Tu as trouvé autre chose que de simples mots clés? se réjouit la jeune femme.

– Tu parles! C'est tout à fait un autre livre. Il raconte l'histoire de la création du monde et de la vie de Jésus sans la moindre allégorie.

La mention du nom du Maître sembla ramener Océlus à la vie. Depuis qu'il les avait emmenés dans ce lieu désert, il était demeuré songeur et silencieux.

– Qu'as-tu découvert sur notre avenir? demanda Cindy à Vincent.

– Il est loin d'être rose.

– Très drôle…

– C'est seulement une expression, Cindy.

– Continue.

– J'ai lu ce nouveau texte jusqu'au bout avant de commencer à vraiment m'énerver.

– Nous allons tous mourir, c'est cela?

– Certains d'entre nous survivront, mais ce qui est certain, c'est que nous aurons tous à affronter de graves dangers d'ici la fin.

– Si tu tenais tant à m'en parler en privé, c'est parce que tu voulais me dire que je serai parmi les victimes de l'Antéchrist?

– Non. C'est Océane… Et malheureusement, l'Antéchrist n'est pas son seul ennemi. Le texte parle de reptiliens qui désirent la paix sur cette planète au point de l'empêcher de tuer Ben-Adnah.

– Probablement d'autres Anantas. Il faut avertir Océane de mettre fin à sa mission.

– Comment? soupira Vincent. Elle ne porte plus de montre et il ne lui est pas permis d'entrer en communication avec nous ou avec la base de Jérusalem.

– Océlus pourrait aller la prévenir.

– Et si c'était le destin d'Océane de donner sa vie pour sauver la nôtre? protesta le Témoin.

– Yannick et toi m'avez déjà ramené deux fois de la mort sans que cela empêche quoi que ce soit, lui rappela Vincent. Si Dieu n'avait pas été d'accord, il vous aurait déjà manifesté son mécontentement, non?

– J'achèverai de convaincre Océlus, trancha Cindy. Dis-moi plutôt ce qui arrivera à chacun d'entre nous.

Le visage de l'informaticien se mit à pâlir.

– Quelqu'un approche, les informa Océlus.

– Ami ou ennemi? s'enquit Cindy.

– Jetez vos armes et descendez l'escalier très lentement! ordonna une voix d'homme.

Alerté par l'ordinateur que des intrus se baladaient dans le château sous lequel avait été construite la base de l'ANGE, Aaron Fletcher n'avait pas hésité un instant. Il s'était élancé à la surface avec les membres de son équipe.

Au pied de l'escalier qui menait à l'une des tours, arme au poing, le chef de la sécurité attendit quelques secondes. Puisque rien ne se produisait, il fit signe à ses hommes de monter. Ces derniers gravirent les marches aussi silencieusement que des chats. Fletcher demeura immobile, osant à peine respirer. Toute sa vie, il avait travaillé à Toronto, mais depuis le Ravissement, il ne reconnaissait plus sa ville. Les criminels volaient et tuaient d'autres criminels. Quant aux petits escrocs, ils se contentaient de piller les maisons riches et les commerces, jusqu'à ce que de plus gros poissons finissent par les dévorer.

Fletcher était l'un des plus dévoués employés de l'ANGE. Jamais il ne laisserait la racaille s'approcher de la base qu'il protégeait. Il lui incombait d'assurer la sécurité de Cédric Orléans et de ses agents afin qu'ils puissent faire leur propre travail.

– Il n'y a personne, monsieur, lui annonça l'un de ses hommes du haut de la tour.

– Y a-t-il une autre issue?

– Aucune. Nous avons utilisé le seul escalier qui mène ici.

Intrigué, Fletcher s'empressa de rejoindre son équipe sur la plate-forme. Il y avait bien quelques fenêtres, par lesquelles les malfaiteurs auraient pu s'enfuir, mais elles étaient toutes grillagées et ne s'ouvraient pas. Le chef de la sécurité remarqua alors que les regards de ses hommes étaient braqués sur lui. Il vit tout de suite dans leurs yeux qu'ils redoutaient un nouveau Ravissement.

– Je vais ordonner une vérification complète des systèmes de détection de l'ordinateur, lâcha-t-il pour les rassurer.

Sans attendre leurs commentaires, il dévala l'escalier pour retourner dans la base.

017

Damalis et ses frères avaient réussi à échapper aux représailles des Dracos en offrant leurs services à divers mouvements de résistance sur toute la planète, mais ils savaient bien qu'un jour, ces reptiliens avides de pouvoir finiraient par les rattraper et les détruire, car ils craignaient les Nagas. Les rois et les princes Dracos n'étaient pas nombreux. Toutefois, ils gardaient à leur service des milliers de Neterou qui leur obéissaient au doigt et à l'œil. Ils les avaient notamment placés dans des postes clés du monde des médias, pour qu'ils leur servent d'espions.

En traversant silencieusement la dernière forêt qui séparait les Spartiates de leur cible, Damalis songea que cet assaut serait sans doute leur dernier. Thierry Morin, le plus grand de tous les traqueurs, leur avait enfin donné l'occasion de mettre fin à leur errance. Le dernier acte d'héroïsme des six mercenaires serait d'offrir à la Terre sa délivrance des Dracos en exécutant leur reine. Sans Perfidia, ces reptiliens cesseraient de se reproduire. Il ne resterait plus aux *varans* qu'à faucher ses enfants un par un, une tâche pour laquelle les Nagas avaient été génétiquement programmés.

Eraste, qui marchait directement derrière son aîné, le connaissait si bien qu'il devina le fond de sa pensée. Tandis qu'ils traversaient une petite clairière, il accéléra le pas et se retrouva près de Damalis.

– Nous ne craignons pas la mort, mon frère, affirma-t-il bravement. Je porterai moi-même les explosifs aux pieds de la reine s'il le faut.

– Attendons tout d'abord de voir ce qu'elle nous réserve, Eraste.

– Toute hésitation pourrait nous être funeste.

– Je ne nous précipiterai pas dans sa gueule.

Eraste garda le silence pendant un moment.

– Tu crois que Théo réussira à abattre le prince Anantas? demanda-t-il finalement.

– Je n'en doute pas une seule seconde.

– Malgré le poison des Dracos?

– Il trouvera le moyen de s'en débarrasser. Il faut lui faire confiance, Eraste, et nous concentrer sur notre propre tâche.

Le sommet pierreux du volcan commençait à bien se détacher au-dessus des grands arbres. Les Nagas l'atteindraient certainement avant la tombée de la nuit. Damalis levait régulièrement les yeux sur la dernière cachette de Perfidia en songeant à différentes façons de la tuer. Il vengerait ainsi ses parents et tous ceux qui avaient péri entre les mains de ses serviteurs uniquement parce qu'ils voulaient vivre libres.

Le chef des Spartiates arriva finalement à la lisière de la forêt et s'accroupit, aussitôt imité par ses frères.

– Nous camperons ici, décida-t-il. Pas de feu.

La plupart des reptiliens pouvaient sentir la présence d'autres reptiliens, même s'ils appartenaient à une race différente, grâce à la glande qui se situait au milieu de leur front. Certains Pléiadiens, qui vivaient parmi les Terriens, avaient bien essayé de partager cette connaissance avec les humains, sans s'exposer toutefois aux griffes des conquérants Dracos. Pour ce faire, ils avaient fondé un mouvement pacifique, plusieurs années auparavant, qui leur avait permis d'instruire les Terriens, mais bien peu d'entre eux avaient compris ce qu'était vraiment le troisième œil.

Les Spartiates prirent place en cercle dans l'obscurité grandissante, sous le couvert des arbres.

– Il est temps de nous parler de ton plan, Damalis, le pressa Aeneas.

– Je ne crois pas me tromper en supposant que la seule raison pour laquelle Perfidia a enlevé un roi Dracos à Sherbrooke, c'est pour se reproduire, commença l'aîné. Cependant, notre connaissance de ce processus est limitée.

– Pourquoi ne te renseignes-tu pas auprès de l'ami de Théo? suggéra Eryx. Il en sait peut-être quelque chose.

– Et s'il est aussi ignorant que nous, alors nous utiliserons notre méthode habituelle de reconnaissance, ajouta Thaddeus.

Damalis n'avait rien à perdre. Même si les Spartiates considéraient qu'il était leur chef, ils avaient pris l'habitude de se concerter avant de frapper leur cible. Pendant qu'ils s'enroulaient dans leurs couvertures, Damalis composa le numéro de Thierry Morin sur son téléphone cellulaire. Il y avait un écart de trois heures entre la Colombie-Britannique et l'Ontario. À Toronto, la nuit était déjà avancée. Malgré tout, Cédric Orléans répondit dès la troisième sonnerie.

– Si je vous ai réveillé, je le regrette, s'excusa Damalis.

– Ne vous inquiétez pas, il y a des mois que je ne dors plus comme avant. Où êtes-vous arrivés?

– Nous sommes au seuil de l'antre de Perfidia, mais avant de nous y risquer, nous aimerions obtenir des renseignements sur le mode de reproduction des Dracos.

– Je n'ai jamais rien lu à ce sujet dans nos bases de données, mais si vous m'accordez quelques minutes, j'effectuerai une seconde vérification.

– Je l'apprécierais beaucoup.

– Gardez la ligne.

Cédric coupa le son sur son téléphone et interrogea l'ordinateur de la base, persuadé que cette initiative serait vaine.

– Monsieur Thierry Morin a laissé pour vous un message codé à ne vous être acheminé que lorsque vous prononcerez les mots « reproduction des Dracos ».

– Quoi?

– Est-ce une exclamation ou une question, monsieur Orléans?

– Pourquoi n'ai-je pas été mis au courant sur-le-champ de l'initiative de monsieur Morin?

– Il possédait l'autorisation numérique requise pour verrouiller l'information qu'il a mise en mémoire dans le système.

– Vincent…, grommela Cédric, mécontent.

– L'intervention de monsieur McLeod n'est pas nécessaire pour le recouvrement de ce fichier.

– Tiens donc. Affichez l'information sur l'écran, je vous prie.

L'ordinateur fit apparaître un message de quelques paragraphes qui détaillait de façon assez complète le processus d'accouplement des Dracos. «Pourquoi Morin ne voulait-il pas que mes techniciens s'approprient cette information?» s'étonna Cédric. Il s'agissait pourtant de détails qui auraient seulement complété ceux que Cindy avait entrés dans la base de données…

Le directeur remit le son en fonction sur son téléphone cellulaire.

– Damalis, êtes-vous toujours là?

– Évidemment.

Cédric lui fit part de ce qu'il avait découvert. Perfidia n'était pas soumise à un cycle reproducteur régulier. Elle pouvait enfanter quand bon lui semblait, mais dans des conditions bien précises. En premier lieu, il lui fallait un roi qui lui plaise et, en second lieu, un grand espace sombre. Elle pouvait pondre des milliers d'œufs en quelques jours à peine. Toutefois, la survie des futurs princes dépendait de sa capacité à les nourrir après leur éclosion, soit trois semaines plus tard. Les plus forts mangeaient d'abord les plus faibles, puis partaient à la recherche de leur mère, dans le labyrinthe où elle s'était installée. Elle les gavait alors de chair humaine et de sang frais, et elle les dorlotait jusqu'à ce qu'ils soient adolescents.

– Elle n'a pas choisi une région très habitée, remarqua Cédric en ramenant à l'écran les informations sur le mont Hoodoo.

– Nous avons remarqué de petits villages, des centres de villégiature, des réserves et même un camp de mineurs non loin d'ici, le renseigna Damalis. Je ne vois cependant pas comment elle arrivera à sustenter une si importante marmaille.

– Cela ne peut vouloir dire qu'une chose : elle ne s'attend pas à un fort indice de survie.

– Ou elle a l'intention de semer rapidement ses petits serpents un peu partout dans l'ouest du Canada.

– Ce n'est pas impossible.

L'image de son père se faisant déchiqueter en morceaux par les princes Dracos de Montréal surgit dans l'esprit de Cédric. Jamais il n'avait réussi à oublier cette horrible scène.

– Merci pour ces précieux détails, fit Damalis en le faisant sursauter.

Le Spartiate raccrocha et répéta les paroles de Cédric à ses frères.

– Il faudra agir rapidement, car Perfidia a une bonne longueur d'avance sur nous, conclut-il.

Comme ils étaient à pied, les Nagas avaient certes pris du retard sur le dragon volant, mais ils arriveraient sans doute avant que ses bébés ne respirent pour la première fois.

– La seule façon de liquider toute la famille sera d'utiliser des explosifs, déclara Eryx.

– Cette montagne est un volcan éteint qui pourrait bien redevenir actif si la détonation est puissante, les mit en garde Thaddeus.

– Peu importe la quantité de dynamite que nous introduirons dans la caverne, il nous sera impossible d'échapper à l'explosion, laissa tomber Eraste.

Damalis garda le silence, ce qui leur fit tout de suite comprendre qu'il s'agissait finalement d'une mission suicide.

– Je préfère finir ma vie dans un beau feu d'artifice plutôt que sous les crocs d'un prince serpent! s'exclama Eryx pour redonner du courage à ses frères.

– Nous serons des héros comme Théo! s'exclama Kyros.

L'aîné ne prononça plus un mot jusqu'à ce que ses frères fussent tous endormis. Il monta la garde jusqu'au milieu de la nuit, puis réveilla Aeneas pour qu'il prenne la relève. Au matin, ils se mettraient à la recherche de l'entrée qu'avait utilisée Perfidia pour atteindre son nouveau nid, car contrairement aux Nagas, les Dracos ne traversaient pas la pierre. Ils avaient besoin d'une ouverture. Une fois la grotte repérée, les Spartiates s'enfonceraient dans le roc pour aller poser leurs explosifs.

...018

À son réveil dans sa chambre à Athènes, Asgad Ben-Adnah fut très surpris d'apprendre que son jeune ami Antinous avait été blessé durant la nuit. Il l'avait trouvé endormi sur le sofa, les jambes recouvertes de bandages. Avant de le réveiller, l'homme d'affaires s'était renseigné auprès du majordome et avait appris que la veille, l'adolescent avait été frappé par la foudre en sortant de l'hôtel. Un médecin était venu l'examiner et avait traité ses brûlures superficielles, en indiquant qu'il avait eu beaucoup de chance, car il aurait pu se faire électrocuter. Asgad réveilla donc son protégé en douceur.

– Monseigneur..., murmura Antinous en battant des paupières.

– Tu affrontes des lions en mon absence, maintenant? le taquina Asgad.

– J'aurais su quoi faire contre un fauve, affirma le jeune Grec en s'asseyant. C'est la foudre qui m'a poursuivi.

– La foudre, hein? Es-tu en train d'inventer cette fable pour accaparer mon entière attention?

– Non! Jamais je ne vous mentirais!

Antinous lui raconta en détails son aventure nocturne. Les sourcils froncés de son protecteur le chagrinèrent aussitôt.

– Vous ne me croyez plus même quand je vous dis la vérité, gémit l'adolescent.

– Je ne peux m'empêcher de constater que chaque fois qu'il t'arrive quelque chose de fâcheux, mon médecin s'y trouve impliqué d'une façon ou d'une autre. On dirait que tu cherches constamment à lui attirer ma défaveur.

– Il ne mérite même pas votre confiance.

– Je ne voulais pas en venir là, Antinous, mais il est grand temps que je règle cette situation qui mine mon énergie.

– Qu'allez-vous faire? s'effraya l'adolescent.

– C'est le docteur Wolff qui soignera désormais tes jambes.

– Jamais!

– Je vais lui demander de monter tout de suite.

– Si vous le faites entrer ici, je me jette du balcon!

Asgad lui servit un regard chargé de menaces et marcha jusqu'au guéridon, sur lequel reposait un téléphone doré. Il décrocha le récepteur et pianota trois chiffres.

– Docteur , j'aimerais vous voir maintenant.

Antinous s'élança non pas vers le balcon, mais vers la salle de bain. Asgad n'eut pas le temps de le saisir au passage. La porte claqua sous le nez de l'empereur. Il tenta d'en tourner la poignée, mais son jeune ami l'avait déjà verrouillée.

– Antinous, ouvre-moi.

– Seulement si vous renvoyez ce démon dans les enfers!

Justement, le médecin frappait à la porte de la suite. Asgad alla lui ouvrir avec la ferme intention de mettre fin à cette querelle ridicule entre Wolff et Antinous.

– Que puis-je faire pour vous, Excellence? demanda l'Orphis en s'efforçant de sourire.

– J'aimerais que vous m'aidiez à raisonner un enfant.

– Je ne suis plus un enfant! cria Antinous.

– Disons alors un jeune Grec de dix-sept ans qui se conduit comme un enfant. Il s'est enfermé après avoir tenté de me faire croire que vous vous entreteniez avec des démons la nuit.

Ahriman releva un sourcil, mais l'empereur n'aperçut pas la flamme de cruauté qui venait de s'allumer dans ses yeux.

– C'est plutôt vous que je devrais sermonner, Excellence, répliqua le Faux Prophète. Vous avez trop négligé Antinous depuis son retour à la vie.

Asgad s'attendait à un tollé de protestation de la part de l'adolescent, mais ce dernier demeura muet.

— Antinous, c'est la dernière fois que je te demande d'ouvrir cette porte, ordonna-t-il sur un ton impérieux.

— Laissez-moi essayer, offrit Ahriman.

Le reptilien bougea à peine la main. La poignée tourna toute seule et la porte s'ouvrit. Asgad fonça dans la grande pièce de marbre blanc. Antinous s'était évaporé! Pendant un instant, il fut tenté de donner raison au jeune Grec. «Le nécromant l'a-t-il fait disparaître?» se demanda-t-il. Ahriman lui pointa alors la haute fenêtre ouverte.

— Le petit scélérat, siffla l'entrepreneur entre ses dents.

Il sortit prestement sur le balcon et suivit Antinous des yeux jusqu'à ce que celui-ci fut descendu dans le jardin.

— Me permettez-vous encore une fois d'intervenir, Excellence? offrit le médecin en se plantant près de lui.

— J'allais justement vous le demander.

— Venez.

Ahriman ramena Asgad à l'intérieur et le fit asseoir. Antinous poussa la porte et entra dans la suite. «Il était tout au fond du jardin il y a à peine quelques secondes, s'étonna l'homme d'affaires. Comment peut-il avoir franchi cette distance aussi rapidement?»

Antinous s'arrêta net en constatant qu'il était mystérieusement revenu à son point de départ. Ce n'était pourtant pas cette porte qu'il venait de pousser, mais celle du jardin!

— Approche, commanda l'Orphis.

Le jeune Grec voulut plutôt rebrousser chemin, mais une irrésistible force invisible l'empêcha de remuer le moindre muscle. Pire encore, elle le tira lentement jusqu'au milieu de la pièce.

— Lâchez-moi tout de suite! cria l'adolescent en se débattant.

— Si tu ne te calmes pas immédiatement, tu devras retourner à Jérusalem, l'avertit Asgad.

Cette menace immobilisa finalement Antinous.

— Tout ce que je te demande, c'est de faire la paix avec le docteur, poursuivit l'homme d'affaires. As-tu déjà oublié que c'est grâce à lui que tu as retrouvé ton chemin jusqu'à moi? Il m'a aussi sauvé la vie en Turquie. Ton ingratitude m'attriste beaucoup.

— Que me reproches-tu, Antinous? l'interrogea le Faux Prophète en s'approchant de lui.

— Vous pactisez avec des démons! Je l'ai vu de mes propres yeux!

— Et si c'était ton imagination qui te jouait des tours?

— Je n'étais pas endormi lorsque vous avez fait sortir une horrible créature de la fontaine du jardin de monseigneur. J'ai aussi sur mes jambes les blessures qui prouvent que je n'ai rien imaginé hier soir.

— Viens t'asseoir.

La force qui retenait Antinous le libéra subitement. Toutefois la voix du reptilien prit la relève, l'obligeant à lui obéir. L'adolescent prit docilement place sur le sofa. Ahriman se pencha sur ses jambes et déroula ses bandages avec douceur. La foudre avait bel et bien brûlé la peau du jeune éphèbe, prouvant qu'il avait assisté à l'échange entre l'Orphis et son informateur. Le médecin n'afficha cependant pas son mécontentement. Il adopta plutôt une attitude qui plairait davantage à l'empereur et passa la main sur la peau calcinée. Les cloques et la douleur disparurent instantanément.

— Seuls les sorciers accomplissent de tels miracles, s'effraya Antinous.

— À votre époque, sans doute. Mais depuis, les hommes ont appris à manipuler l'étonnante énergie qui les entoure. Je comprends tes craintes, Antinous, mais je te jure qu'elles ne sont pas fondées. Même toi, tu pourrais apprendre à faire de la magie.

– Il dit vrai, mon petit. Mes propres mains guérissent maintenant les malades.

– Je suis parfaitement heureux d'être ce que je suis, s'entêta Antinous.

– Comprends-tu au moins que d'autres personnes aient envie de s'améliorer?

– Pas avec l'aide de démons.

Asgad soupira de découragement.

– Antinous, écoute-moi attentivement, fit alors Ahriman. Je sais que c'est difficile à comprendre, mais lorsqu'il n'arrive pas à assimiler une certaine réalité, le cerveau humain invente des choses pour se rassurer.

– Pourquoi aurais-je inventé ces horribles créatures?

– Parce que tu n'as jamais rencontré d'hommes de la race de ceux avec lesquels j'échange des renseignements médicaux.

– Au-dessus des flots et dans les fontaines?

Voyant qu'il n'arriverait à rien avec lui, l'Orphis n'eut plus d'autre choix que de recourir à ses pouvoirs. Il plaça si rapidement la main sur le visage d'Antinous que l'homme d'affaires n'eut pas le temps de l'arrêter.

– Que lui faites-vous? s'alarma-t-il.

– Je lui procure un léger engourdissement, rien de plus. Il oubliera tout ce qu'il croit avoir vu et il redeviendra le charmant garçon qu'il était en sortant du sarcophage.

Asgad espéra toutefois que le jeune Grec se rappellerait tout ce qu'il lui avait enseigné depuis son retour à la vie. Ahriman lut dans ses pensées.

– Vous vous inquiétez inutilement, Excellence, assura-t-il. Je ne fais qu'effacer ses cauchemars, pas ses bons moments auprès de vous.

Le Faux Prophète déposa doucement la tête de l'adolescent sur le sofa.

– Antinous n'a jamais eu de penchants pour les arts occultes, expliqua Asgad à son médecin, mais jamais il n'avait réagi aussi vivement devant leur manifestation par le passé.

– Le passage de la mort à la vie est une dure épreuve, même pour les âmes les plus coriaces. Ne lui en veuillez pas. Son rôle n'est pas de vous causer des soucis, mais de vous apporter de la joie. Je viens simplement de vous garantir sa docilité.

Ahriman s'assit alors dans la bergère placée directement en face de celle d'Asgad.

– Maintenant que nous avons définitivement réglé ce problème, je tiens à vous féliciter, car les efforts que vous déployez pour installer une paix durable dans cette partie du monde sont tout à fait remarquables.

– J'ai appris il y a fort longtemps que la guerre ne réglait rien.

En effet, Hadrien, au lieu de continuer à conquérir davantage de territoires comme ses prédécesseurs, avait plutôt passé toutes les années de son règne à consolider ses liens avec les régents des provinces déjà assujetties à Rome. Mais à la fin de sa vie, alors qu'il était malade et irritable, l'empereur avait cruellement écrasé les juifs.

– J'ai cru aussi remarquer que vous remontiez peu à peu vers le nord dans vos conquêtes. Êtes-vous en train de regagner votre empire?

– Cela est-il si flagrant?

– Oui, pour un homme instruit.

– À votre connaissance, quelqu'un cherche-t-il à s'opposer à mon plan?

– Pas à ce que je sache, mais certains chefs partagent mal le pouvoir. Il se pourrait que l'un d'entre eux finisse par vous nuire. Sachez cependant qu'en plus d'être médecin, mage et astrologue, je suis aussi un fin diplomate. Je pourrais vous donner un sérieux coup de main lors de vos pourparlers avec toutes ces nations.

— Je n'ai besoin de personne pour négocier la paix avec mes anciens gouverneurs, docteur Wolff. J'aimerais plutôt que vous ouvriez l'œil et que vous surpreniez les manœuvres de mes adversaires avant qu'ils ne puissent frapper.

— Vous pouvez compter sur moi, Excellence.

L'Orphis se leva et se dématérialisa sous les yeux d'Asgad, afin de lui rappeler à qui il avait affaire.

Bien décidé à dénoncer ce faux prophète qui conquérait de plus en plus le cœur des Américains, Aodhan Loup Blanc communiqua avec ses homonymes de Washington afin d'en apprendre davantage à son sujet. On l'informa que Cael Madden n'avait pas encore enfreint la loi, mais que l'ANGE le gardait à l'œil. Aodhan comprit assez rapidement que la base américaine avait des problèmes plus urgents à régler que de surveiller un autre soi-disant messie. Tant que Madden se tiendrait tranquille, l'Agence ne l'embêterait d'aucune façon.

Aodhan mit fin à cet appel et commença à réfléchir en mâchouillant le bout de son crayon. Trop souvent par le passé, de regrettables événements auraient pu être évités avec un peu de prévention. Cael Madden n'était encore qu'un inoffensif prédicateur qui attirait des foules de plus en plus importantes. Mais les loups se déguisaient parfois en brebis pour attraper leur repas. Combien de tyrans avaient jadis connu d'humbles débuts? S'ils avaient été arrêtés à temps...

Cindy, Vincent et Océlus entrèrent alors dans les Laboratoires, visiblement à sa recherche. Un gros livre sous le bras, l'informaticien fit signe à Aodhan de les suivre. Quelques secondes plus tard, le groupe s'enfermait dans l'une des salles isolées où les techniciens procédaient habituellement aux tests plus dangereux. Depuis le Ravissement, plus personne n'y venait.

Dès que la porte de verre fut refermée, Vincent mit en marche un petit dispositif de brouillage, afin que leur conversation ne soit pas enregistrée par l'ordinateur central.

– Pourquoi tout ce mystère, et qui est votre nouvel ami ? s'enquit l'Amérindien.

– Aodhan, je te présente Océlus, fit Cindy.

– N'êtes-vous pas le saint homme qui prêche avec notre ancien agent Jeffrey ?

– Oui, c'est bien lui.

– Pourquoi n'êtes-vous pas à Jérusalem ?

– C'est une longue histoire, Aodhan, les coupa Vincent. Cindy te la racontera une autre fois, d'accord ? Pour l'instant, ce qui prime, c'est la découverte que je viens de faire dans la Bible.

– Nous sommes supposés partager tout ce que nous apprenons avec nos chefs, lui rappela l'Amérindien. Alors pourquoi sommes-nous enfermés ici tous les quatre ?

– Je ne veux pas ébruiter ma trouvaille pour le moment.

– Cédric est-il au courant ?

– C'est le premier à qui j'en ai parlé.

– Nous aurions tous pu nous en informer par l'ordinateur, non ? Cela aurait été moins suspect.

– Ce n'est pas une découverte informatique. Je sais que cela va te paraître difficile à croire, mais quand je consulte cette Bible, le texte change sous mes yeux.

– Certaines tribus amérindiennes utilisent des drogues qui ont le même effet.

– Aodhan, écoute-le, pour l'amour du ciel ! intervint Cindy, excédée.

– Je ne suis sous l'influence d'aucune drogue, mais je suis déjà mort deux fois, alors c'est peut-être la même chose, ironisa Vincent.

– Bon, le texte de la Bible change sous tes yeux. Tu veux me montrer comment cela fonctionne ?

– Ce phénomène ne se produit pas entre les mains d'autres personnes, même pas Océlus.

Le Témoin le confirma d'un mouvement sec de la tête.

— C'est donc une quête personnelle, comprit finalement Aodhan.

— Pour tout te dire, je l'échangerais volontiers contre la tienne n'importe quand, parce que j'ai trouvé des trucs vraiment inquiétants dans ces nouveaux écrits, des choses qui me font faire des cauchemars.

— Avant de me les détailler, dis-moi qui transforme le texte.

— C'est un ange du même groupe que le révérend Sinclair, celui qui a combattu le démon qui m'habitait à Alert Bay. Je ne me rappelle plus très bien le nom de leur Sephirah.

— Un ange?

— Si tu le veux bien, on se reparlera plus tard du côté magique de la chose. Pour l'instant, ce qui nécessite notre intervention, c'est le contenu de cette Bible cachée.

— À votre expression, je devine que c'est grave.

— Très grave, précisa Cindy. Nos noms sont mentionnés dans les événements qui sont sur le point de se produire.

— Même le mien?

Vincent indiqua que oui.

— Pas seulement lorsque tu utilises le programme de décodage découvert par le mathématicien israélien? s'étonna Aodhan.

— Le nouveau texte qui apparaît sur les feuilles du livre est continu et sans équivoque, contrairement à toutes les fables qu'on retrouve dans la version originale.

— Que raconte-t-il?

— Il prétend qu'avant que Cédric ne prenne possession de la nouvelle base de Montréal, nous aurons tous été dispersés à travers la planète pour accomplir les tâches pour lesquelles Dieu nous a choisis.

— Dispersés? répéta l'Amérindien, incrédule.

— Et apparemment, ce n'est pas l'ANGE qui nous aura confié ces missions, ajouta Cindy.

– Ce qui n'a aucun sens, puisque nous sommes sous ses ordres. Partir sans sa bénédiction équivaudrait à de la désertion.

– Une force supérieure est à l'œuvre ici, Aodhan. Elle s'arrangera pour que l'ANGE le comprenne.

L'Amérindien jeta un coup d'œil à Océlus, qui ne disait toujours rien. Cet homme vieux comme le monde avait sans doute assisté à plus de miracles que tous les employés de l'Agence réunis.

– Cette force supérieure s'appellerait donc Dieu, raisonna-t-il.

– Le Père a tous les pouvoirs, assura le Témoin, même celui de déplacer les lettres pour faire d'autres mots.

– S'il a tous les pouvoirs, pourquoi se sert-il d'un livre pour nous faire savoir ce qu'il attend de nous, alors qu'il a à sa disposition deux anges comme Jeffrey et toi qui entendent clairement sa voix?

– Ce n'est pas ce qui nous importe, Aodhan! ragea Cindy. Arrête de penser comme un cartésien et écoute-nous!

– J'ai un esprit inquisiteur, désolé.

Vincent déposa sur une des tables d'examen le livre qu'il avait gardé pressé contre sa poitrine.

– Dans ce cas, tu vas aimer ce que tu es sur le point d'apprendre, dit-il à l'Amérindien. Car en plus de différer de celles de l'ancien texte, les prophéties du nouveau changent d'heure en heure, comme si l'auteur tenait compte de nos pensées et de nos émotions. Et il semblerait que mon rôle au cours des prochains mois soit justement de vous mettre au courant de ses moindres modifications.

Aodhan ne put s'empêcher de plisser le front, sceptique.

– Tu mets ma parole en doute? s'offensa l'informaticien.

– Pas du tout, Vincent. J'essaie seulement de comprendre comment tout cela est possible.

– Je viens de te le dire!

– Le Père lui fait connaître sa Volonté au moyen du livre sacré, ajouta Océlus pour lui venir en aide.

– Et si c'était trop beau pour être vrai? Si c'était une ruse de la part d'une entité plus sombre? renchérit Aodhan.

Le visage du jeune savant devint livide. Il avait en effet été l'une des proies préférées des démons ces derniers temps...

– Ce n'est qu'une hypothèse, ajouta l'Amérindien, mais je pense qu'elle vaut la peine d'être mentionnée.

– Océlus saurait si c'était un nouveau cas de possession, s'opposa Cindy. En plus, c'est un ange que Vincent a vu, pas le diable.

– Aodhan a raison, murmura l'informaticien, ébranlé. Je ne dois pas me laisser emporter par mon imagination et conserver le plus possible une attitude scientifique. Je vais donc créer une nouvelle base de données et y incorporer tout ce que je trouverai dans le texte.

– En feras-tu profiter toute l'Agence? voulut savoir Aodhan.

– Ce sera à Cédric de prendre cette décision.

– Ai-je aussi raison de croire que si vous êtes venus vers moi, c'est que mon rôle dans les prochains événements vous tracasse?

– Il est écrit que tu guideras les brebis égarées jusqu'à Montréal tel un berger, et que parmi elles se dissimulera le sauveur du monde.

– En d'autres mots, je lui servirai de couverture.

– C'est la conclusion à laquelle nous sommes arrivés, affirma Vincent.

– Et toi, Cindy? Que dit la Bible à ton sujet?

– Elle dit que je quitterai l'ANGE pour tenter de sauver l'âme d'Océane.

– Tenter de sauver? répéta Aodhan. Le succès de ton entreprise n'est donc pas assuré.

– Lorsque j'en ai parlé à Cindy la première fois, le texte disait qu'elle défierait ses supérieurs en se rendant à

Jérusalem, où elle serait tuée en même temps qu'Océane, expliqua Vincent. Mais quand j'ai relu le passage en question, quelques heures plus tard, il disait que Cindy arriverait trop tard pour éviter à Océane la damnation éternelle.

— Mon sort semble constamment changer, ajouta Cindy, mais pas celui d'Océane. Elle est en grand danger.

— Océlus est libre de se déplacer comme il l'entend, non? répliqua l'Amérindien. Pourquoi ne va-t-il pas la prévenir à ta place?

— Le texte dit aussi que toute créature divine comme lui qui s'approchera d'Océane sera perdue, soupira Vincent.

Toutes leurs montres se mirent à clignoter en orange. Cédric était à leur recherche, sans doute parce que l'ordinateur était incapable de les localiser.

— Avant d'alarmer le patron et tous les autres directeurs de l'ANGE, je suggère fortement que tu mettes par écrit tout ce que tu viens de me dire, conseilla Aodhan en se tournant vers Vincent.

— Je m'y mets tout de suite.

— Cindy, ne pars surtout pas sur un coup de tête. Nous avons besoin de toi, ici. Et puis c'est peut-être le destin d'Océane de périr en même temps que sa cible. Donne au moins à Vincent le temps de le vérifier.

— Oui, tu as raison.

— Profite de la présence d'Océlus tandis qu'il est à Toronto, car j'imagine qu'il devra retourner assez vite à Jérusalem.

— Je m'occupe de Cindy, l'informa le Témoin.

Océlus prit la main de l'agente et disparut avec elle.

— Ils ont vraiment les pouvoirs dont on parle sur Internet, se réjouit l'Amérindien.

— Moi, je pense que la Bible a tort de prétendre que tu seras un berger, indiqua Vincent, maintenant seul avec Aodhan. Tu as plutôt la trempe d'un bon directeur de l'ANGE.

– Merci, Vincent. Je t'en prie, mets-toi au travail sans délai et surtout, ouvre l'œil. Si jamais tu as le moindre doute au sujet de l'intelligence qui se cache sous les transformations de la Bible, tu dois nous avertir. Sache que je serai toujours là pour t'aider, et Cédric aussi.

Vincent reprit le livre et fit un pas vers la porte.

– Au fait, le texte parle-t-il du rôle de Cédric? lui demanda Aodhan.

– La Bible dit un truc étrange à son sujet. Apparemment, il devra choisir entre son fauteuil de directeur de l'ANGE et le trône qui lui revient de droit en tant que prince de sang.

– Tu n'as donc aucune raison de t'inquiéter. Tu sais aussi bien que moi qu'il ne partira jamais.

Vincent hocha la tête sans conviction et quitta les Laboratoires. L'Amérindien baissa les yeux sur sa montre dont les chiffres continuaient à clignoter. «Quelle curieuse journée», songea-t-il.

Il répondit à l'appel de son chef en se rendant directement à son bureau. Ses collègues avaient déjà communiqué avec lui, car Cédric était satisfait de savoir que Cindy se baladait à Toronto en compagnie d'Océlus et que Vincent s'efforçait toujours de déchiffrer les indications fournies par les anges.

– As-tu appris quelque chose sur Madden? s'enquit Cédric.

– Plus ou moins. Tout comme au Canada, les divisions américaines possèdent de moins en moins d'effectifs, alors elles se concentrent uniquement sur les problèmes les plus urgents.

– Et le nouveau messie ne figure pas encore sur leur liste de priorités, n'est-ce pas?

– Il n'a rien fait qui puisse les inquiéter.

– Habituellement, les dirigeants de l'ANGE sont capables de faire la différence entre ce qui est pressant et ce qui ne l'est pas. Madden n'est peut-être pas aussi dangereux que tu le crois.

– Sans doute… Pourtant, mon instinct me trompe rarement.

– Tu es cependant fatigué, Aodhan. J'ai jeté un coup d'œil à ton dossier et j'ai vu que tu as travaillé deux fois plus d'heures que tout le monde à la base, après Vincent. Pendant que tout est tranquille à Toronto, pourquoi ne vas-tu pas passer quelques jours dans ta famille?

– C'est une offre bien tentante. Je ne suis pas retourné au Nouveau-Brunswick depuis le Ravissement.

– Utilise le moyen de transport de l'ANGE qui te plaira.

– Même notre super motocyclette?

– Elle est en train de rouiller dans le garage.

– Merci, Cédric. Je l'apprécie beaucoup.

– Qu'est-ce que je ne ferais pas pour mon meilleur agent?

«C'est beaucoup de compliments en une seule journée», songea Aodhan en quittant le bureau de son directeur. Il rassembla quelques affaires dans un sac à dos et fila au garage. La motocyclette noire l'y attendait déjà, penchée sur son support métallique. L'Amérindien, maintenant vêtu d'un jeans et d'une veste en cuir, attacha le casque sur sa tête et grimpa sur la puissante cylindrée. La rampe s'éleva devant lui quelques secondes plus tard et il s'élança vers la liberté. Toutefois, au lieu de choisir l'autoroute qui menait à sa province natale, il obliqua plutôt vers celle qui conduisait aux États-Unis. Il portait sa montre, alors il lui serait toujours possible de faire demi-tour si Cédric venait à manifester son désaccord quant à sa nouvelle destination.

Tout au long de son périple solitaire, Aodhan analysa mentalement les trouvailles de son collègue Vincent McLeod. Même si l'Amérindien travaillait depuis longtemps pour une agence qui prônait une approche scientifique des phénomènes étranges, il savait qu'il existait aussi des forces invisibles qui n'obéissaient pas nécessairement aux lois de la physique. Enfant, il avait vu son grand-père accomplir ce que plusieurs qualifiaient de miracles. Aodhan n'était donc pas tout à fait fermé à l'idée qu'un livre puisse modifier lui-même son contenu. Il avait seulement peur que ce soit une ruse de la part d'esprits malveillants.

Il se rappela alors les paroles de Vincent à son sujet : un berger dissimulant l'arrivée du sauveur du monde à Montréal… «Est-ce la raison pour laquelle je me sens obligé de me rendre à Washington en ce moment?» se demanda l'Amérindien. Depuis qu'il avait écouté les conférences de Madden sur Internet, il était devenu tout aussi obsédé que Cindy par ce mystérieux personnage. Qui était-il vraiment?

Aodhan n'eut aucune difficulté à franchir la frontière américaine grâce à ses papiers diplomatiques. Il fonça vers la capitale de ce pays voisin, ne s'arrêtant que pour manger. Il pensa plusieurs fois à Océane, avec qui il avait travaillé à Toronto. La bouillante jeune femme lui manquait beaucoup. D'une certaine façon, il comprenait son besoin de sauver le monde et de s'exposer au danger. Il aurait probablement agi comme elle s'il avait été un agent fantôme. «Sauf que moi, j'aurais tué le reptilien depuis longtemps», conclut-il.

L'agent de l'ANGE localisa tout de suite celui qu'il cherchait à son arrivée à Washington. Cael Madden avait réussi à attirer des milliers de personnes dans un ancien stade de football. L'entrée était gratuite. Aodhan se faufila dans la foule en observant le visage des gens qui étaient venu entendre le prophète. Il ne s'agissait pas du tout de criminels, même s'il vit ici et là des voleurs à la tire. À son grand étonnement, il constata qu'il était surtout entouré de pauvres âmes qui cherchaient à se faire pardonner leurs fautes.

L'Amérindien prit place parmi tous ces gens tranquilles, cherchant Madden du regard. Il n'y avait aucune estrade dressée pour lui, aucun éclairage, aucune fanfare. Au bout de quelques minutes, un homme sortit du tunnel qui menait à la chambre des joueurs, un simple micro sans fil à la main.

Il ne chercha pas à attirer l'attention de la foule et, lorsqu'elle se mit à l'acclamer, il la fit aussitôt taire.

— Ceux qui me connaissent déjà savent que je n'aime pas les applaudissements, dit-il de sa voix grave qui retentit aussitôt dans le stade.

Le silence se fit dans les estrades.

— Je n'ai pas choisi d'être le messager de Dieu. C'est lui qui m'a choisi. Et il ne l'a pas fait après avoir rappelé à lui lors du Ravissement des millions de personnes qui l'aimaient inconditionnellement. Il a commencé à murmurer à mon oreille alors que je n'étais qu'un enfant. Il m'a demandé si un jour, j'accepterais de guider ses brebis perdues jusqu'à lui.

Son choix de mots ébranla Aodhan. Il eut soudain l'impression que Madden ne s'adressait qu'à lui!

— Dieu a aussi ajouté qu'il mettrait d'autres bergers sur ma route, car son troupeau serait immense. Plusieurs d'entre eux sont avec nous ce soir. Il n'y a aucun doute dans leur esprit que leur place n'est plus dans leur famille, à leur travail ou dans leur communauté. Ils appartiennent à un monde beaucoup plus grand, maintenant.

Aodhan sentit une curieuse euphorie s'emparer de lui lorsque Madden révéla à ses nouveaux disciples des secrets que lui avait confiés le Créateur.

— Dieu m'a dit qu'il aimait tous ses enfants, même ceux qui avaient quitté le sentier de l'amour et de la vérité. Il m'a dit qu'il me les enverrait tous ici, en ce jour, afin que je les sauve.

Madden pivota lentement sur lui-même, afin d'évaluer le nombre de personnes assises dans les étages.

— Nous sommes encore si peu, déplora-t-il. Vous avez répondu aujourd'hui à son appel, mais il y a encore des millions de brebis égarées qui ne l'ont pas entendu. J'ai besoin de vous pour les retrouver et les ramener dans les pâturages de mon Père.

Ces quatre derniers mots résonnèrent dans les oreilles d'Aodhan. Pourquoi Madden se référait-il à Dieu de la sorte? Était-il réellement la réincarnation de son Fils? Les textes sacrés de plusieurs religions annonçaient le retour de cet important personnage, car lui seul pourrait mettre fin au règne de terreur de la Bête sur Terre.

— Nous ne connaissons pas encore le visage de notre ennemi, poursuivit le prédicateur, mais nous savons qu'il est s'en prendra aux enfants de Dieu dans les prochains mois. N'attendons pas l'assaut de ce cruel prédateur. Sauvons nos frères et nos sœurs partout à travers le monde, pendant que nous le pouvons.

Un murmure d'assentiment se répandit dans l'assemblée subjuguée.

— L'Amérique est vaste et accueillante. Le crime s'y propage comme partout ailleurs, c'est vrai, mais il est plus fragile. Il peut être enrayé par un simple effort de notre part. Il est de notre devoir de lutter contre les voleurs, les menteurs, les profiteurs et les manipulateurs, mais pas en retournant leurs propres armes contre eux. Personne ne peut combattre le feu par le feu. Nous devons l'éteindre avec notre amour.

«Le programme de Madden est si simple qu'il pourrait bien fonctionner», remarqua Aodhan.

— Ce soir, il y a parmi nous des bergers que Dieu a lui-même conduits jusqu'à moi.

Madden marcha pendant quelques minutes sans parler, de manière à donner le temps aux heureux élus de se reconnaître.

— Je vais maintenant imprimer dans vos esprits l'endroit où je vous rejoindrai dans deux jours. S'il ne vous vient aucune image, cela ne veut pas dire que Dieu vous a oubliés. Cela signifie simplement que c'est dans vos villes respectives que vous devrez œuvrer en son nom. L'Amérique deviendra bientôt une terre d'asile pour ceux qui seront persécutés par

Satan à l'étranger. Votre rôle sera d'accueillir ces martyrs à bras ouverts dans vos maisons, dans vos familles, dans vos communautés, afin de les soigner et de leur transmettre votre savoir.

Le nouveau messie raconta ensuite ce qu'il savait de l'Antéchrist et des tourments qu'il infligerait à ceux qui refuseraient de lui obéir. Ce qu'il disait se trouvait déjà dans la Bible, enfin dans la version accessible à la plupart des hommes, mais tellement de gens sur cette planète avaient oublié les avertissements des prophètes. Le tableau des prochaines années, tel que brossé par Madden, frôlait carrément l'horreur. La foule était inquiète et silencieuse. Des larmes coulaient sur presque tous les visages des participants, qui se demandaient comment le monde en était arrivé là.

Lorsqu'il sentit que ses disciples avaient enfin saisi son message, Madden leur redonna un peu d'espoir.

– J'ignore pourquoi Dieu mettra autant de temps à réagir devant les atrocités que commettra son ange déchu, poursuivit-il. Peut-être parce que nous sommes trop nombreux pour qu'il puisse organiser une prompte contre-attaque? Il est déjà venu chercher près du tiers des habitants de la Terre. S'il ne vous a pas pris, c'est que vous faites partie de son armée de valeureux soldats. Il sait que Satan est une créature persuasive et qu'il est difficile de lui tenir tête. Vous êtes parmi ceux qui le vaincront!

L'assemblée manifesta bruyamment son accord. Au lieu de crier comme les autres, Aodhan s'était mis à observer les différentes sorties du stade, s'attendant à voir surgir des policiers ou des escadrons militaires avec pour mission de mater cette révolte contre l'ordre établi. Les disciples de Madden n'étaient-ils pas en train de faire savoir aux chefs de la nation qu'ils allaient désormais prendre leur destin en main?

À sa grande surprise, l'Amérindien ne remarqua aucune activité coercitive où que ce soit. Les rebelles se trouvaient pourtant à la porte de la Maison blanche... Cette indifférence était pour le moins troublante. Il y avait certainement parmi la foule des informateurs dépêchés par la plupart des agences de surveillance américaines, car l'ANGE n'était pas la seule à s'inquiéter du sort du monde. Il n'était pas impossible non plus qu'un groupe antisocial ait donné l'ordre à ses membres d'éliminer le trouble-fête. Si quelqu'un devait tenter de tirer sur Madden, ses disciples auraient-ils la présence d'esprit de l'en empêcher? Ou lui opposeraient-ils de l'amour?

– Maintenant, rentrez chez vous, ordonna Madden, et rappelez-vous mes paroles! Et lorsque le temps viendra, lorsque je ferai de nouveau appel à vous, ne décevez pas mon Père!

Le stade se vida progressivement, au milieu des cris de joie des partisans du prophète. Aodhan ne bougea pas un seul muscle. Il surveilla plutôt le départ de la foule, puis il sombra dans ses pensées. Puisqu'il n'avait reçu aucune image mentale du prochain lieu de rencontre dans son esprit, il avait compris qu'il ne faisait pas partie des lieutenants divins. D'ailleurs, ces derniers avaient probablement appris leur nomination par courrier bien avant cette rencontre. Personne ne possédait la faculté de communiquer avec autant de gens par le simple pouvoir de la pensée.

Aodhan avait de la difficulté à se faire une idée claire de Cael Madden. Était-il tout simplement un autre illuminé souffrant d'un troublant complexe de supériorité? Un homme désoeuvré qui voulait sincèrement sauver le monde? Ou encore un schizophrène qui entendait des voix dans sa tête? Était-il un tyran en puissance? Plusieurs de ces monstres avaient commencé leur sanglante carrière avec de bonnes intentions... «Et si c'était lui, l'Antéchrist?» s'énerva l'Amérindien.

Quelqu'un s'assit alors à côté de lui, ce qui le fit sursauter. S'en voulant de s'être montré aussi imprudent, Aodhan se tourna vivement vers l'étranger. Il fut bien surpris de reconnaître les traits de Madden.

— Je sens un grand doute dans ton cœur, déclara ce dernier en le fixant droit dans les yeux.

— J'essaie de décider qui vous êtes.

— Tu le sais déjà, sinon tu ne serais pas ici.

— Je crains que ce soit plus compliqué que cela.

— Tu es un espion et tu n'es pas à l'emploi du gouvernement de ce pays.

— Votre équipe est fort bien renseignée.

— Mon équipe est ici, lui apprit Madden en appuyant l'index sur sa propre poitrine.

— Je suis prêt à croire beaucoup de choses, mais pas qu'un homme puisse deviner qui je suis.

— Alors, songe à quelque chose de très privé, quelque chose que personne ne peut savoir.

Aodhan se prêta au jeu.

— Tu es donc spécial, toi aussi, se réjouit alors Madden. Quand as-tu découvert que tu possédais ces facultés?

L'Amérindien était si stupéfait qu'aucun son ne sortit de sa gorge.

— Certaines personnes connaissent ton pouvoir de voir les choses à travers les objets solides, ajouta Madden, mais tu ne leur as jamais parlé de tes visions.

«Comment l'a-t-il appris?» s'effraya Aodhan.

— Quand se sont-elles manifestées pour la première fois? voulut savoir Madden.

— J'étais enfant. Mon grand-père m'avait raconté comment le Grand Esprit l'avait choisi dans une vision pour mener son peuple. J'ai voulu faire la même chose.

— Tu as quitté la maison et tu es entré dans la forêt, même s'il avait commencé à neiger.

— Où avez-vous eu ces renseignements? bredouilla Aodhan.

– On ne peut rien cacher à Dieu.

– Ou bien vous avez rencontré mon grand-père lors de vos nombreux voyages.

– Tu es bien sceptique pour un homme qui a reçu de si beaux dons.

– Cela fait partie de mon entraînement.

– D'agent secret… Cependant, au fond de toi, je perçois plutôt l'âme d'un berger qui cherche ses moutons. Accompagne-moi et je te montrerai où ils paissent.

L'Amérindien continuait à penser à la révélation qu'il avait eue le soir de cette tempête de neige au Nouveau-Brunswick. Un homme auréolé de lumière était sorti de la forêt. Il portait un vêtement semblable à celui de Yannick Jeffrey depuis que celui-ci prêchait à Jérusalem. Il s'était agenouillé devant le gamin de sept ans qu'était alors Aodhan.

Tu feras des choses que personne d'autre ne comprendra, et ces choses viendront de moi, lui avait dit l'étranger. *Un jour, je reviendrai et je te demanderai d'utiliser tes pouvoirs en mon nom. Allie-toi à mes anges jusqu'à ce que je t'appelle.* L'homme s'était évaporé sous les yeux de l'enfant étonné au moment même où les chercheurs venaient de le repérer dans le blizzard. Aodhan n'avait raconté cette vision qu'à son grand-père. En grandissant, lorsqu'il avait entendu parler de l'ANGE, il s'était rappelé cet épisode de sa vie et n'avait pas hésité un seul instant à joindre ses rangs.

– Arrête de réfléchir autant, Fils du feu, lui recommanda Madden. Recommence plutôt à faire confiance à ce que tu ressens dans ton cœur.

«Fils du feu?» répéta intérieurement Aodhan, estomaqué.

– N'est-ce pas là ton nom?

– Mon grand-père m'appelait ainsi, mais mon véritable nom veut dire la même chose.

– Je m'appelle Cael Madden, se présenta le prophète en lui tendant la main.

— Et moi, Aodhan Loup Blanc.

— Quand tu seras prêt à répondre à mon appel, tu n'auras qu'à venir me trouver.

Madden se leva en riant de bon cœur devant le visage ébahi de l'Amérindien. Au même instant, un frisson d'horreur parcourut la nuque d'Aodhan. Sans réfléchir, il bondit, agrippa le prophète par les bras et l'écrasa entre deux rangées de sièges. Une balle de fusil siffla à quelques centimètres à peine au-dessus de leurs têtes.

— Surtout, ne bougez pas! ordonna l'agent de l'ANGE.

Aodhan se traîna jusqu'au bout de la rangée, tous ses sens en alerte. Il n'avait pas pris d'arme en quittant la base, afin de pouvoir traverser la frontière entre le Canada et les États-Unis sans ennui. Il lui fallait trouver une autre façon de neutraliser le tireur. Il utilisa donc sa faculté d'écholocation et sut que le tueur était posté quelques gradins plus haut, prêt à tirer de nouveau. Pour se rendre jusqu'à lui, l'Amérindien serait forcé de se déplacer à découvert, mais il risquait d'être touché à la place de Madden.

Il pourrait aussi communiquer avec la base de Washington au moyen de sa montre pour demander de l'aide… mais combien de temps leur équipe mettrait-elle à réagir? Il existait une autre solution! Aodhan fouilla dans ses poches et en retira un petit briquet. Cédric allait sans doute lui imposer la pire sanction imaginée par un directeur de l'ANGE, mais il n'avait plus le choix s'il voulait sortir vivant du stade.

Habilement, Aodhan pointa le briquet vers l'endroit où se cachait l'assassin. L'appareil enregistra automatiquement sa position. Sans perdre de temps, l'Amérindien appuya sur le bouton d'envoi. Un rayon laser mince comme un fil jaillit aussitôt du ciel, puis disparut tout aussi brusquement.

Aodhan compta jusqu'à dix et se risqua dans l'allée. Aucun coup de feu ne retentit. Il grimpa les paliers aussi rapidement que le lui permirent ses jambes. Lorsqu'il arriva à l'endroit où l'assassin s'était tapi, il le trouva mort. Un trou fumait sur le dessus de son crâne. Il s'accroupit près de lui et le retourna sur le dos pour voir son visage. C'était un mâle de race blanche dans la trentaine. Il portait un pantalon noir et un pull de laine bleu sur une chemise blanche. Ses cheveux étaient bien coupés et sa barbe rasée. Le fait qu'il ait utilisé pour commettre son crime une arme perfectionnée, qui n'était pas vendue dans toutes les boutiques, indiqua à Aodhan qu'il s'agissait d'un professionnel. Même s'il ne s'attendait pas à trouver de papiers d'identité sur le cadavre, l'Amérindien fouilla ses poches. Il ne tomba que sur un bout de papier, sur lequel on avait griffonné l'adresse du stade.

— Qui est-il? demanda Madden en arrivant près de l'agent de l'ANGE.

— Un homme qu'on a probablement payé pour vous tuer.

Aodhan sortit le petit écouteur de la poche de son veston de cuir et l'installa sur son oreille. Il appuya sur le cadran de sa montre jusqu'à ce que les chiffres soient orange.

— Ici ALB, neuf, quatre-vingt-dix-neuf. Je dois parler à OC neuf, quarante de toute urgence.

L'agent n'eut pas à patienter longtemps.

— Aodhan, où es-tu? fulmina Cédric.

— En fin de compte, j'ai décidé d'aller faire un tour à Washington.

— Pour faire le travail de tes collègues américains?

— Ce n'est pas la seule raison, non. Je vous expliquerai ce qui m'est arrivé à mon retour dans un rapport en bonne et due forme. Pour l'instant, j'ai un cadavre à signaler, et je ne sais pas très bien à qui je dois m'adresser à Washington.

— Je m'en occupe.

— L'ordinateur n'a qu'à établir les coordonnées de ma position actuelle, car je suis encore sur les lieux.

– Est-ce une coïncidence que ces coordonnées soient exactement les mêmes que celles d'un tir non autorisé d'un de nos satellites?

– Je n'étais pas armé et cet homme nous tirait dessus.

– Nous avons pourtant eu une discussion concernant le protocole d'utilisation de nos armes spatiales, l'an dernier, Aodhan.

– Je n'aurais pas enfreint les ordres si ma vie n'avait pas été en danger.

– J'envoie tout de suite un message à Dennis Keel et je veux te voir dans mon bureau dès ton retour.

– Entendu.

– Fin de la communication.

Aodhan rangea son petit écouteur et se tourna vers Madden, qui fixait l'assassin avec tristesse.

– Ne restons pas ici, lui dit l'Amérindien.

Agissant comme s'il protégeait un important personnage politique, Aodhan ramena le prophète dans le stationnement du stade et s'assura qu'ils n'avaient pas été suivis avant de le faire grimper derrière lui sur sa moto. Il l'emmena ensuite à l'extérieur de la ville jusqu'à un parc dont l'immense pelouse bien entretenue lui permettrait de voir approcher tout individu suspect. Il demanda à Madden où il logeait à Washington, puis choisit l'hôtel le plus éloigné de ce dernier, à l'autre extrémité de la ville, pour l'installer dans une chambre à son nom.

Madden ne recouvrit l'usage de la parole que lorsqu'il fut assis sur l'un des deux lits de cet établissement deux étoiles.

– À qui parlais-tu? demanda-t-il.

– Normalement, je ne réponds pas à cette question, mais puisque vous savez déjà tout…

– Détrompe-toi, Aodhan. Je ne sais que ce que Dieu veut bien me laisser savoir. Je suis seulement l'instrument de sa Volonté.

– C'était mon patron.

– Dois-tu lui rapporter tous tes faits et gestes?

– Seulement ceux qui concernent mon travail.

– Il t'a demandé de rentrer, n'est-ce pas?

– Oui, mais il n'a pas précisé quand.

– Moi, je t'offre une autre option. Au lieu de retourner chez toi, suis-moi.

Ces deux mots touchèrent profondément Aodhan. Jamais il n'avait cru qu'un jour, il serait placé devant un tel choix…

...020

Sous l'édifice central du Vatican, dans une vaste salle d'exercices, deux jeunes hommes blonds échangeaient de violents coups de sabre comme s'il s'agissait d'un combat à mort. Pourtant, ce type de combats faisait partie de l'entraînement quotidien de Neil Kerrigan et Darrell Banks. Ils avaient tous deux été conçus et élevés dans un seul but : éliminer des rois Dracos. Ils étaient cependant encore jeunes pour des Nagas. Dans la vingtaine, ils ne seraient relâchés dans le monde que dix ans plus tard. Pour l'instant, ils devaient obéir au doigt et à l'œil à leur mentor.

Il n'y avait qu'une centaine de traqueurs sur toute la Terre. Leur formation était longue et ardue, et même les meilleurs d'entre eux risquaient de trouver la mort chaque fois qu'ils procédaient à l'exécution d'un Dracos. Habituellement, les *varans* ne se connaissaient pas entre eux et ils ne travaillaient jamais sur le même territoire. Il était important pour la survie de leur race qu'ils ignorent l'identité et les déplacements des autres traqueurs.

En réalité, Neil et Darrell étaient les premiers jumeaux nés d'une mère Pléiadienne et d'un père Dracos. On leur avait volontairement donné des noms différents et confiés à des familles d'adoption indépendantes en Irlande et en Angleterre. Toutefois, lorsque les deux jeunes Nagas eurent enfin atteint l'âge de commencer l'apprentissage des armes, ils se retrouvèrent ensemble sous la garde de Silvère Morin, car il n'y avait pas suffisamment de mentors pour leur en affecter un à chacun.

Neil et Darrell ignoraient leur lien de sang, mais ils ne cessaient de s'étonner de leur ressemblance physique et de leurs goûts communs. Plus souvent qu'autrement, leur maître n'arrivait à les différencier qu'à leurs accents distincts. Il ne leur avait jamais dit non plus que la plupart des traqueurs avaient des ascendants communs. De toute façon, les deux jeunes hommes se concentraient davantage sur leur exigeante formation que sur leur généalogie. Depuis qu'ils étudiaient auprès de Silvère, ils n'avaient jamais eu un seul instant de répit. Lorsqu'ils n'apprenaient pas à manier de nouvelles armes, le vieux Naga leur enseignait l'économie, la politique mondiale, l'histoire ou la géographie. Ils étaient maintenant capables de s'exprimer en plusieurs langues et de respecter les coutumes d'un grand nombre de pays.

Silvère avait d'abord reçu de la Fraternité l'ordre de les préparer à nettoyer l'Europe de l'est de tous les rois serpents occupant des postes importants dans plusieurs secteurs d'activités clés, mais depuis la perte de Thierry Morin, qui avait longtemps couvert l'ouest de l'Europe et l'est de l'Amérique du Nord, le mentor avait dû réviser ses plans. Les deux nouveaux traqueurs seraient séparés pour le reste de leur vie, une fois leur entraînement terminé.

À son grand regret, Silvère avait dû couper tous ses liens avec Théo, son élève préféré et le meilleur *varan* qu'il ait jamais formé au cours de sa longue carrière. Il avait fait disparaître tous les documents qui le concernaient, sans se douter que Neil et Darrell s'étaient empressés de les consulter avant leur destruction, désireux de jeter un coup d'œil à la longue liste des rois et des princes exécutés par le puissant traqueur. Non seulement les jeunes Nagas connaissaient l'existence de Thierry Morin, ils avaient aussi participé à son sauvetage à Montréal lorsque la reine des Dracos s'était emparée de lui.

Il arrivait parfois que les louveteaux, lors des repas ou au moment de se mettre au lit, questionnent Silvère au sujet du triste sort de Thierry. Au lieu de les renseigner, Silvère en profitait plutôt pour leur donner une leçon de morale sur l'obéissance qu'un élève devait à son maître. Mais le vieux Naga savait bien qu'il n'avait aucune raison de s'inquiéter. Neil et Darrell étaient beaucoup plus dociles et obéissants que leur grand frère. Ils n'insistaient jamais lorsque Silvère se refermait comme une huître. Au bout de quelques mois, ils semblèrent finalement avoir compris que le sujet était clos. Mais leur maître avait tort de croire qu'ils avaient oublié Théo.

Dans le dojo, Neil redoubla d'ardeur et pressa son attaque. La lame de son katana déchira alors la courte manche du kimono blanc de Darrell, qui vira aussitôt au rouge. Les Nagas étaient les seuls reptiliens dont le sang était vermeil lorsqu'ils empruntaient une forme humaine. Stupéfait, Neil se figea. C'était la première fois que les jeunes combattants s'infligeaient une blessure grave au cours d'un duel.

– Neil, je saigne, s'étonna Darrell.

Son frère jumeau laissa tomber son arme sur le sol et vola à son secours. Non seulement ces élèves s'exerçaient aux arts martiaux, ils apprenaient aussi les arts de la guérison. Neil débarrassa donc rapidement Darrell de son kimono pour examiner sa plaie et vit qu'elle était profonde. Il roula aussitôt le vêtement en boule, l'appuya sur la coupure et entraîna le blessé dans la pièce d'à côté.

Silvère était en train d'écrire dans le journal qu'il tenait depuis neuf cent ans sur les progrès de ses protégés lorsqu'il ressentit un picotement dans sa glande reptilienne, logée entre ses yeux. C'était par cet organe qu'il entretenait une liaison étroite avec ses apprentis. En plus de contenir tout le savoir du vieux Naga, cette petite glande transparente l'avertissait lorsque ses apprentis étaient en difficulté. Puisqu'il avait extrait de cette partie de son corps toutes les informations concernant Thierry Morin, il ne pouvait s'agir que d'une de ses recrues.

Le mentor abandonna sur-le-champ son travail et fonça vers le dojo en passant à travers des murs de pierre au lieu d'emprunter les tunnels creusés sous le Vatican. Lorsqu'il aboutit dans la pièce attenante à la salle d'entraînement, Neil était en train de refermer la plaie de Darrell avec des points de suture.

– Que s'est-il passé? s'étonna Silvère, qui connaissait l'adresse de ses élèves.

– Une simple distraction, chuchota honteusement le blessé en baissant la tête.

– Regarde-moi dans les yeux, Darrell.

Le jeune traqueur lui obéit après une légère hésitation.

– Lorsque vous croisez le fer, rien ne doit vous distraire, le sermonna Silvère. À quoi étais-tu en train de penser?

– Ce n'est pas important et cela ne se reproduira plus, maître.

– Tout ce qui arrive risque de se répéter.

Neil noua le dernier point de suture, coupa le reste du fil et recula de quelques pas.

– Pourquoi ne veux-tu pas me dire ce qui t'a distrait? insista Silvère.

– Il s'agit d'un sujet dont vous ne voulez plus que l'on parle.

Le mentor comprit enfin ce dont il s'agissait.

– Je vous ai déjà expliqué pourquoi nous ne pouvons plus entretenir de relations avec un *varan* qui n'est plus actif.

– Théo n'est peut-être plus en mesure de faire son travail, mais il n'est pas normal que nous le laissions souffrir sans rien faire.

– Il a désobéi à mes ordres, Darrell. Il savait ce qu'il risquait.

– Comment votre Fraternité peut-elle abandonner ainsi un guerrier qui lui a rendu de si précieux services? Que sommes-nous réellement aux yeux de vos supérieurs? Des pions remplaçables?

– Certainement pas!

Les yeux bleus du jeune Naga se chargèrent alors de larmes. Incapable de maîtriser plus longtemps ses émotions, il bondit de son siège et s'enfonça dans le mur.

– Darrell! le rappela Silvère.

Voyant qu'il ne revenait pas, le mentor se tourna vers Neil, qui n'avait pas encore ouvert la bouche.

– Penses-tu la même chose que lui? voulut savoir Silvère.

– Parfois. Il nous arrive de discuter du sort de Théo, la nuit, lorsque vous dormez. D'une certaine façon, je comprends que la Fraternité ne veuille pas conserver à son emploi un traqueur handicapé, mais Darrell est plus sensible que moi. Il se demande constamment si la même chose pourrait lui arriver.

– Je vois…

– Je peux aller le raisonner, si vous le voulez.

– Non, Neil, je m'occupe de lui. Nettoie plutôt tout ce sang.

– Oui, maître.

Silvère trouva le jeune guerrier émotif assis près d'une statue sur le toit du bâtiment. Il observait les touristes qui circulaient sur la grande place comme des centaines de fourmis. Il y en avait toute l'année. Le vieux mentor s'accroupit près de lui en se rappelant que Théo avait jadis eu les mêmes réactions que Darrell.

– C'est ton sang pléiadien qui intensifie ton sens de la justice, expliqua-t-il d'une voix douce.

– Qu'arrive-t-il à un apprenti qui n'a pas ce qu'il faut pour devenir traqueur?

– Seul son maître peut porter un tel jugement, Darrell. Si tu es encore ici, c'est que je crois toujours en toi.

– Vous avez aussi cru en Théo.

– Je l'ai même aimé comme mon propre enfant. Il était si prometteur, si appliqué. Je lui ai transmis toutes mes valeurs et je l'ai formé pour qu'il devienne un champion. Il connaissait fort bien sa place dans l'univers et l'immense service qu'il rendrait à cette planète en la débarrassant de ses tyrans. Pendant des années, il m'a rapporté les glandes des plus puissants rois serpents d'Europe, puis il m'a demandé de le laisser traquer plus loin. Je n'aurais jamais dû le laisser partir pour l'Amérique…

– Où il a eu le courage de s'attaquer à celle qui pond tous les œufs des oppresseurs! lui rappela fièrement Darrell.

– En sachant fort bien qu'aucun *varan* ne peut la tuer. Seule une reine peut s'attaquer à une autre reine. Je te l'ai déjà expliqué.

– Il y a d'autres reines Dracos?

– Non, mais chaque caste supérieure en a une. Comme les Anantas, par exemple.

– Y a-t-il une reine Naga?

– Non. Nous sommes le résultat de l'union de races supérieures dont le code génétique est altéré mécaniquement pour ne produire que des mâles. Surtout, ne me demande pas pourquoi. Je n'en sais franchement rien. Cette directive a été donnée à la Fraternité il y a des milliers d'années par ses propres dirigeants, qui habitent une autre planète. Je crois que les Pléiadiens voulaient peut-être conserver aux femmes leur tendresse naturelle.

– Peut-être aurais-je dû être une fille…

Silvère éclata d'un rire franc qui dérida enfin le jeune homme.

– Si tu y tiens vraiment, lui dit-il après s'être calmé, je suis certain que nous pourrions demander aux Pléiadiens d'effectuer ce changement de sexe.

– Non, ça va aller…

– Écoute Darrell, si je n'étais pas convaincu que tu as le potentiel de devenir un grand traqueur, tu ne serais plus ici depuis longtemps. Le seul conseil que je puisse te donner en ce moment, c'est d'oublier Théo et, surtout, de ne pas commettre les mêmes erreurs que lui.

– Dites-moi au moins ce qui va lui arriver, maître...

– Je lui ai enseigné à survivre dans n'importe quel environnement, mais le poison qui circule dans ses veines finira par l'affaiblir et le tuer. Il n'y a rien que nous puissions y faire, mon petit. Théo a lui-même scellé son destin.

Silvère se redressa brusquement. Croyant qu'il percevait un danger immédiat, Darrell porta la main à sa hanche malgré la douleur que causa ce geste à son épaule, mais son katana ne s'y trouvait plus.

– Va rejoindre Neil, lui ordonna son mentor.

– Je ne sais pas ce qui vous menace, mais je ne vous laisserai certainement pas affronter seul ce danger.

– Il ne s'agit pas d'une menace. Fais ce que je te demande.

Darrell salua le vieil homme en baissant vivement la tête et s'enfonça dans le toit. Silvère avait reçu pour mission de former des assassins bien informés, mais on ne lui avait pas donné la permission de leur dire d'où émanaient ses ordres. Il attendit donc quelques minutes, puis certain d'être seul, il rentra dans le bâtiment. Sans se presser, il se dirigea vers un corridor que peu de mortels connaissaient, un couloir secret réservé aux papes.

Silvère traversa la grille de métal qui bloquait l'accès d'une grande bibliothèque. Il se plaça au milieu de la pièce et émit un sifflement strident. Un halo de lumière sortit du plafond et l'enveloppa entièrement.

– Je suis à votre service, seigneurs *malachims*.

– *Jusqu'à présent, vous nous avez aidés à maintenir l'équilibre sur la Terre en réduisant le nombre des Dracos qui tentent de l'asservir.*

– C'était notre entente, en effet.

— *Un nouvel ennemi a fait son apparition dans votre monde, un prince Anantas qui pourrait réduire à néant tous nos efforts.*

— Je sais qui est ce prince auquel vous faites référence, mais il ignore qu'il est un reptilien. Il ne représente aucun danger pour nous à l'heure actuelle.

— *Nous ne sommes pas d'accord avec vous. Sa seule présence pourrait déclencher une guerre sans merci, car les princes rivaux ne supporteront pas sa présence.*

— Les Dracos, soupira Silvère qui aurait bien voulu les avoir tous détruits auparavant.

— *Les habitants de cette planète ne méritent pas de se retrouver coincés au milieu de ce conflit. Le prince Anantas doit être éliminé à n'importe quel prix. Faites votre travail, Naga.*

La lumière disparut avant que Silvère puisse expliquer à la Fraternité que ses deux jeunes apprentis n'étaient pas prêts à se lancer dans une telle entreprise. Il se demanda alors si la requête des *malachims* avait été adressée à d'autres mentors? Puisque ces derniers étaient disséminés sur tous les continents, leur seule façon de communiquer était d'utiliser Internet.

Silvère retourna donc dans ses appartements, où Neil et Darrell n'avaient pas le droit d'entrer. Il ouvrit l'armoire où il conservait un petit ordinateur plutôt démodé et écrivit un court message à ses collègues de par le monde. Avez-vous reçu des ordres aujourd'hui? composa-t-il sur le clavier. Il pressa sur la clé d'envoi et s'adossa dans son fauteuil. En raison du décalage horaire entre les différents pays, Silvère ne recevrait pas de réponses avant quelques heures. Il rejoignit donc ses élèves, qui mangeaient des fruits en écoutant les nouvelles à la télévision.

— Maître, qui est réellement ce Ben-Adnah que les pays du Moyen-Orient semblent vénérer? s'enquit Neil lorsque Silvère se fut assis derrière lui.

– C'est notre prochaine cible.

Les apprentis pivotèrent vers lui en même temps.

– C'est un Dracos? se réjouit Darrell.

– Pire encore.

– Un Anantas! conclut Neil. Vous nous avez dit qu'il n'y en avait qu'une poignée sur cette planète.

– Tu as une bonne mémoire, mon petit. Contrairement aux rois Dracos qui évoluent dans une autre dimension et qui peuvent s'emparer des corps de leurs victimes humaines, les rois Anantas vivent sur une autre planète et doivent voyager jusqu'ici pour s'accoupler avec leur reine. Aussi, la reine Dracos peut pondre des œufs aussi souvent qu'elle le veut, ce qui n'est pas le cas de la reine Anantas, surtout que son dernier compagnon a été tué il y a une quarantaine d'années environ et qu'aucun autre roi n'est arrivé de l'espace depuis.

– Ce Ben-Adnah n'est donc pas son nouveau mari? demanda Darrell.

– Non, c'est l'un de ses enfants.

– Pourquoi devons-nous éliminer un homme qui a réussi à instaurer une paix durable dans cette partie du monde déchirée par la guerre depuis des millénaires? s'enquit Neil. N'est-ce pas ce que nous désirons nous aussi?

– La seule chose qui intéresse un Anantas, c'est le pouvoir. Si Ben-Adnah est en train de séduire autant de pays, c'est très certainement pour lever une armée qui portera un coup mortel à ses ennemis jurés.

– Ces derniers doivent commencer à s'en douter, non?

– Oh que oui, et c'est justement pour cela que nous devons éliminer ce prince Anantas.

– Pour éviter une autre Guerre mondiale, murmura Darrell qui comprenait maintenant la portée de leur mission.

– Quand partons-nous? demanda Neil, des flammes dans les yeux.

– Très bientôt. Je ne vous cacherai pas que ce sera une entreprise très risquée, même pour trois Nagas. Il se pourrait même que nous soyons tués par Ben-Adnah, car il est beaucoup plus dangereux qu'un roi Dracos.

– Nous ne craignons pas la mort! scandèrent en chœur les apprentis.

Silvère ne le savait que trop bien.

...021

Constatant que le futur du monde, tel que prophétisé par le texte secret caché dans la Bible, ne cessait de changer, Vincent demanda à Cédric de le recevoir de toute urgence dans son bureau. Le directeur avait peu de temps à lui consacrer en raison de ses préparatifs de départ pour Montréal, mais il accepta tout de même d'écouter ce que son savant préféré avait à lui dire.

— Je viens d'apprendre que tu pars d'ici une heure, alors je t'ai préparé un document que tu pourras lire en route. Tu peux en parler aux hauts dirigeants si tu le veux. Je suis prêt à comparaître devant le comité international s'il le faut pour affirmer l'authenticité de ma découverte.

— On verra en temps et lieu, le rassura Cédric avec son calme désarmant habituel. Peux-tu me le résumer en quelques mots?

— En quelques mots… Eh bien, une terrible calamité est sur le point de se produire à Jérusalem. Ce pourrait même être le début d'une guerre mondiale. Tu dois absolument retirer Océane de là.

— C'est une décision qui ne m'appartient plus, Vincent.

— Madame Zachariah t'aime bien. Elle t'écoutera.

— Je n'ai pas l'habitude de me servir de mon influence pour obtenir des faveurs. Tu me connais mieux que cela, pourtant.

— C'est pour cette raison que je te remets ces papiers. Je t'en conjure, si tu as un peu d'affection pour Océane, ramène-la avec toi.

– J'y réfléchirai.

L'apparente indifférence de son directeur ne découragea pas Vincent. Au contraire, il savait que Cédric ferait tout son possible pour sauver Océane, mais sans coup d'éclat, car c'était un homme discret de nature.

Lorsque le jeune savant l'eut quitté, Cédric glissa le document dans sa mallette en cuir et se rendit au garage de la base. Il ne lut le rapport de l'informaticien qu'une fois bien installé dans la limousine qui le conduisait à l'aéroport de Toronto. Sachant que son chef n'aimait pas perdre son temps, Vincent n'avait résumé qu'en peu de lignes les textes bibliques relatant les événements du passé. Il s'était davantage concentré sur l'avenir.

Cédric apprit donc que le texte occulte caché dans la Bible changeait sans cesse, comme si la puissance divine qui l'avait écrit s'acharnait à le réviser pour tenir compte du libre arbitre des différents acteurs impliqués dans chaque action. Le directeur se rappela alors une phrase que lui avait souvent répétée Andromède Chevalier lors de leur courte relation amoureuse. *L'avenir est sans cesse en mouvement, Cédric. Tu dois devenir plus flexible.* Andromède aurait été contente d'apprendre qu'elle avait bien raison.

Pour faciliter la lecture de son compte-rendu, Vincent avait imprimé le premier texte, puis le second en mettant les modifications en rouge, puis le troisième et ainsi de suite, selon les diverses prophéties. Certaines avaient beaucoup changé en une semaine, d'autres non. Il était donc facile de suivre les différents scénarios prévus par celui que Vincent appelait Dieu. Le savant s'était davantage arrêté sur les passages qui concernaient les agents de l'ANGE appelés à jouer des rôles importants lors des derniers jours précédant la fin du monde.

Cédric se doutait bien que d'autres personnes se grefferaient à ce nombre durant les prochains mois, dont les

Nagas et les Dracos qui ne resteraient certainement pas sans rien faire devant l'ascension fulgurante du prince Anantas en Europe. Il lut d'abord l'extrait qui parlait d'Océane. Peu importe les modifications que subissait le texte, son destin semblait de mourir par la main de l'Antéchrist. «Elle n'arrivera donc pas à compléter sa mission, peu importe que je la fasse rappeler ou non au Canada», conclut Cédric. La moindre des choses qu'il pouvait faire était de demander à Adielle de lui remettre un message et de la laisser décider elle-même de son sort.

Quant à Yannick et à son ami Océlus, au début ils n'étaient censés que prêcher, puis la Bible annonçait que l'un d'eux serait forcé de devenir plus actif dans la lutte contre la montée au pouvoir du tyran. Cédric se doutait bien que ce guerrier serait son ancien agent, qui n'avait jamais appris à maîtriser son tempérament impulsif. Le destin fatal des deux Témoins n'avait cependant pas changé.

Le document indiquait ensuite que Vincent servirait en premier lieu d'informateur à l'ANGE, car le don de déchiffrer la volonté de Dieu dans la Bible ne serait donné qu'à lui seul. «Quelle ironie que ce soit à un savant que le Ciel ait confié cette tâche surnaturelle et non à un prêtre», songea Cédric. Il y avait ensuite une possibilité que Vincent soit appelé à rassurer publiquement la population par le truchement de la télévision au cours des derniers jours. «Lui qui est si timide?» s'étonna le directeur.

L'avenir de Cindy était le plus nébuleux. Dans un passage, elle devenait l'agent de l'ANGE le plus actif au Canada, remplaçant Kevin Lucas lui-même dans les opérations de sauvetage des réfugiés européens. Dans le texte suivant, elle devenait l'un des disciples d'un faux prophète qui se ferait démembrer par l'Antéchrist sur la place publique. Dans le troisième, elle se rendait par ses propres moyens à Jérusalem, défiant ses supérieurs, pour arracher Océane des griffes du

Prince des Ténèbres, mais se faisait finalement tuer en même temps que sa collègue.

– Comment suis-je supposé réagir devant des événements qui changent à un tel rythme? murmura Cédric, découragé.

La limousine approchait maintenant de l'aéroport, alors le directeur accéléra sa lecture. Ce qu'il découvrit au sujet d'Aodhan Loup Blanc le stupéfia. Depuis qu'il travaillait avec cet agent mandaté à Toronto par la division du Nouveau-Brunswick, Cédric n'avait eu que peu de reproches à lui faire. En fait, la seule mauvaise habitude de l'Amérindien était d'utiliser les satellites de l'ANGE sans permission lorsqu'il se sentait coincé. Aodhan était même un atout pour n'importe quel directeur de l'Agence, car il était efficace, docile et très intelligent. Qu'il décide de quitter l'ANGE sur un coup de tête ne lui ressemblait absolument pas. C'était pourtant ce que prévoyait le seul paragraphe qui parlait de lui. Cédric prit mentalement note de communiquer avec l'Amérindien dès qu'il serait seul.

Tandis que la grosse voiture s'engageait sur le tarmac de l'aéroport en direction du jet privé de l'Agence, Cédric parcourut rapidement le premier passage qui le concernait. Dans son esprit, il était clair qu'il retournerait bientôt s'installer au Québec et qu'il y dirigerait les opérations montréalaises de l'ANGE avec son dévouement légendaire Alors, pourquoi la Bible parlait-elle d'incertitude dans son cas? De quel héritage royal était-il question ici? Cédric ne s'était jamais intéressé à son arbre généalogique. Ses parents lui avaient révélé, lorsqu'il était petit, qu'ils étaient d'origine française et espagnole. Jamais il ne les avait questionnés davantage sur leur ascendance.

Le paragraphe suivant lui donna carrément la chair de poule, car l'auteur du texte prétendait qu'il abandonnerait sa carrière pour se porter au secours d'êtres chers en Terre sainte. «Andromède ferait un geste aussi téméraire, pas moi!»

se récria-t-il intérieurement. La portière de la limousine s'ouvrit.

— Nous sommes arrivés, monsieur.

Cédric remit le document dans la mallette et descendit du véhicule. Il n'eut que quelques pas à faire pour atteindre l'échelle métallique qui menait à la porte de l'avion. À peine l'eut-il franchie que l'hôtesse de l'air la referma hermétiquement derrière lui. Cédric s'avança dans le petit salon où Mithri Zachariah l'attendait, confortablement assise dans l'un des larges fauteuils de cuir.

— Bonjour, Cédric. Toujours aussi élégant, à ce que je vois.

— Bonjour Mithri, et merci pour le compliment.

— Assieds-toi, je t'en prie. Nous partons à l'instant.

Son directeur lui obéit sur-le-champ.

— Tu as une mine terrible pour un homme qui va enfin recevoir ce qu'il attend depuis près d'un an.

— Je suis vraiment désolé de ne pas vous paraître plus reconnaissant que cela, mais j'ai eu une dure semaine.

— Au travail ou dans ta vie personnelle?

— C'est dur à démêler pour le moment. En fait, j'espérais que ce voyage me permettrait de vous faire part des dernières découvertes de mon équipe.

— Tu peux parler librement. Il n'y a aucun système d'écoute à bord.

Cédric lui raconta alors l'étrange aventure de Vincent McLeod. La grande dame l'écouta sans sourciller, comme si elle avait déjà été mise au courant de ce mystère.

— Un texte sacré qui se réécrit de lui-même, murmura-t-elle, songeuse. Tu as bien fait de m'en parler, Cédric. La division internationale voudra très certainement l'étudier.

— Le problème, c'est que son auteur ne se révèle pas à n'importe qui. Il a spécifiquement choisi Vincent.

— Nous serons donc forcés de te l'enlever.

Cédric s'y attendait déjà. Les agents de l'ANGE n'étaient pas à l'emploi des directeurs. Ils relevaient tous des hauts dirigeants. Même s'il avait voulu s'opposer à cette décision, il n'en aurait pas eu l'autorité.

– Ne fais pas cette tête là, voulut le consoler Mithri. Nous avons approuvé le transfert d'Aodhan Loup Blanc à Montréal. C'est une bonne compensation, non?

Cédric n'eut pas le courage de lui dire que cet espion modèle se trouvait à Washington en train d'enquêter sur un faux prophète au lieu de prendre des vacances bien méritées, ni que la Bible prétendait qu'il n'en reviendrait peut-être pas.

– J'ai quelques surprises pour toi qui vont te remonter le moral, ajouta la dirigeante de l'ANGE.

Elle n'élabora pas davantage sur ce sujet pendant le court voyage qui les mena de l'Ontario au Québec. Le jet se posa à l'aéroport de Saint-Hubert, moins occupé que celui de Dorval et plus facile à sécuriser par l'Agence. Des hommes en noir étaient postés autour de la limousine qui attendait les deux dirigeants. L'un d'eux vint à leur rencontre au pied de l'escalier de l'avion.

– Cédric, je te présente Glenn Hudson, ton nouveau chef de la sécurité.

Les deux hommes se serrèrent la main.

– Nous avons tous hâte de vous voir à votre poste, monsieur Orléans.

– Tous?

Hudson ne répondit pas et le fit plutôt entrer dans la voiture aux vitres teintées. À la grande surprise de Cédric, trois personnes y étaient déjà assises.

– Christopher Shanks t'envoie ses meilleurs finissants: Jonah Marshall, Shane O'Neill et Mélissa Collin.

« Des jeunes sans aucune expérience sur le terrain, se découragea le directeur. Ce n'est pas étonnant que Mithri ait accepté de muter Aodhan à Montréal. »

– Nous savons que nous ne pourrons pas facilement remplacer vos anciens agents, déclara Shane pour engager la conversation.

Il n'avait probablement pas trente ans. Ses cheveux bruns étaient coupés très court et dans son visage de forme triangulaire, on ne voyait que ses grands yeux noisette. Il portait un veston et une cravate, mais aussi un jean et des espadrilles.

– Nous pouvons toutefois vous assurer qu'aucun d'entre nous n'a de double personnalité divine, plaisanta Jonah.

Cédric se rappela que les méritants ayant supposément tous été rappelés par Dieu, il ne restait sur la Terre que des hommes et des femmes qui avaient quelque chose à se reprocher.

Jonah semblait encore plus jeune que Shane. Il avait les cheveux châtains, hérissés partout sur son crâne. Ses yeux bleus lui rappelèrent ceux de Cindy Bloom, avant qu'elle ne décide de les dissimuler sous des lentilles cornéennes vertes.

– Ce qui ne veut pas dire que nous n'admirons pas l'agent Jeffrey, qui s'est soudain métamorphosé en Témoin de Dieu, ajouta Mélissa.

– Je vous conseillerais de relire les derniers rapports émanant de la base de Toronto, mademoiselle Collin, rétorqua sèchement Cédric, car c'est plutôt le contraire qui s'est produit.

Les jeunes agents échangèrent un regard inquiet.

– Si vous voulez faire carrière à l'ANGE, il vous faudra apprendre à vérifier vos sources avant de vous adresser à moi, ajouta Cédric.

– Je vous avais prévenus qu'il était exigeant, les taquina Mithri. Mais dans quelques années, vous vous féliciterez d'avoir fait vos premiers pas avec lui.

Cédric continua à observer ses nouveaux employés sans exprimer ses émotions. Il s'attarda surtout sur la jeune femme qui complétait le trio. Avec ses cheveux noirs coupés aux épaules, elle ressemblait aux illustrations égyptiennes qui ornaient les murs de la demeure d'Andromède. Mais c'est ce que le directeur vit dans le brun sombre de ses yeux qui l'indisposa. Il y brillait la même flamme de rébellion que dans ceux d'Océane...

La limousine quitta la route 116 pour s'engager sur le boulevard Taschereau, en direction du métro de Longueuil. L'ANGE avait en effet profité de la construction du dernier pavillon de l'université de Sherbrooke juste à côté de la station pour établir sa nouvelle base dans ses entrailles. La voiture entra dans le garage de l'immeuble à logements situé directement de l'autre côté de la rue et fonça vers le mur du fond. Le panneau en béton se déroba devant elle à la dernière seconde, pour la laisser entrer dans une immense cage d'ascenseur.

— Ce n'est pas aussi romantique qu'un beau château, fit remarquer Mithri à Cédric.

— Mais plus moderne, répliqua-t-il. Y a-t-il d'autres entrées?

— Trois autres, dont l'une est sous-marine.

— Impressionnant.

Quelques secondes plus tard, l'ascenseur libéra la grosse voiture, qui entra dans le vaste garage de l'ANGE.

— Il n'a pas été facile de trouver des ouvriers qui ne tenteraient pas de nous escroquer, expliqua Mithri en descendant du véhicule. Nous avons dû les recruter dans un coin reculé de l'Australie, où il existe encore de bonnes gens. Ils ont creusé toutes les galeries en croyant que nous cherchions des minerais précieux.

— Qui a installé l'équipement électronique?

— Des techniciens de nos diverses bases.

Le long couloir ressemblait à tous ceux des autres centres nerveux de l'ANGE, sauf pour les poignées de porte qui n'étaient plus équipées de claviers à combinaison.

– La poignée reconnaît les empreintes digitales de ceux qui sont autorisés à entrer dans les diverses salles, expliqua Mithri en apercevant le regard interrogateur de Cédric. Nous en avons aussi profité pour améliorer les systèmes informatiques. Vincent aurait eu beaucoup de plaisir ici.

Cédric ne fit aucun commentaire concernant la perte de ce précieux agent. Il espéra seulement que ce dernier lui serait rendu une fois que la division internationale aurait obtenu ce qu'elle voulait. Ils arrivèrent finalement devant la porte des Renseignements stratégiques. Cédric mit la main sur la poignée.

– Bienvenue dans votre nouvelle base, monsieur Orléans, le salua l'ordinateur, qui avait une voix beaucoup plus féminine que celui de Toronto.

La porte glissa devant le directeur. Il fit quelques pas et s'immobilisa, surpris. La pièce circulaire était tapissée d'écrans plats légèrement incurvés. Devant ces consoles noires ne se trouvaient qu'une dizaine de chaises, rattachées au mur par des bras métalliques. Au centre s'élevait un fauteuil capitonné.

– On dirait le pont d'un vaisseau spatial, lâcha Shane.

– Tu peux t'asseoir si tu le veux, Cédric, l'invita Mithri.

Comme tous les reptiliens, le directeur était bien trop friand de technologie pour décliner cette offre. Il prit place sur le fauteuil qui se mit à tourner lentement sur lui-même, tandis que devant lui les écrans s'allumaient un à un.

– Quels sont vos ordres, monsieur Orléans?

Les trois agents se précipitèrent devant les consoles et s'assirent sur les chaises.

– Capitaine Kirk, nous sommes sur la trajectoire d'un immense astéroïde! s'écria Jonah en mimant l'effroi.

– Ordinateur, dématérialisez les agents Marshall, O'Neill et Collin, et transportez-les sur l'astéroïde en question, répliqua Cédric du tac au tac.

– Cette procédure ne fait pas partie du protocole.

Mithri éclata de rire, aussitôt imitée par les jeunes. Quant à Cédric, il demeura on ne peut plus sérieux.

— Maintenant, je sais que tu te plairas ici, lança la grande dame, après avoir ri un bon coup. Quand désires-tu t'installer à Longueuil?

— Dès que j'aurai vu à quoi ressemble mon bureau.

Cédric quitta le fauteuil et marcha vers la porte de ce qui deviendrait son sanctuaire. Mithri lui emboîta le pas, faisant signe aux recrues de ne pas les suivre. Un large sourire se dessina finalement sur le visage du directeur lorsqu'il constata qu'on avait reconstitué son bureau de Montréal jusque dans les moindres détails. Il se tourna vers la grande patronne de l'ANGE sans cacher sa satisfaction.

— J'aimerais retourner à Toronto pour prendre mes effets personnels et remettre officiellement les commandes à monsieur Boyden.

— Cela va de soi. Si tu as des questions, c'est le moment de les poser, car je dois retourner à Genève très bientôt.

— Que contient le pendentif que vous portez au cou, Mithri?

— Il est trop tôt pour que je te le révèle. Sois patient.

Cédric n'insista pas. Il contourna plutôt sa table de travail en caressant le bois poli de la main.

— Ordinateur, donnez-moi accès aux haut-parleurs des Renseignements stratégiques.

— C'est fait, monsieur.

— Spock, Chekov et Uhura, je veux une analyse complète de la situation politique, économique et sociale de Montréal lors de mon retour à la base demain ou après-demain, et que ça saute!

— Tout de suite, capitaine, répondit Mélissa.

— Je t'attends dans la voiture, annonça Mithri, amusée. J'ai quelques coups de fil à faire.

Cédric prit place derrière son bureau, heureux d'être enfin de retour chez lui.

...022

Lorsque Mithri Zachariah et Cédric Orléans remontèrent finalement à bord du jet privé de l'ANGE qui les avait attendus à Saint-Hubert, un autre important dirigeant de l'Agence s'y trouvait. Kevin Lucas était en train de siroter un scotch en consultant l'écran de son ordinateur portable. Il déposa son verre en voyant approcher les deux passagers.

— Bonjour, Mithri. Comment ça va, Cédric? fit-il joyeusement.

— Bonjour, Kevin, répondit le directeur de Montréal avec plus de réserve.

— J'ai demandé à Kevin de nous rejoindre ici pour discuter de la suite des événements, expliqua Mithri. Je t'en prie, assieds-toi, Cédric.

Les trois responsables de l'ANGE firent pivoter leurs fauteuils de façon à être les uns en face des autres.

— J'ai fait rapidement part de ce que tu m'as dit à la division canadienne et au chef de la division nord-américaine, commença Mithri. Puisque Gustaf se trouve actuellement au Mexique pour régler un conflit dans l'une de nos bases, il a demandé à Kevin de bien vouloir m'assister.

— Nous en sommes venus à la conclusion que tu es le mieux placé pour annoncer à Vincent McLeod qu'il va bientôt travailler à Ottawa, ajouta Lucas.

— Alors, même si tu es pressé de prendre les commandes de ta nouvelle base, ce serait une bonne idée que tu prennes le temps de le préparer à son transfert, renchérit la grande directrice.

– Oui, bien sûr.

L'ANGE savait qu'il ne serait pas facile de déraciner une fois de plus le jeune savant. Le seul élément qui jouait en faveur de Cédric, c'était que Vincent voulait sincèrement venir en aide à l'humanité. De toute façon, avec tous les moyens de communication que possédait l'Agence, il ne serait jamais très loin de ses collègues... du moins tant que ceux-ci n'auraient pas déserté.

– Il y a un autre sujet qui nous préoccupe, indiqua Mithri, plus sérieuse.

– L'Antéchrist est toujours vivant, ajouta Kevin.

– Ce qui signifie qu'Océane n'a pas encore réussi à l'éliminer, comprit Cédric. Mais je ne vois pas en quoi cela me concerne, puisqu'elle n'est plus sous ma juridiction.

– Nous connaissons ton attachement pour tes agents, poursuivit le directeur canadien. Il est inutile de prétendre que leur sort ne t'affecte pas.

Cédric jugea préférable de garder le silence. Il s'était toujours fait un point d'honneur de ne jamais se quereller avec Kevin, car il connaissait trop bien son tempérament compétitif.

– Ne veux-tu pas savoir ce qui va se passer, maintenant? lui demanda ce dernier.

– S'il vous est permis d'en parler, oui, j'aimerais le savoir.

– Ce que j'admire le plus chez toi, Cédric, c'est ton respect de la procédure, le complimenta Mithri.

– Il est bien curieux, cependant, que tous les agents sous tes ordres en aient si peu, fit remarquer Kevin.

Encore une fois, Cédric ne mordit pas à l'hameçon. Il attendit plutôt qu'on lui fournisse l'information promise.

– Nous avons demandé à Adielle d'intervenir, fit Mithri.

– Personnellement?

– Ce sera à elle de choisir son mode d'opération.

– Quel sera l'enjeu de cette mission?

– Nous débarrasser définitivement d'Asgad Ben-Adnah même si elle doit éliminer Océane pour se rendre jusqu'à lui.

– Êtes-vous en train d'accuser mademoiselle Chevalier de haute trahison?

– Non, Cédric, le rassura Mithri, mais il est devenu évident que cet homme exerce sur elle un charme ou un chantage qui l'empêche de faire son travail.

«Parce que c'est un mâle Anantas…» se rappela Cédric. La grande dame de l'Agence remarqua qu'une étincelle venait de s'allumer dans les yeux sombres de son directeur.

– En sais-tu plus que nous à ce sujet, Cédric?

– Océane est imprévisible. Je vous avais pourtant mis en garde lorsque vous l'avez envoyée à Jérusalem. Elle fait toujours ce qu'on lui demande, mais à sa façon et quand elle juge le moment propice.

– Alors, elle attend quoi, à ton avis? le piqua Kevin.

– Je n'ai eu aucune communication avec elle depuis son départ.

– Comme je l'avais exigé, coupa Mithri pour éviter un affrontement inutile. Kevin doit maintenant nous quitter, car Christopher Shanks a besoin de lui à Alert Bay.

Le directeur canadien comprit qu'elle voulait se débarrasser de lui. Il dissimula son déplaisir sous son expression joviale habituelle et ferma son ordinateur.

– Tu as raison. J'ai des problèmes à régler.

Il se leva, salua Mithri puis Cédric et quitta l'avion.

– Je ne comprends pas cette rivalité entre vous, soupira la grande dame. Kevin occupe pourtant un rang plus élevé que toi. Pourquoi te cherche-t-il toujours querelle?

– Ce conflit remonte aux premiers jours de notre formation à Alert Bay, alors que nous étions dans les mêmes classes. Surtout, ne vous en inquiétez pas. Je suis très heureux au niveau régional. Il est suffisamment difficile de diriger une seule base. Je ne me vois pas du tout à la place de Kevin.

– Pourtant, tu es sur ma liste de remplaçants potentiels à la division mondiale.

– Moi?

– Ton court séjour en Arctique a été effacé de ton dossier à ma demande, si c'est cela qui te préoccupe.

– Mais je n'ai aucune expérience internationale.

– Je n'en avais pas non plus lorsqu'on m'a octroyé mon poste.

L'hôtesse de l'air vint leur demander d'attacher leurs ceintures en vue du décollage. Cédric s'exécuta en pensant aux prophéties de la Bible. Il n'était pourtant nulle part question d'une telle promotion pour lui.

– J'ai pris le temps de relire tous les rapports de tes agents, indiqua Mithri. Partout où ils passent, il se produit des choses étranges, même à Vancouver. J'ai emmagasiné toutes ces informations, puis des questions m'ont assaillie. Yannick Jeffrey a été le premier à s'intéresser aux événements de la fin du monde. Sa théorie est intéressante si on considère que monsieur Ben-Adnah est en train de reconquérir les anciens territoires de l'empereur romain Hadrien.

– Yannick était en effet un historien hors pair. Il est facile maintenant de comprendre pourquoi.

– Vincent McLeod, quant à lui, étudie les reptiliens depuis des années. Ce qu'il a compilé dans nos bases de données est absolument fascinant, mais presque impossible à vérifier, du moins pour l'instant. Toutefois, sa dernière entrée dans l'ordinateur nous inquiète beaucoup.

Cédric releva un sourcil tandis qu'il tentait de se rappeler la teneur de cette information.

– Ton informaticien prétend qu'il se prépare une terrible guerre entre deux races dominatrices de reptiliens et que les humains seront coincés entre les deux. Sa conclusion m'aurait à peine fait sourire si je n'avais pas aussi lu les deux rapports d'autopsies du docteur Wallace sur les créatures que vous avez trouvées. Les reptiliens sont bel et bien réels, n'est-ce pas, Cédric?

– Je le crains.

– Ce Ben-Adnah est-il l'un d'eux?

– Oui.

– Il est donc de l'une de ces deux races qui veulent s'emparer du monde. Que sais-tu de l'autre?

– Ce sont des Dracos. Apparemment, ils occupent déjà la plupart des postes clés de notre société.

– Y en a-t-il à l'ANGE?

– Andrew Ashby était un Dracos.

– Et Michael Korsakoff?

– Je ne pourrais pas l'affirmer.

– Il nous faudra donc trouver une façon d'identifier ces imposteurs dans nos rangs, réfléchit Mithri tout haut.

– Pour vous en débarrasser?

– Tout dépendra de leur affiliation, car il y a sûrement de bons sujets même chez les reptiliens. Crois-tu que cette histoire d'Antéchrist ne soit qu'une fable pour camoufler l'affrontement final entre ces deux races de reptiliens?

– Mon travail n'est pas d'émettre des hypothèses, mais de vérifier des faits. Je ne peux donc pas, en toute honnêteté, répondre à cette question.

– N'as-tu donc jamais de convictions personnelles?

– Je ne suis pas censé en avoir. Je suis le directeur d'une base régionale. Je serais incapable d'utiliser intelligemment les renseignements recueillis par mes agents si je les analysais de façon subjective.

– Alors, je vais reformuler ma question. Pourrions-nous nous allier aux reptiliens qui tentent ou tenteront d'abattre Ben-Adnah?

– Non, laissa durement tomber Cédric.

– J'en déduis donc que les Dracos sont les méchants. À quelle race appartient l'entrepreneur israélien?

– C'est un Anantas. Et, avant que vous ne me le demandiez, il est inutile d'envisager une alliance avec ces reptiliens, qui ne partagent le pouvoir avec personne.

– Cela ne nous laisse pas beaucoup d'options.

– Il y a toutefois une autre race connue de reptiliens dont la mission est d'éliminer les Dracos et les Anantas, mais ils sont tout aussi difficiles à repérer que nos agents fantômes et ils agissent seuls.

– Comment les appelle-t-on?

– Ce sont des Nagas.

– Tu es bien renseigné sur le sujet.

– Je lis tous les documents de mes agents, même les plus farfelus. Néanmoins, il arrive trop souvent que de simples théories finissent par devenir des faits concrets.

– Connais-tu d'autres reptiliens que ceux qui se sont retrouvés sur la table d'examen du docteur Wallace?

– Oui, je connais un Naga.

– Est-il l'un des nôtres?

– Non. Comme tous les Nagas, il travaille seul. Lors de son séjour au Canada, il a aidé Vincent à compléter ses recherches sur les reptiliens avant de partir pour l'Europe.

– Pour aller tuer des Dracos et des Anantas?

– Probablement, mais il a été empoisonné par ses ennemis, alors je doute qu'il puisse dorénavant abattre qui que ce soit, surtout l'Antéchrist. En fait, je ne crois pas non plus qu'Océane ou Adielle ne parviendront à le tuer.

– Qu'aurais-tu à me suggérer?

C'est alors que Cédric comprit la prédiction de la Bible. Seul un Anantas pouvait vaincre un autre Anantas! Océane n'avait que quelques gouttes de sang reptilien dans les veines et elle ne pouvait pas se métamorphoser…

– Cédric, est-ce que ça va? s'inquiéta Mithri.

– Je suis désolé, c'est seulement un malaise.

Il détacha sa ceinture et se dirigea vers la salle de bain, malgré les protestations de l'hôtesse de l'air, car l'avion n'avait pas encore atteint son altitude de croisière.

...023

Après une autre journée de prédications à Jérusalem, Yannick s'était réfugié dans la grotte des chrétiens. Depuis qu'Asgad Ben-Adnah avait obligé Israël à signer un traité de paix avec les Palestiniens, il n'y avait plus d'explosions nulle part, mais certaines grandes villes continuaient à maintenir des couvre-feux pour réfréner la criminalité. Beaucoup de soldats, policiers, ambulanciers, pompiers et médecins avaient disparu le jour du Ravissement. Il fallait prendre le temps de les remplacer avant que la vie ne reprenne son cours normal.

Parfois, Yannick profitait de cette période de silence dans la ville pour aller marcher dans les rues désertes. Les patrouilleurs, qui le connaissaient bien maintenant, le laissaient passer sans l'importuner. D'autres fois, il retournait dans sa caverne souterraine pour reprendre des forces ou s'informer de la volonté du Père. Il était toujours sans nouvelles de Yahuda. Toutefois, la visite récente de Reiyel l'avait rassuré à son sujet. Yannick savait que son ami finirait par retrouver son chemin jusqu'à lui. En attendant, il s'employait à ouvrir les yeux de ceux qui venaient l'écouter sur les places publiques. Rien ne lui faisait plus plaisir que de voir la flamme de l'espoir s'allumer dans les yeux des nouveaux croyants.

Ce soir-là, ne ressentant aucun épuisement, le Témoin profita de la soirée pour lire un peu. De toutes les activités qu'il avait appris à aimer depuis deux mille ans, c'était celle qu'il préférait. Képhas avait été un illettré dans sa première vie en Judée, une lacune qui l'avait profondément marqué. Lorsque le Père lui avait fait cadeau de l'immortalité, il s'était plongé dans l'étude de toutes les langues, en commençant par le latin et le grec. Il avait aussi compris que toute la connaissance du monde se trouvait dans les livres.

Il ne cessait de remercier Yahuda d'avoir sauvé ses précieux ouvrages lors de la destruction de Montréal, car il trouvait beaucoup de réconfort dans les écrits des grands philosophes. Assis en tailleur sur son fauteuil en cuir, entouré de chandelles, Yannick avait commencé à relire un vieux traité sur Épictète, écrit par l'un de ses disciples, lorsqu'il sentit une présence inconnue dans son sanctuaire. Il referma l'ouvrage et tendit l'oreille. Ce n'était pas l'énergie de son frère apôtre, ni celle de Reiyel.

– Qui est là?

Une silhouette apparut d'abord en relief sur le mur, puis s'en détacha au bout d'un moment, prenant les traits de Thierry Morin.

– Si vous cherchez Océane, c'est le dernier endroit où vous la trouverez, l'informa Yannick sans manifester la moindre hostilité.

– Je sais où elle est.

– Alors, je ne comprends pas le but de votre présence chez moi.

– Océane est en danger, mais elle refuse de m'écouter.

– Et vous croyez sérieusement que j'aurai plus de succès que vous? Elle ne m'écoutait pas, même pendant le peu de temps que nous avons été ensemble.

– Elle a confiance en vous, tout comme la moitié de cette ville, d'ailleurs.

Incapable de rester debout plus longtemps, Thierry prit place en chancelant sur le sofa poussiéreux. Les flammes éclairèrent son visage émacié. Il avait vraiment une mine épouvantable, mais il était proprement vêtu.

– Mon rôle est de sauver le troupeau, expliqua Yannick. Je ne peux rien faire pour les brebis qui s'en sont écartées. Il me reste très peu de temps pour garantir leur salut.

– Avez-vous aimé Océane?

Yannick hésita.

– L'avez-vous vraiment aimée? insista Thierry, les larmes aux yeux.

– Je l'aime encore, avoua finalement l'apôtre.

– Assez pour l'empêcher d'assurer le règne du pire tyran que connaîtra la Terre? Votre agence l'a envoyée ici pour le tuer, mais elle n'y arrivera pas parce que ce serpent la tient en son pouvoir.

– Le sait-elle?

– Elle ne veut pas le croire. Elle aurait dû l'éliminer il y a des mois, mais elle repousse sans cesse sa mission.

– Vous êtes un Naga. C'est votre travail d'éliminer les gens, non?

– Pour lui trancher la tête lors d'un duel, qui serait certainement plus ardu que contre un roi Dracos, j'aurais besoin de toute la force de mes bras. Hélas, le poison que Perfidia m'a injecté les a rendus inutilisables sous leur forme reptilienne.

Yannick constata que la frustration de Thierry n'était pas feinte.

– Si vous ne pouvez plus faire votre travail, pourquoi vous a-t-on envoyé à Jérusalem?

– Je suis venu ici de mon propre chef. Ceux qui employaient mes services depuis plusieurs années ont cessé de me soutenir.

– Vous avez passé toute votre vie à vous préparer pour cette tâche et ils vous ont abandonné à la suite de cette mésaventure?

Honteux d'avoir accordé sa confiance à une poignée de dirigeants invisibles, le Naga baissa misérablement la tête.

– Mon patron ne laisse jamais tomber ses bons soldats, lui apprit Yannick. Il ne m'a jamais demandé d'éliminer ceux qui maltraitaient ses enfants, mais il ne m'empêche pas non plus de me défendre. J'ai tué bien des démons depuis que le Père m'a confié mon rôle de Témoin. J'ai aussi souvent été blessé, mais il m'a guéri.

– Je vous supplie donc d'utiliser cette puissance pour sauver Océane.

Yannick lui retourna alors sa question.

– L'avez-vous vraiment aimée, monsieur Morin?

– Je l'aime encore…

«Mais Océane n'aime qu'elle-même», se désola intérieurement Yannick.

– Il y a quelque chose que vous devez savoir, indiqua le Naga en relevant la tête. Si le prince Anantas devait lui faire un enfant, la grossesse achèverait de la transformer elle aussi en reptilienne et cet enfant serait celui du diable. Je ne peux pas vous obliger à intervenir, mais pensez un peu au sort de votre troupeau si cela venait à se produire.

Thierry se leva en tremblant sur ses jambes.

– Laissez-moi au moins vous soigner, offrit Yannick.

– Vous ne feriez que retarder ma mort de quelques mois, soupira Thierry en reculant vers le mur. Conservez vos forces, professeur Jeffrey. Utilisez-les pour ceux qui en valent encore la peine.

– Attendez!

Le Naga s'enfonça dans la pierre comme dans du beurre. Ses paroles continuèrent à résonner dans les oreilles de Yannick. Bien sûr qu'il voulait sauver tout le monde, mais le Père avait été catégorique: il fallait d'abord que chaque personne désire être rachetée. Océane n'en croyait rien. Comment arriverait-il à l'intéresser au salut de son âme? Elle était ambitieuse, matérialiste et ne faisait jamais attention aux orteils sur lesquelles elle marchait. Elle aimait le danger, les émotions fortes et les choses défendues. Elle n'accepterait pas facilement de mettre fin à sa mission.

Cédric n'avait plus aucune autorité sur elle. Même Mithri Zachariah ne pouvait rappeler un «fantôme» une fois lancé sur une piste. C'étaient en quelque sorte les kamikazes de l'ANGE. Sa mère aurait-elle plus d'emprise sur elle que son père? Océane était-elle vraiment obligée de perdre la vie pour prouver sa valeur?

«Comment pourrais-je la faire changer d'avis?» réfléchit Yannick. Devait-il faire appel à son intelligence? À ses émotions? À son patriotisme? À son instinct de survie?

– Elle ne m'écoutera pas si elle a déjà décidé qu'elle était la seule à avoir raison, se découragea-t-il.

Malgré tout l'amour qu'il éprouvait encore pour Océane, il ne voyait pas quel impact il pourrait avoir sur ses décisions personnelles. La jeune femme avait plongé en toute connaissance de cause dans cette spirale infernale qui allait se resserrer progressivement sur elle et, malheureusement, elle n'en verrait le bout que lorsqu'il serait trop tard.

– J'ai besoin de méditer, conclut finalement Yannick.

Il ferma les yeux et fila vers l'Éther.

...024

Le mont Hoodoo était un volcan de taille moyenne. À l'aide de la plus récente technologie, il était facile pour les savants de trouver ce qu'ils cherchaient, que ce fût des types de roches, des sédiments ou de la vie végétale ou animale. Il était par contre moins évident pour six Nagas d'y repérer l'endroit exact où la reine Dracos s'était posée, sous sa forme de dragon blanc, puis de suivre sa trace jusqu'à l'entrée de sa pouponnière.

Les Nagas possédaient bien sûr l'extraordinaire faculté de se déplacer à travers le roc, la terre, le béton et l'acier, mais ces éléments les ralentissaient considérablement. C'est donc pour cette raison que Damalis choisit de ratisser la partie extérieure de la montagne, de manière à couvrir plus de terrain, en moins de temps. Les six frères s'attaquèrent d'abord au flanc nord, dans sa partie rocheuse, juste avant le commencement des grandes étendues de neige.

Sans prononcer un seul mot, les Spartiates avancèrent pas à pas, conservant une bonne distance entre eux. Ce fut Aeneas qui flaira le premier leurs ennemis. Il émit un sifflement strident, qui imitait le cri d'un oiseau exotique qu'on ne retrouvait pas en Colombie-Britannique. Les autres convergèrent aussitôt vers lui. Damalis posa la paume sur le sol froid.

– C'est bien elle, confirma-t-il. Je sens aussi la présence du roi serpent.

– Mais elle ne s'est pas posée ici, lui fit remarquer Thaddeus.

— De quel côté est-elle allée?

Thaddeus se mit tout de suite au travail. En quelques minutes à peine, il leur indiqua la direction que Perfidia avait prise à son arrivée sur la montagne. Les Nagas grimpèrent prudemment vers le sommet sans apercevoir quelque entrée que ce soit.

— Espérons qu'elle n'a pas décidé de reprendre son vol pour se rendre sur l'autre versant, maugréa Eraste.

— Nous le saurons bien assez vite, les encouragea Damalis.

Le soleil avait commencé sa descente, et il ferait bientôt très froid à cette altitude.

— Damalis, regarde par là, fit soudain Aeneas.

Ce qui ressemblait à première vue à une ombre était en réalité une crevasse. Les Nagas accélérèrent le pas. Il s'agissait d'un tunnel formé par de la lave, à peine assez grand pour qu'un homme puisse s'y faufiler. Perfidia avait donc repris sa forme humaine pour pénétrer dans la grotte qui se trouvait sous leurs pieds.

— Mes frères, écoutez-moi bien, réclama Damalis à voix basse.

Ils se groupèrent en cercle autour de lui.

— Nous avons grandi ensemble, étudié ensemble, risqué nos vies ensemble, mais je n'exigerai jamais que nous mourrions ensemble. Cette mission, vous le savez, est sans retour. Pour détruire Perfidia et ses rejetons, il nous faudra utiliser toute la dynamite que nous transportons. L'instinct maternel de la reine des Dracos l'avertira que ses œufs sont en danger. Nous ne disposerons donc que de quelques minutes pour faire exploser toutes les charges.

— Ce qui ne nous permettra pas de sortir à temps de la montagne, comprit Thaddeus.

— Je crois sincèrement que l'un de nous devrait échapper à ce massacre afin que notre sacrifice ne soit pas vain, continua

Damalis. Les humains doivent savoir qu'il est possible de vaincre les Dracos.

Ses frères se mirent à protester, aucun ne voulant se séparer des autres.

– Nous pourrions choisir le survivant en tirant à la courte paille, suggéra Damalis en faisant la sourde oreille.

– Pas question, s'opposa Eryx. Si l'un de nous doit survivre, ce doit être le plus rusé et le plus fort, sinon les rois et les princes serpents n'en feront qu'une bouchée lorsqu'ils apprendront ce que nous avons fait. Il faut donc que ce soit toi, Damalis.

L'aîné n'arrivait même pas à s'imaginer une vie sans les petits frères qu'il avait pratiquement élevés lui-même.

– Prenons cette décision demain, trancha Aeneas. Nous sommes fatigués et nous risquons de nous tromper. Établissons un campement un peu plus bas, là où le vent ne soufflera pas vers l'entrée de la caverne. Demain, rien ne pourra plus nous arrêter.

Ils suivirent ce conseil et se serrèrent les uns contre les autres, enroulés dans leurs couvertures à l'épreuve du froid, après avoir consommé des barres de protéines assaisonnées avec de la poudre d'or. Damalis eut beaucoup de mal à trouver le sommeil. Plusieurs fois, il fut tenté de s'enfoncer sous terre pour s'assurer que Perfidia n'avait pas capté leur approche, car la reine était sans merci lorsqu'il était question de ses enfants.

Au matin, la mine lugubre, les Nagas se préparèrent à donner le coup de grâce aux Dracos. Dès leur réveil, ils s'étaient mis à réfléchir aux paroles de Damalis. Si ce dernier ne voulait pas les quitter, alors ils obligeraient le plus jeune à le faire.

– Pourquoi moi? se fâcha Thaddeus.

– L'un de nous devra raconter ce qui s'est passé ici, et tu es notre meilleur conteur, le taquina Eryx.

– Croyez-vous vraiment que je pourrais continuer à vivre en sachant que je vous ai abandonnés?

– S'il s'agit uniquement de rendre public notre acte de bravoure, intervint Aeneas, pourquoi ne pas tout simplement transmettre la nouvelle à un journaliste au moyen d'un téléphone cellulaire?

Damalis songea tout de suite à l'ami de Théo, un reptilien dont il ne savait pas grand-chose, sinon qu'il était à la tête d'une puissante agence de renseignements.

– C'est une bonne idée, décida-t-il.

La nouvelle redonna de l'entrain aux six frères. Ils achevèrent leurs rations, vérifièrent leur équipement et se mirent en route. Ils grimpèrent une fois de plus jusqu'à l'entrée de la grotte.

– Je vais entrer le premier, annonça Damalis. Préparez-vous à me suivre dans cinq minutes.

Pour ne pas déclencher l'alarme dans le repaire de Perfidia, l'aîné ne transportait aucune arme ou bâton de dynamite sur lui, mais uniquement sa lampe de poche. Il s'introduisit dans l'ouverture arrondie et disparut dans le noir. Pendant plusieurs minutes, il glissa sur la pierre froide, puis ses pieds touchèrent le sol. Ses sens de reptilien étant beaucoup plus aiguisés que ses sens humains, Damalis adopta sa forme Naga. Son odorat lui indiqua aussitôt qu'il était au bon endroit, mais le passage de la reine remontait à quelques heures. Elle n'était donc pas dans les parages. Prudemment, il alluma sa torche électrique. Le spectacle qui s'offrit à lui le glaça d'horreur! Au plafond pendaient des centaines de cocons gélatineux dans lesquels on pouvait déjà apercevoir la forme de bébés Dracos.

Damalis reprit sa forme humaine et composa le numéro de Cédric sur le téléphone cellulaire en espérant que le roc ne bloquerait pas la transmission. À son grand soulagement, le directeur lui répondit.

– Que puis-je faire pour vous? demanda Cédric.

– Nous avons découvert l'antre de Perfidia, lui annonça Damalis, à voix basse. Je voulais seulement que vous conserviez les images que vous êtes sur le point de recevoir.

– Il n'est pas très prudent de les transmettre par téléphone.

– Je ne pourrai pas le faire autrement. Pour pouvoir détruire la reine et tous ses œufs, nous allons dynamiter la montagne. Il me sera donc impossible de vous transmettre quoi que ce soit après l'explosion.

– Êtes-vous en train de me dire que vous n'y survivrez pas?

– Nous n'aurons pas le temps de quitter les lieux. Je suis certain que vous comprendrez, à moins que vous ne soyez apparentés au Dracos, que le jeu en vaut la chandelle.

– Je les déteste tout autant que vous, Damalis.

– Lorsque nous aurons exécuté notre mission, faites savoir à tous les peuples asservis par la reine qu'ils n'auront plus qu'à se débarrasser des rois.

– Vous pouvez compter sur moi.

– Merci, ami de Théo.

Même s'il fut tenté de tout lui avouer sur lui-même et sur ses déboires entre les mains des tyrans reptiliens, Cédric garda le silence. Damalis déposa le petit téléphone sur un repli de lave. Le directeur de l'ANGE en profita pour relier le sien à son ordinateur personnel, et ainsi obtenir une image plus grande de la sombre grotte. Il mit quelques minutes avant d'interpréter ce qu'il voyait. De curieuses stalactites pendaient du plafond… Ce ne fut que lorsque la lampe de poche de Damalis les éclaira par-derrière que Cédric comprit qu'il s'agissait d'œufs collés au plafond de la caverne.

Cinq Nagas traversèrent soudain le mur de pierre sans la moindre difficulté, puis reprirent leur forme humaine. «C'est incroyable», songea Cédric, le regard rivé sur cette scène qui n'avait pas été filmée par un grand réalisateur de cinéma, mais qui lui parvenait en direct de l'autre bout du pays.

Il observa le travail silencieux et précis des frères mercenaires, qui installèrent de la dynamite aux endroits stratégiques. Ce n'étaient pas des amateurs. Pendant un instant, Cédric fut tenté d'avoir recours à son ordinateur pour évaluer les dommages que causerait une telle explosion à l'intérieur d'un volcan, puis se ravisa. On l'avait déjà accusé de trahison parce qu'il avait quitté la base de Montréal juste avant qu'elle ne soit dévastée. Une fois que les Nagas auraient été écrasés sous tout ce roc, jamais on ne retrouverait leurs corps et Cédric serait incapable d'expliquer pourquoi il s'était inquiété du sort du mont Hoodoo quelques minutes avant qu'il n'éclate.

Tendu sur son fauteuil, il se demanda s'il aurait eu le courage de faire la même chose que ces hommes. Bien sûr, il voulait lui aussi voir disparaître Perfidia à tout jamais, mais au point d'y perdre la vie? Thierry Morin était-il fait du même bois que ces soldats? Le directeur n'avait reçu aucune nouvelle de lui depuis qu'il était parti pour Jérusalem. Il ne savait même pas s'il était encore vivant.

Un grondement sourd le sortit de sa rêverie.

Les Spartiates s'immobilisèrent, hésitant à reprendre leur apparence de Nagas. Un second rugissement, plus rapproché, les fit reculer vers le mur le plus éloigné. Damalis referma lentement les doigts sur le détonateur pour qu'il ne lui échappe pas. Les charges étaient toutes en place, sauf une. Néanmoins, elles feraient suffisamment de dommages pour détruire cette nouvelle colonie de reptiliens. D'un même geste, les frères déposèrent leurs torches électriques sur le sol, pointant leurs faisceaux en direction des terribles cris qui s'amplifiaient. Soudain, la lumière révéla les pattes immaculées d'un animal pourtant disparu depuis des millions d'années.

– Damalis? s'alarma Thaddeus.

– Ne bougez surtout pas, recommanda l'aîné.

Sous sa forme de dragon, la reine ressemblait à un dinosaure ailé. Elle avait parcouru les galeries à quatre pattes, mais une fois dans la caverne, elle se releva et déploya ses ailes. Pendant un court instant, Damalis songea que les paléontologues auraient adoré retrouver le cadavre d'une telle bête... Perfidia avait une vision parfaite dans l'obscurité. Il ne lui fut pas difficile de repérer les six hommes qui menaçaient ses enfants. Ce fut cependant son odorat qui l'informa qu'ils étaient là pour les tuer, lorsqu'elle huma l'air et sentit les explosifs déposés dans une anfractuosité du mur de lave. Furieuse, elle s'en saisit entre ses dents.

– Non! hurla Eryx, craignant qu'elle ne désamorce toutes les charges.

Le dragon cracha la dynamite sur le sol et poussa un hurlement si puissant qu'il priva momentanément les Nagas de leur ouie. La bête continua à avancer, ayant flairé d'autres explosifs. Eryx s'élança devant Perfidia pour l'empêcher de passer. La reine redescendit vivement sur toutes ses pattes et happa le Spartiate, le coupant presque en deux sous ses crocs tranchants. Des larmes coulant abondamment sur ses joues, Damalis appuya sur le bouton du dispositif qu'il tenait toujours dans sa main tremblante. L'explosion fut terrible.

Devant son écran d'ordinateur où plus rien n'apparaissait, Cédric Orléans était en état de choc. L'apparition du Dracos ailé venait d'installer dans son cœur une peur dont il ne pourrait plus jamais se départir. Perfidia était vraiment le monstre qu'on lui avait décrit. Son apparence humaine séduisante ne servait donc qu'à leurrer ses proies. Les frères Nagas avaient-ils vraiment réussi à l'anéantir?

– Ordinateur, y a-t-il eu des séismes au cours des dernières six heures au Canada?

– Il vient de s'en produire un dans le Nord de la Colombie-Britannique, latitude 56°#78' nord, longitude 131°#28' ouest, dans la chaîne volcanique Stikine.

– Mettez-moi en communication avec Christopher Shanks sur sa ligne privée, code rouge.

– Tout de suite, monsieur Orléans.

Shanks était en train de compléter des dossiers de recrues afin d'en discuter avec le directeur de la division canadienne. Kevin Lucas allait arriver dans quelques heures. Même s'il semblait être un homme gaillard, ce dernier n'aimait pas perdre son temps.

– Code rouge pour vous, monsieur Shanks, sur la ligne secrète.

– De la part de qui?

– De monsieur Orléans, directeur de la base de Toronto.

– Communication acceptée, ordonna Shanks, craignant qu'il ne soit arrivé un autre malheur à Vincent McLeod.

– Votre ascenseur est maintenant verrouillé. Ce que vous direz ne sera pas enregistré. Vous pouvez commencer à parler.

– Que se passe-t-il, Cédric?

– Ce que je vais te demander va te paraître insensé, mais je t'assure que je suis parfaitement sain d'esprit.

Shanks fronça les sourcils, intrigué.

– Est-ce que cela concerne Vincent?

– D'une certaine façon. Es-tu au courant de ses recherches sur les reptiliens?

– Il ne parlait que de cela lorsqu'il était ici. Mais ce sont surtout des démons qui l'ont accablé.

– Malheureusement, les deux sujets sont étroitement reliés.

– Je ne suis pas sûr de bien comprendre…

– Certaines espèces de reptiliens ressemblent beaucoup aux images des démons véhiculées par les religions.

– Je commence à avoir peur de ce que tu vas me demander.

– Rassure-toi, les seuls reptiliens que nous ayons croisés à l'ANGE sont tous passés sous le bistouri du docteur Wallace.

– Maintenant que j'ai l'esprit plus tranquille, railla Shanks, que puis-je faire pour toi, Cédric?

– J'ai cru comprendre, en étudiant les recherches de Vincent, qu'il y avait une forte concentration de ces créatures sur le mont Hoodoo.

– Ce n'est pas tout à fait à notre porte, mais atteignable. Envisages-tu un raid?

– Non, ce n'est pas la vocation de l'Agence. Pour tout te dire, ce qui m'intrigue, en ce moment, c'est qu'il vient de se produire une explosion dans ce volcan. Je me demandais si elle pouvait être reliée à de l'activité reptilienne.

– Nous n'avons pourtant ressenti aucune secousse, ici. Veux-tu que j'envoie une équipe ramasser les cadavres pour que ton médecin puisse continuer à s'amuser?

– À les cataloguer, spécifia Cédric, et il déteste ça.

– Comme tu le dis. Si c'est tout ce que tu veux, pourquoi as-tu utilisé ma ligne secrète?

– Pour éviter que le nouveau directeur nord-américain ne me prenne pour un fou avant même de m'avoir rencontré.

– Je vois. C'est bon, je vais dépêcher un hélicoptère furtif sur les lieux et te faire mon rapport de la même façon.

– Merci, Chris. Je l'apprécie beaucoup.

– Ordinateur, fin de la communication.

– Directive acceptée. Votre ascenseur est de nouveau fonctionnel, monsieur Shanks.

Le directeur d'Alert Bay ouvrit la bouche avec l'intention d'ordonner au chef de la sécurité de diriger cette mission d'exploration, puis se ravisa. Il était enfermé dans cette base depuis des mois! Une petite sortie d'une heure ou deux à bord d'un hélicoptère que personne ne pouvait voir l'aiderait à se détendre. Il veillerait à être de retour avant l'arrivée de Lucas.

Il se rendit donc dans le hangar et composa rapidement une petite équipe, par mesure de prudence. En plus du pilote, il emmena avec lui les cinq vétérans de la sécurité qui enseignaient leur science aux jeunes élèves.

Une fois attaché à son siège, Christopher Shanks consulta l'un des nombreux ordinateurs à bord de l'appareil. L'explosion du versant nord du mont Hoodoo avait été enregistrée par les sismographes de la côte ouest. Le sas de sortie s'ouvrit dans le plafond de la rotonde et l'aéronef décolla à la verticale. Il s'éleva au-dessus du village, puis de l'île et piqua vers le nord. La vue des grandes étendues de forêts ancestrales et des profondes vallées creusées par les glaciers apporta au directeur un sentiment d'apaisement. «Cette planète est si belle et si précieuse», songea-t-il.

L'hélicoptère, doté d'un système de propulsion innovateur, parcourut en une heure à peine la distance qui séparait la base de la chaîne volcanique. Il ne fut pas très difficile de trouver la montagne qui avait explosé, car une épaisse fumée s'en échappait et s'élevait en colonne vers le ciel.

— Pouvons-nous nous en approcher suffisamment pour utiliser le matériel de détection? demanda Shanks au pilote.

L'homme hocha la tête à l'affirmative et fit perdre de l'altitude à l'hélicoptère. Secondé par les membres de la sécurité, le directeur effectua une recherche d'intensité calorique, de réflexion des ultrasons et d'images par téléobjectif.

— Que cherche-t-on, patron? demanda l'un d'eux.

— Des survivants de l'éruption, hasarda Shanks, qui ne savait pas très bien ce qu'ils s'efforçaient de découvrir.

Ils virent des animaux qui fuyaient les lieux seuls ou en troupeaux, mais heureusement aucun cadavre d'alpiniste ou de géologue, jusqu'à ce qu'une curieuse forme apparaisse sur l'un des scanners.

– Mais qu'est-ce que c'est que ça? balbutia l'homme en noir.

Il fit vivement pivoter son écran vers le directeur. Les ultrasons leur renvoyaient l'image d'un mammifère pourvu d'ailes couché sur le flanc, à quelques mètres à peine du début de la forêt, au pied de la montagne.

– Seuls les oiseaux ont ce genre d'organes, non? se risqua un autre membre de la sécurité.

– Quelle taille cet animal peut-il avoir? s'enquit Shanks.

– Il est presque aussi gros qu'un éléphant.

«Un éléphant ailé? s'interrogea le directeur. Pourquoi pas? Il existe bien des reptiliens qui n'apparaissent dans aucun traité de zoologie.»

– Le terrain est-il suffisamment stable pour que nous nous y posions? voulut-il savoir.

Le pilote n'en était pas entièrement convaincu, mais il fit lentement descendre l'appareil en surveillant ses instruments de mesure.

– Il y a de l'activité dans le volcan, monsieur Shanks, déclara-t-il finalement. Il vous faudra faire vite.

– Je veux juste voir ce que c'est. Je ne prendrai que Williams avec moi.

– Les directeurs ne sont pas censés se mettre en situation de danger à l'extérieur de leur base.

– Ils ne sont même pas censés quitter leur base, ajouta le chef de la sécurité.

– Cela ne prendra que quelques minutes, et de toute façon, tous nos appareils indiquent que cette bête est morte.

Leur rôle était évidemment de décourager Shanks de descendre de l'aéronef, mais ce dernier n'en demeurait pas moins leur patron. L'hélicoptère se posa non loin de la carcasse de l'animal mystérieux. Le directeur et le chef de la sécurité en descendirent en même temps, tandis que le pilote surveillait de près l'activité sismique de la région, prêt à ramener tout le personnel en lieu sûr à la moindre secousse.

Moins confiant que Shanks, Williams marcha à ses côtés, l'arme au poing. En se rapprochant de la bête, ils ralentirent le pas. Elle était bel et bien ailée! De surcroît, loin d'être un pachyderme, elle ressemblait davantage à un grand saurien!

— Je n'en crois pas mes yeux, murmura Williams, stupéfait. On dirait un dragon.

— Sauf que les dragons n'existent pas.

— C'est peut-être une statue sculptée par les natifs de la région.

Shanks s'avança plus près de la tête du dinosaure. Il constata que sa gueule était ouverte, découvrant une centaine de crocs acérés, et que sa langue bleue pendait sur le côté. «Et si c'était là un des reptiliens qui vivent dans la montagne, comme le prétend Cédric?» se demanda-t-il. Il fit aussitôt faire un tour au premier bouton de son veston pour tout filmer. Prudemment, il tendit la main pour toucher la peau blanche parsemée de taches bleuâtres.

— Dites-moi que c'est du caoutchouc, l'implora Williams.

— On dirait de la peau de serpent, s'étonna le directeur.

Le dragon ouvrit les yeux. Shanks sursauta de frayeur. Il bascula vers l'arrière et effectua plusieurs roulades vers le bas de la montagne. Williams recula vers lui en gardant son revolver pointé sur la tête de l'animal. D'un bond, Perfidia se releva. Elle était assommée, blessée et surtout ravagée par la perte de ses enfants. Sans se préoccuper des humains, elle donna une vigoureuse impulsion à ses pattes arrière et prit son envol. Williams ne tira pas sur le dragon, car il n'avait fait aucun geste agressif contre lui. Il suivit plutôt sa course du regard jusqu'à ce qu'elle disparaisse vers l'est.

Un gros rocher arrêta finalement la chute du directeur. Contusionné, il parvint à se redresser. Ses vêtements étaient déchirés à plusieurs endroits.

– Monsieur Shanks, est-ce que ça va ? demanda Williams en descendant le rejoindre.

– Je n'ai rien de cassé.

Il allait entreprendre l'ascension de la pente lorsqu'il remarqua une main, humaine cette fois, à travers la végétation, au pied des arbres.

– Doux Jésus ! s'exclama Shanks en se portant à son secours.

Il s'agissait d'un homme dans la trentaine couvert de sang. Il était impossible de déterminer l'étendue ou la gravité de ses blessures. Le directeur se pencha au-dessus de ses lèvres et sentit qu'il respirait encore.

– Williams, j'ai trouvé un blessé ! Faites venir notre équipe médicale tout de suite !

Tandis qu'ils attendaient les secours, les membres de la sécurité ratissèrent le terrain. Ils ne trouvèrent rien, ni sur le roc, ni dans la forêt. Dès qu'ils furent sur place, les infirmiers de l'ANGE placèrent l'inconnu sur une civière et le ramenèrent à la base. Shanks demeura à ses côtés tant que dura son examen. Le médecin commença par évacuer le sang de ses poumons pour le faire respirer librement. Les radiographies révélèrent ensuite un grand nombre de fractures, mais curieusement, aucune au crâne.

– Nous ne sommes pas équipés pour soigner autant de blessures, avoua finalement le médecin à son directeur.

– Où devrais-je le faire transporter ?

– Si vous ne tenez pas à le garder à l'Agence, il y a deux hôpitaux qui s'occupent de ce genre de traumatismes à Vancouver.

– Pas avant que nous ayons déterminé son identité.

– Alors, si mes renseignements sont bons, la seule installation qui possède l'équipement nécessaire à la récupération de cet homme, c'est la nouvelle base de Montréal.

— Faites le nécessaire pour qu'il y soit conduit le plus rapidement possible. Je me charge d'en prévenir le directeur. Merci pour tout.

Shanks tourna les talons et retourna prestement à son bureau. Il pianota aussitôt sur le clavier de son ordinateur personnel et visionna les quelques images qu'il avait filmées sur la montagne avant sa chute. Heureusement qu'il restait encore une heure de vol à Kevin Lucas!

— Cet animal est vivant…, murmura le directeur d'Alert Bay, éberlué.

— Puis-je vous être utile, monsieur Shanks?

— Mettez-moi en communication avec Cédric Orléans, code rouge, sur sa ligne secrète.

— Tout de suite, monsieur.

Tandis qu'il attendait de pouvoir parler avec celui qui lui avait pointé du nez le mont Hoodoo, Christopher Shanks téléchargea sur son ordinateur les photos du blessé prises par le médecin.

— Votre ascenseur est maintenant verrouillé. Ce que vous direz ne sera pas enregistré. Vous pouvez commencer à parler.

— Cédric?

— Si j'en juge par le ton alarmé de ta voix, tu as trouvé quelque chose.

— Plus tôt, aujourd'hui, c'est toi qui ne voulais pas passer pour un fou. Eh bien, ce soir, c'est moi. Ordinateur, transmettez à monsieur Orléans la séquence suivante.

— Processus engagé. Les images seront reçues dans cinq secondes.

Ces secondes semblèrent durer des siècles tandis que Shanks attendait les commentaires de son homonyme.

— Cédric, es-tu toujours là? s'impatienta finalement le directeur d'Alert Bay.

— Oui, Chris.

— Tu as vu cette bête? Sais-tu ce que c'est?

– Me croiras-tu si je te dis que c'est la reine des Dracos?

– Comment se fait-il que des créatures semblables vivent sur notre planète sans que nous le sachions? s'énerva-t-il.

– Elles adoptent habituellement notre apparence. Je suis vraiment étonné qu'elle se soit laissée regarder par des humains sous sa véritable forme. L'avez-vous capturée?

– Non… D'ailleurs, je ne sais pas comment nous aurions pu nous emparer d'un animal de cette taille sans équipement de chasse. Dois-je te rappeler qu'il ne s'agissait au début que d'une mission de repérage? Il s'est tout simplement envolé malgré ses nombreuses blessures.

«Dommage», pensa Cédric.

– Et ce n'est pas tout, poursuivit Shanks. Nous avons trouvé un homme dans la forêt.

– Un reptilien?

– Non, un homme comme toi et moi. Il est en bien mauvais état. Notre médecin nous suggère de le faire transporter sans délai à ta future base, qui possède de l'équipement plus moderne. Je t'envoie sa photo maintenant.

– Processus engagé. L'image sera reçue dans deux secondes.

– Le connais-tu?

– Non, mentit Cédric, qui se doutait qu'il s'agissait probablement d'un des frères Martell.

– Nous n'avons rien trouvé sur lui dans les bases de données.

«Et Vincent n'est plus là pour les aider», songea Cédric.

– Je te tiendrai au courant de toutes mes découvertes.

– As-tu l'intention d'en parler à Kevin? Veux-tu que je le fasse?

– Je t'en prie, ne lui dis rien. Je voudrais d'abord m'entretenir avec madame Zachariah, car je crains que les reptiliens ne soient un problème plus mondial que national.

– Comme tu veux, mais je n'aimerais pas qu'on me reproche d'avoir dissimulé cette information, en bout de ligne.

— Je serai expéditif, ne t'en fais pas. Merci d'avoir confirmé ce que soupçonnait Vincent.

— La prochaine fois que tu me demanderas de faire ce genre d'enquêtes, je saurai à quoi m'attendre.

— Merci, Christopher.

— Ordinateur, fin de la communication.

— Directive acceptée. Votre ascenseur est de nouveau fonctionnel, monsieur Shanks.

Le directeur baissa les yeux sur ses vêtements sales et abîmés. S'il ne s'empressait pas de se changer, il serait obligé d'inventer une histoire pour expliquer sa tenue à Kevin Lucas, et il détestait mentir. Il se dirigea donc vers la petite chambre attenante à son bureau en demandant à l'ordinateur de ne laisser monter personne jusqu'à ce qu'il soit présentable.

...025

Même si les agissements d'Océane lui avaient jadis causé beaucoup de chagrin, en tant que Témoin de Dieu, Yannick ne lui en tenait plus rancune. Il avait poursuivi son évolution, mais elle, non. Au début, le manque de compassion d'Océane l'avait fait beaucoup souffrir, puis il avait choisi l'indifférence pour protéger son cœur. En ne conservant que les bons souvenirs dans son esprit, il avait ainsi réussi à trouver le courage de prêcher, comme le Père le lui avait demandé. Il éprouvait encore beaucoup d'amour pour elle et il souhaitait plus que tout le salut de son âme. Toutefois, il ne ferait plus jamais de folies pour elle.

Tandis qu'il se dirigeait vers le quartier riche où habitait désormais l'ancienne agente, Yannick se rappela la douleur qu'il avait décelée sur le visage de Thierry Morin. Elle ressemblait beaucoup à la sienne lorsque le destin avait élevé un mur infranchissable entre Océane et lui. Il avait presque été tenté de dire au Naga que, de toute façon, l'Israélien subirait éventuellement le même sort que tous les autres amants de la jeune femme, sacrifiés au profit de son ambition. «Pourquoi aurais-je fait davantage souffrir le policier du Vatican?», songea Yannick.

Le soleil s'était couché lorsqu'il se matérialisa sur le toit de l'immeuble juste en face de celui d'Océane. Il s'assit en tailleur sur les tuiles encore chaudes et surveilla les fenêtres de son appartement. Elle était sagement rentrée chez elle lors du couvre-feu et terminait son repas du soir. «Comment vais-je réussir à la convaincre de renoncer à ses ordres si ce reptilien exerce un quelconque charme sur elle?», se demanda-t-il. Connaissant Océane, il savait qu'elle allait le traiter de jaloux et hausser les épaules. Devrait-il lui révéler que c'était Thierry Morin qui l'avait supplié de la raisonner? Valait-il mieux assassiner l'Antéchrist avant qu'il n'entraîne la jeune femme en Enfer avec lui? Il y avait déjà eu deux attentats à la vie de Ben-Adnah depuis un an, et il y en aurait certainement d'autres, car l'ANGE ne serait pas la seule organisation secrète à vouloir l'éliminer.

Océane poussa alors les portes de son balcon et se risqua à l'extérieur pour profiter de l'air frais du soir. Elle était vêtue d'une robe de nuit en satin rouge, une couleur qui lui allait à merveille, mais qu'elle ne portait presque jamais. Elle promena d'abord son regard sur la rue déserte. Jérusalem était calme et sereine à cette heure-là. Océane leva ensuite les yeux vers le ciel étoilé et vit tout de suite Yannick, confortablement installé sur le toit de l'immeuble d'en face, au niveau de son appartement.

– Est-ce que tu m'espionnes? se fâcha-t-elle.

– Non, je t'observe.

– C'est la même chose.

– On espionne pour le compte d'une autre personne, mais on observe pour soi-même.

– Ne commence pas à jouer sur les mots, Yannick. Dis-moi plutôt ce que tu veux.

– Je suis venu te mettre en garde.

– Toi aussi? Écoute, Yannick, je ne suis pas ici pour mon plaisir. J'ai une mission à accomplir. Tout comme toi, d'ailleurs.

– On dirait que je m'acquitte mieux de la mienne que toi.

– Tu es bien mal placé pour me juger.

– Ce n'est qu'une constatation. J'ai converti des milliers de personnes à la bonne parole, alors que je vois bien que l'Antéchrist est toujours vivant.

— On ne m'a imposé aucun délai pour accomplir une tâche qui, de toute façon, ne te regarde plus depuis que tu as quitté nos rangs.

— L'élimination de l'homme dont Satan projette de se servir est l'affaire de tous, Océane.

— Crois-tu vraiment qu'il n'en choisira pas un autre si je tue Asgad?

— Faute de temps pour préparer un autre vaisseau pour accueillir sa force vitale, je pense qu'il se contenterait du corps d'une personne de son entourage.

— Moi? Voyons donc, Yannick. Je n'ai aucune influence politique, ici comme ailleurs.

— Une fois que le Prince des Ténèbres s'empare d'une personne, il évacue cavalièrement son âme dans l'Éther et fait faire tout ce qu'il veut à sa nouvelle enveloppe physique.

— Arrête de me menacer.

— Mon intention ce soir, est uniquement de te mettre en garde. Réfléchis un peu. Satan a certainement une bonne raison de choisir cet homme d'affaires.

— Te rends-tu compte que si quelqu'un est en train d'écouter notre conversation, je vais être pendue pour trahison?

— Tu t'inquiètes pour rien, car je nous ai entourés d'une bulle étanche depuis que tu as ouvert la bouche. Je désire ton salut, pas ta mort prématurée.

— Arrête de jouer au sauveur avec moi. Je sais ce que je fais et je n'ai besoin ni de ton aide, ni de tes conseils.

— À mon avis, c'est toi qui joues un jeu dangereux, juste pour prouver à l'ANGE que tu as la trempe d'une grande espionne.

— Comment oses-tu me dire une chose pareille? s'offensa-t-elle. Je n'ai rien à prouver à qui que ce soit!

— Je te connais mieux que toi-même, Océane.

Elle prit une profonde inspiration pour ne pas se mettre à crier. Décidément, elle n'arrivait qu'à se disputer avec ses anciens amants.

— Il y a en toi un besoin inconscient de te sentir importante, poursuivit Yannick. L'Agence n'arrivera jamais à le combler parce que nous ne sommes en réalité que des pions qui travaillent pour un but commun. Mais un puissant démon...

— Comment oses-tu qualifier Asgad de démon alors que tu ne le connais même pas?

— Le connais-tu vraiment toi-même? Es-tu au courant que l'âme du véritable Asgad Ben-Adnah est retournée vers le Père il y a près d'un an? Celui qui partage ton lit, c'est l'empereur Hadrien, sorti des enfers pour reconquérir son ancien empire et le candidat idéal pour Satan lorsqu'il perdra finalement sa guerre céleste contre les archanges et qu'il aura besoin d'un corps.

— Je me fiche éperdument de sa véritable identité. Ma mission est de le tuer et c'est ce que je ferai.

— Pourquoi n'est-ce pas encore fait, Océane?

La jeune femme se mordit la lèvre inférieure, hésitant à lui révéler qu'elle retardait sans cesse cette exécution parce qu'en présence d'Asgad, elle perdait tous ses moyens. «Comme je le faisais avec Yannick lorsque je l'ai rencontré...», se souvint-elle.

— Tu t'es éprise d'un mirage, murmura-t-il, ému par ce qu'il ressentait dans le cœur d'Océane.

— Je ne l'aime même pas.

— Mais tu adores ses petites attentions.

— Ce n'est pas aussi simple que tu le crois d'être une espionne qui ne peut se donner entièrement à qui que ce soit.

— Je le sais mieux que quiconque.

«Et lui, il a vécu sans amour pendant plus de deux mille ans», se rappela-t-elle, honteuse.

— Je n'ai jamais voulu te faire de mal, Yannick. Je croyais que notre relation était bel et bien terminée quand je me suis laissée séduire par Thierry Morin.

– Notre relation ne pouvait pas aller plus loin en raison de notre travail, mais tu es et tu seras toujours la seule femme que j'ai aimée.

– Yannick…

Il se leva, véritable apparition divine vêtue d'une longue tunique et auréolée de lumière. «C'est sûrement ce que les peintres religieux ont dû voir, eux aussi», songea Océane. Il fit un pas dans le vide, arrachant à la jeune femme un cri d'effroi. Elle pouvait vivre avec certains remords, mais sa conscience ne la laisserait jamais tranquille si l'un des deux Témoins de Dieu se suicidait par amour!

À sa grande surprise, Yannick marcha dans le vide, comme si une planche invisible venait de se tendre de son balcon. Il n'y avait plus aucun doute dans l'esprit d'Océane que cet homme, qui s'était fait passer pour un agent de l'ANGE, était un saint.

Yannick était parvenu au milieu de la rue quand un éclair fulgurant déchira la nuit. Océane protégea ses yeux éblouis d'une main, puis battit rapidement des paupières pour voir ce qui venait de se passer. Dieu avait-il décidé de sévir contre son serviteur délinquant? Elle aperçut alors Océlus, qui flottait lui aussi dans les airs, entre Yannick et elle.

– Tu seras détruit si tu t'approches d'elle, Képhas!

– Quoi? s'insulta Océane.

– Elle a absorbé trop d'énergie maléfique. Aucune créature divine ne peut s'approcher d'elle sans risquer l'anéantissement, même Reiyel.

– Je ne ressens pourtant rien de tel, protesta Yannick.

– C'est un piège sournois dont l'Antéchrist entoure tous ceux qui lui sont chers, afin qu'aucun d'entre nous ne puisse les sauver.

– Je vous demande pardon! continua de s'insurger Océane.

Océlus serra son ami dans ses bras. Les deux apôtres se dématérialisèrent en même temps.

– Eh! hurla la jeune femme.

De la lumière apparut derrière plusieurs fenêtres des immeubles voisins, lui faisant comprendre que le charme d'isolation phonique avait disparu en même temps que Yannick. Elle s'empressa de rentrer chez elle, refermant les portes derrière elle. Si Asgad était Hadrien et non Satan, il était impensable qu'il lui ait lui-même jeté ce sort. Un autre démon était sûrement à l'œuvre ici. «Antinous?» se demanda-t-elle. Le jeune Grec avait pourtant un visage et une douceur d'ange!

– Il est temps que je me secoue et que j'arrête de voir la vie en rose, décida-t-elle. En rose...

La seule mention de cette couleur fit apparaître le visage innocent de Cindy dans ses pensées. Il y avait une éternité qu'elle n'avait pas parlé à sa jeune collègue, ni à Vincent d'ailleurs. Elle les avait presque oubliés. Océane s'assit sur son lit en constatant qu'elle avait terriblement changé et elle attribua cette transformation à ses nouvelles fréquentations. «Je dois démasquer ce démon pour nous sauver, Asgad et moi», conclut-elle.

Océlus et Yannick se matérialisèrent dans la grotte des chrétiens, toujours étroitement enlacés.

– Tu m'as tellement manqué, Yahuda.

– C'est la même chose pour moi.

Yannick se dégagea de son étreinte et emmena son ami s'asseoir parmi les restes de son loft.

– Reiyel est venu me voir, lui dit-il. Il pensait te trouver avec moi.

– Je me suis d'abord arrêté chez Cindy, car je ne la reverrai plus jamais. J'avais besoin de passer un peu de temps avec elle pour me donner du courage.

– Nous devons maintenant nous hâter de gagner la confiance de ceux qui doutent encore. Mais dis-moi, où as-tu passé tout ce temps?

– Je suis resté auprès du Père pour purger mon âme, avoua Océlus avec un peu de honte. Mais avant, Reiyel m'a transporté dans les grands champs célestes où se battent les démons et les anges. C'était horrible. Je pense que si les humains pouvaient voir ce qui s'y passe, ils arrêteraient sur-le-champ de commettre des crimes.

– Ce ne serait pas une mauvaise idée que tu leur parles de ton expérience, mon frère.

– Peut-être bien.

– Qui t'a dit qu'Océane était contaminée par le Mal?

– C'est Vincent. Le Père l'a choisi pour interpréter différemment la Bible. Il y est écrit que toute créature divine qui s'approchera d'Océane sera perdue.

Au lieu de se réjouir des nouveaux pouvoirs de Vincent, Yannick se désola d'apprendre que Dieu lui-même condamnait Océane.

– Thierry Morin m'a aussi appris que si elle venait à concevoir un enfant avec Asgad Ben-Adnah, la grossesse la transformerait en reptilienne…

– D'une manière ou d'une autre, tu ne dois plus chercher à la revoir, Képhas.

– Je voulais seulement lui recommander de quitter Jérusalem pendant qu'il est encore temps.

– Oublie-la.

– Comme tu oublieras Cindy?

– Il le faut, pour le salut du monde.

– Si j'étais resté dans l'Éther comme toi, aucun de nous deux n'aurait autant souffert, soupira Yannick.

– Mais nous n'aurions jamais connu le véritable amour.

Yannick se rappela la douleur qu'il avait vue dans les yeux de Thierry Morin et celle qu'il ressentait encore au fond de son cœur.

– Oui, tu as raison, concéda-t-il pour clore le sujet.

– Tu t'es bien débrouillé sans moi? le taquina Océlus, qui le sentait s'attrister davantage.

– J'ai fait ce que j'ai pu, mais c'est exténuant de prêcher seul pendant des heures et des heures. Je suis bien content que tu sois de retour.

– Demain, nous les convertirons tous.

Océlus prit les mains de son ami dans les siennes et se relia avec lui à l'énergie divine qui les alimentait. Yannick ferma les yeux et se laissa bercer par cette merveilleuse douceur.

...026

Depuis qu'il avait appris que l'unique survivant de l'explosion du volcan allait être transporté à la base de Montréal, Cédric Orléans avait accéléré les étapes de son déménagement au Québec. Puisqu'il s'était installé dans un appartement déjà meublé par l'ANGE à Toronto, il n'avait aucun mobilier à faire transporter à Longueuil. Il rassembla donc uniquement ses vêtements et quelques petits objets fétiches, dont une chaînette en or que lui avait jadis donnée sa mère. Il rapporta ensuite ses valises dans son bureau et se prépara pour la prochaine étape : annoncer à Vincent qu'il ne le suivrait pas.

Comme il s'y attendait, Cédric trouva le jeune savant assis devant la Bible, dans un coin isolé des Laboratoires. Depuis son importante découverte, Vincent ne dormait presque plus. Il passait presque tout son temps à feuilleter le gros volume, afin de voir si quelque chose avait changé.

— Du nouveau? s'enquit le directeur.

— Aodhan ne reviendra pas à Toronto. Cindy part toujours pour Jérusalem. Yannick et Océlus se font décapiter. Tu quittes bientôt pour Montréal. On m'enferme à Ottawa et Océane épousera l'Antéchrist.

Cédric était si surpris qu'il demeura muet.

— Et tu es ici pour m'annoncer que la division internationale est désormais au courant de mon don et que je dois me soumettre à leur décision de vivre chez Kevin Lucas pendant un petit moment.

— Océane épousera l'Antéchrist? répéta plutôt le patron.

– C'est la toute dernière version des passages qui la concernent. Mais si j'étais toi, je ne m'en ferais pas trop, puisqu'ils changent sans arrêt.

– J'ignore quelles seront les consignes de sécurité auxquelles tu seras soumis à Ottawa, mais j'apprécierais beaucoup suivre l'évolution de notre avenir.

– Crois-tu vraiment que quelqu'un pourra m'empêcher de communiquer avec toi?

– Je ne voudrais pas que tu subisses des sanctions.

– Ils ne s'en apercevront même pas.

Cédric se tira une chaise et prit place près de l'informaticien, de plus en plus fasciné par le phénomène angélique dont il était le témoin.

– As-tu lu tout ce livre? voulut-il savoir.

– En grande partie. J'ai un peu sauté par-dessus les paragraphes qui parlaient du passé parce qu'on ne peut pas le changer, et je ne comprends rien aux derniers passages, surtout à celui qui parle de deux reines qui se disputeront un trône de glace. En fait, je ne connais pas grand-chose à la politique mondiale, mais je vois très mal la reine d'Angleterre affronter celle des Pays-Bas pour un fauteuil gelé. À moins qu'il ne s'agisse de deux reines de beauté?

– Tu as retrouvé ton sens de l'humour, on dirait.

– C'est vrai que je me sens vraiment mieux depuis la visite de l'ange Haaiah. Il m'a donné un but dans la vie, à part échapper aux démons, évidemment.

– Tu n'éprouves donc aucune angoisse à l'idée d'aller vivre à Ottawa?

– Pas si on me laisse cette Bible.

– Les hauts dirigeants craignaient que tu te rebelles.

– L'ancien Vincent McLeod se serait probablement accroché à ton pantalon pour rester à tout prix en terrain familier.

– Pas le nouveau?

– Non. Je sais maintenant que la peur est une pure perte de temps. Elle paralyse nos gestes et même notre cerveau et nous fait faire des idioties. Je ne veux plus jamais avoir peur.

– Je n'ai donc que des félicitations à te faire, Vincent.

– Il y a cependant encore un petit bout d'ego en moi qui adore entendre ce genre de compliments, plaisanta-t-il.

– Je veux aussi que tu saches que je t'accueillerai à bras ouverts à Montréal si jamais tu as envie de reprendre du service actif.

– Merci, Cédric.

Le directeur tapota affectueusement le dos de Vincent. Il lui manquerait beaucoup.

– Fais attention à toi, lui recommanda-t-il avant de quitter les Laboratoires.

Soulagé que cette discussion se soit aussi bien terminée, Cédric retourna dans le long corridor. «Océane épousera l'Antéchrist…» se rappela-t-il, dégoûté. Il pouvait comprendre qu'en théorie, une femelle Anantas soit fortement attirée par un mâle Anantas, mais pas en sachant qu'il était le diable en personne! «Elle tient beaucoup trop de sa mère», maugréa-t-il intérieurement. Tout comme sa fille, Andromède était une femme imprévisible qui ne faisait que ce dont elle avait envie. Océane avait reçu l'ordre de tuer Asgad, pas de convoler en justes noces avec lui!

Il traversa la salle des Renseignements stratégiques en pensant aux petits-enfants qu'une telle union pourrait lui donner. «Auront-ils des cornes?» se découragea-t-il. La porte métallique de son bureau glissa devant lui. Il fit deux pas et fut violemment saisi à la gorge, par-derrière. Il se débattit aussitôt, utilisant les techniques d'autodéfense qu'il avait apprises à Alert Bay et dont il n'avait pas eu à se servir très souvent. Son assaillant le ramena brutalement contre sa poitrine et enfonça davantage ses doigts dans la partie antérieure de son cou lui causant de cuisantes douleurs. Il ne pouvait presque plus respirer.

— Cessez de lutter, fit une voix gutturale.

Cédric comprit qu'il avait affaires à un reptilien. Sous sa forme humaine, il ne pouvait rien contre ce fantastique ennemi, mais sous sa forme Anantas…

— Et écoutez bien ce que je vais vous dire, poursuivit l'agresseur.

L'inconnu ne desserra pas son emprise pour permettre à sa victime de s'exprimer. Cédric continuait à résister uniquement pour ne pas suffoquer.

— Vous allez rappeler l'agente à qui vous avez donné l'ordre de tuer l'homme politique. Il en va de sa vie.

L'intimidation ne lui faisait généralement pas remuer un cil, mais une menace proférée contre sa fille! Causant une grande surprise à son assaillant, Cédric se métamorphosa brusquement. Sa peau se couvrit d'écailles bleuâtres et il poussa un terrible rugissement.

— Monsieur Orléans, êtes-vous souffrant?

Lorsqu'il adoptait son apparence reptilienne, l'Anantas cessait de penser comme un directeur de base de l'ANGE. Des instincts bestiaux s'emparaient alors de lui et, plus souvent qu'autrement, il n'en avait aucune maîtrise. Il repoussa sauvagement le bras de l'assaillant et vit qu'il était doré comme celui d'une statue précieuse. Il fit volte-face, prêt à arracher les entrailles de cet adversaire dont il ne savait rien.

Le reptilien qui lui faisait face était couvert de petites écailles en or. Ses yeux verts étaient fendus en leur centre par une pupille verticale.

— J'aurais dû me douter que vous étiez un Anantas…

«C'est Boyden», déduisit Cédric, qui n'attendait que le moment de l'égorger.

— Mais je ne croyais pas en trouver un à un niveau si bas de la hiérarchie de l'ANGE.

— Monsieur Orléans?

— Je n'ai rien! cria Cédric, irrité.

Il s'avança lentement vers son opposant.

— Aucun *varan* n'est de votre couleur, gronda l'Anantas.

— Votre connaissance de nos peuples a bien failli vous faire démasquer.

— Pourquoi m'avez-vous menti au sujet de votre race?

— Je suis uniquement ici pour la protéger contre les imbéciles qui tentent d'instaurer un climat de terreur sur cette planète.

— Vous n'êtes pas au bon endroit.

— L'agente qui a été chargée de tuer le Prince est partie de cette base. Rappelez-la.

— Elle n'est pas sous ma juridiction.

— Si vous ne nous obéissez pas, elle sera exécutée.

— Vous n'êtes pas des traqueurs.

— Vous avez une semaine pour la sauver.

Sans crier gare, le Brasskins s'enfonça dans le plancher à la manière d'un Naga. Cédric se jeta à quatre pattes, mais fut incapable de répéter l'exploit de l'autre reptilien, car les Anantas ne se déplaçaient pas à travers le roc ou le béton. Il flaira le sol à la manière d'un fauve pour ne plus jamais oublier l'odeur de la créature dorée. Une douleur aigue à la gorge lui rappela alors que cette dernière y avait enfoncé ses griffes. Il ferma les yeux et réussit finalement à reprendre son apparence humaine. Il se remit péniblement sur pied et ouvrit la porte de sa penderie, à l'intérieur de laquelle était accroché un miroir vertical. Cédric dégagea le col de sa chemise tachée de sang bleu et vit plusieurs petites perforations. Il enleva son veston, jeta sa chemise à la poubelle et nettoya les plaies avec une solution antiseptique.

— Ordinateur, identifiez la créature qui se tenait ici, il y a quelques instants.

La machine, qui habituellement était très volubile, demeura silencieuse. Cédric sentit tous ses muscles se raidir. Seule une infiltration massive pouvait mettre le système hors circuit. Il enfila prestement un pull à col haut pour cacher ses blessures et remit son veston.

– Ordinateur, répondez-moi.

Toujours rien. Cédric s'élança vers la porte, mais elle refusa de s'ouvrir. Il fit tout de suite demi-tour et se planta derrière sa table de travail. L'écran de son appareil personnel était encore fonctionnel. Il pianota un appel de détresse au chef de la sécurité. Au bout d'un moment, qui sembla durer une éternité, Aaron Fletcher et ses hommes vinrent à son secours.

– Que se passe-t-il? s'alarma Fletcher.

– Je voudrais bien le savoir, maugréa Cédric. L'ordinateur de la base ne répond plus.

Il fonça dans la grande salle des Renseignements stratégiques. La moitié des écrans seulement étaient allumés.

– Il semble y avoir une panne de certains des circuits, lui annonça un des techniciens. Nous tentons de la localiser depuis quelques minutes.

– Pourquoi n'ai-je pas été prévenu?

– Nous avons essayé de vous contacter sans succès.

– La panne touche-t-elle uniquement les communications?

– Jusqu'à présent, c'est ce qu'il semble.

Cédric fut tenté d'avoir recours à Vincent McLeod, mais il se souvint qu'il avait un rôle bien plus important à remplir désormais. Il lui faudrait s'habituer à ne plus l'avoir à son service. Il se contenta donc de marcher de long en large derrière les techniciens comme un lion en cage, en attendant des nouvelles des équipes de réparation.

– Monsieur Orléans, nous avons un rapport préliminaire.

Cédric s'immobilisa.

– Certains fils auraient été sectionnés dans le mur ouest de la base.

«Mon bureau est de ce côté», se rappela le directeur.

– Apparemment, ils auraient été coupés par un animal quelconque. L'équipe technique ne comprend toutefois pas comment un rongeur a pu se rendre dans cet espace clos.

– Dans combien de temps l'ordinateur sera-t-il de nouveau en ligne?

– Le temps de réparer les fils et de redémarrer le système. Environ une heure, tout au plus.

Le directeur était maintenant certain que ce bris était le fait du reptilien doré, qui voulait lui servir une leçon.

– Mettez-y tous vos efforts. Il n'est pas question que je remette cette base entre les mains de mon successeur dans un état lamentable.

– Bien sûr, monsieur.

Cédric se dirigea une fois de plus vers les Laboratoires, mais pas pour importuner Vincent au sujet de l'incident. D'ailleurs, pour une raison mystérieuse, la grande salle ne semblait pas avoir subi de dommages. Les techniciens vaquaient à leurs occupations comme si absolument rien ne s'était passé. Cédric s'assit face à un écran et demanda à voir les dernières séquences enregistrées dans son bureau. L'ordinateur central lui répondit que cet enregistrement était inexistant. Pourtant, l'ordinateur lui avait parlé tandis qu'il était en présence de l'assaillant. Ce dernier n'avait peut-être pas encore rongé les fils. «À moins qu'il n'ait pas agi seul…», raisonna Cédric.

Si ces nouveaux reptiliens pouvaient s'introduire si facilement dans les bases de l'ANGE, ils représentaient une sérieuse menace pour l'Agence. Il pianota une nouvelle requête: LOCALISEZ LE NOUVEAU DIRECTEUR DE LA BASE DE TORONTO. L'ordinateur répondit que cette information n'était pas disponible. «Évidemment», soupira intérieurement Cédric.

Une jeune femme vêtue d'un sarreau blanc entra en catastrophe dans la vaste pièce et chercha quelqu'un des yeux. Elle aperçut Cédric et courut dans sa direction.

– Monsieur Orléans, le système de communication est rétabli dans votre bureau, mais pas encore dans les haut-parleurs de la base. Madame Zachariah aimerait vous parler de toute urgence.

Cédric ne prit même pas le temps de la remercier. Il s'élança dans le couloir en espérant qu'il ne s'agissait pas de l'annonce de cas similaires ailleurs en Amérique du Nord. À son grand soulagement, la porte métallique de son bureau glissa devant lui à son arrivée et se referma sans heurts dès qu'il fut passé. Le visage grave de Mithri l'attendait déjà sur l'écran géant.

– Te voilà enfin, Cédric.

– Nous avons certains ennuis techniques.

– On vient de m'en informer. J'espère que vous avez la situation bien en main.

– Les équipes ont déjà rétabli certains circuits.

– J'ai une mauvaise nouvelle à t'apprendre.

Habituellement, les reptiliens n'éprouvaient aucune émotion, mais le directeur sentit tout de même son sang se glacer dans ses veines. S'agissait-il d'Océane?

– Ton remplaçant, Kenneth Boyden, est mort dans un terrible accident, cet après-midi.

– Quoi?

– Il se rendait à la base de Toronto lorsque sa voiture a été percutée par un gros camion. Elle a quitté la route et est tombée dans un ravin.

– A-t-on retrouvé son corps?

– Mais oui, sinon je t'aurais annoncé qu'il avait disparu. Pourquoi me demandes-tu cela?

– Pour m'en convaincre, j'imagine.

– Je comprends ta déception.

– Devrai-je rester ici jusqu'à ce que vous ayez trouvé un autre remplaçant?

– Normalement, ce serait la procédure, mais monsieur Fletcher pourra assumer temporairement ce poste lorsque tu partiras pour Montréal. Dès qu'il sera remis du choc, Kevin se mettra à la recherche d'un autre candidat.

– Merci, Mithri.

– Fin de la communication.

Cédric tourna en rond pendant un petit moment.

– Ordinateur, êtes-vous de retour?

– MAIS JE NE PEUX ALLER NULLE PART, MONSIEUR ORLÉANS.

– Affichez la liste de tous les accidents qui se sont produits sur la route entre Ottawa et Toronto aujourd'hui.

– TOUT DE SUITE, MONSIEUR.

Au lieu de l'information que le directeur avait demandée, ce texte s'afficha sur l'écran géant:

CE QUI EST ARRIVÉ À KENNETH BOYDEN

POURRAIT FORT BIEN ARRIVER À OCÉANE

CHEVALIER.

– Ordinateur, d'où émane ce message?

La phrase s'effaça et, à sa place, apparut l'énumération des accidents de la route.

– QUEL MESSAGE, MONSIEUR ORLÉANS?

– Celui que je viens de voir à l'écran, juste avant cette liste.

– IL N'Y A AUCUN MESSAGE DANS MA MÉMOIRE.

Cette fois, Cédric était convaincu que les reptiliens dorés étaient des ennemis de taille, car ils manipulaient comme ils le voulaient les systèmes de communication de l'ANGE! Il n'avait plus le choix: il devait signaler son agression à la division internationale.

– Avez-vous enregistré ce qui s'est passé dans mon bureau, juste avant la panne?

L'ordinateur fit jouer sur l'écran son arrivée, le matin même, avec ses valises.

– Cet enregistrement remonte à plusieurs heures. Je veux voir celui qui a été réalisé juste avant que les fils de communication soient endommagés.

– Il n'y a rien d'autre dans ma mémoire, monsieur.

«En tout cas, ces reptiliens savent camoufler leurs traces», déplora Cédric. Ce qui pressait le plus n'était pas d'identifier son agresseur, mais de mettre sa fille en garde. Quelle était la meilleure stratégie? S'adresser à Adielle, qui avait de toute façon reçu l'ordre d'éliminer l'Antéchrist, ou tout raconter à Mithri et laisser la division internationale s'en mêler?

Il faisait déjà chaud le matin où Silvère Morin descendit de l'avion avec ses élèves. Neil et Darrell étaient vêtus comme de jeunes hommes d'affaires, en habit et cravate. Ils avaient si belle allure que toutes les femmes se retournaient sur leur passage. Mais les deux Nagas ne s'en apercevaient pas. Ils surveillaient plutôt les environs, à la recherche d'une menace potentielle. Ils suivirent sagement leur mentor à travers les douanes et les autres postes de contrôle. Ils ramassèrent leurs bagages sur le carrousel et ne se relaxèrent qu'une fois dans le taxi. Comme ils en avaient reçu l'ordre, ils ne prononcèrent pas un mot avant d'être arrivés devant l'hôtel où ils logeraient les prochains jours.

Par mesure de prudence, Silvère ne leur avait pas encore expliqué comment il procéderait pour éliminer l'Antéchrist. Ces jeunes loups curieux parlaient beaucoup ensemble, et une conversation était si vite interceptée. Le portier de l'hôtel se chargea de leurs valises sous l'œil méfiant de Neil, car elles contenaient leurs katanas en plus de leurs vêtements.

– J'ai un rendez-vous avec un homme que je dois rencontrer seul, leur dit alors Silvère.

– Non, maître, protesta aussitôt Darrell.

– Tu ne me crois pas capable de me défendre seul? le taquina le mentor.

– C'est une ville dangereuse.

– Toutes les villes le sont devenues. Allez explorer les vieux quartiers l'esprit en paix, tous les deux, mais soyez de retour pour le repas de midi.

Cela représentait une permission de trois heures, ce dont ils n'avaient jamais bénéficié depuis qu'ils étudiaient avec le vieux Naga.

– Ne parlez pas à n'importe qui, et pour l'amour du ciel, ayez l'air de jeunes Anglais en congrès à Jérusalem, leur recommanda Silvère.

– Oui, maître.

– Allez, filez.

Un sourire apparut sur le visage de Neil, tandis que Darrell ne semblait pas vouloir quitter son professeur. Neil le saisit donc par le bras et l'entraîna avec lui sur le trottoir, en direction d'un magasin de souvenirs.

– Si nous voulons avoir l'air de touristes, nous avons besoin d'une carte géographique et d'un appareil photo! s'exclama-t-il pour le dérider.

Silvère attendit que ses élèves se soient éloignés pour procéder à leur enregistrement au comptoir de la réception.

– Vos deux chambres sont déjà prêtes, monsieur Morin. Je vais y faire porter vos valises, et voici vos clés.

– Merveilleux, se réjouit le vieil homme aux cheveux blancs et aux yeux bleu ciel. Pouvez-vous aussi me dire si monsieur Mahoney vous a laissé un message pour moi?

– Oui, justement.

Le préposé lui remit une enveloppe. Silvère le remercia et s'éloigna en la décachetant. Le court message fixait leur rencontre à la terrasse d'un restaurant situé au coin de la rue. Il s'y rendit donc d'un pas tranquille, en jouant au vieux monsieur. Il ne fut pas difficile de reconnaître son contact. Comme tous les Pléiadiens, ce dernier avait les cheveux blonds comme les blés. Mahoney ressemblait à un homme dans la trentaine, mais Silvère savait parfaitement qu'il ne fallait pas se fier à l'apparence de ces êtres extraterrestres. Certains de leurs représentants, qui avaient une centaine d'années, ressemblaient encore à des adolescents.

– Monsieur Mahoney? l'aborda le Naga.

– C'est moi.

– Je suis Silvère Morin.

– Je vous en prie, asseyez-vous. Partagerez-vous le thé avec moi? C'est un mélange qu'on ne retrouve que dans ce quartier.

C'était bien la phrase avec laquelle le Pléiadien devait s'identifier auprès du Naga. Ce dernier prit place devant son contact et l'observa tandis qu'il versait la boisson chaude dans une tasse de fantaisie.

– Les temps ont bien changé, répondit Silvère, ce qui était sa phrase de reconnaissance.

– Mais nous ne perdons pas l'espoir d'améliorer notre sort.

Le vieil homme acquiesça d'un mouvement lent de la tête. Mahoney avait la même douceur que tous les autres Pléiadiens qu'il avait rencontrés dans ses gestes et dans son regard. En fait, il ressemblait beaucoup à Thierry physiquement.

– Les plans de paix de l'Israélien lui attirent beaucoup d'ennemis, déclara Mahoney, sans détour. Il y a déjà eu plusieurs tentatives d'assassinats contre lui.

– Par ceux de ma race?

– Certainement pas, sinon ils n'auraient pas échoué.

– Nous a-t-on imposé un délai précis?

– Aucun. Les anciens savent comment vous opérez. Je vous ai laissé une enveloppe dans un casier, à la gare.

Mahoney lui remit discrètement une petite clé.

– Vous y trouverez tout ce dont vous pourriez avoir besoin: cartes, plans, emploi du temps de cet homme, cartons d'invitation pour sa prochaine conférence à Jérusalem si jamais vous décidez d'y aller sans passer par les murs. Je ne vous dirai certainement pas comment faire votre travail.

Silvère fit glisser la clé dans la poche intérieure de sa veste et but quelques gorgées de thé. Il faisait vraiment un temps magnifique.

— Vous savez au moins que notre intervention ne réglera pas entièrement le problème? fit-il avec sa sagesse habituelle. Il trouvera un autre corps.

— Nous tâcherons de toujours avoir un pas d'avance sur lui, monsieur Morin. Faites-nous confiance.

— Oui, bien sûr.

Tandis que leur mentor recueillait tout ce dont ils auraient besoin pour procéder à l'exécution de Ben-Adnah, ses deux louveteaux se dirigeaient vers la vieille cité en suivant les indications de leur guide touristique, armés d'un appareil photo et de bouteilles d'eau.

Ils franchirent la porte de Jaffa puis suivirent la rue David, qui séparait le quartier arménien du quartier chrétien, avant de déboucher dans la rue de la Chaîne, qui divisait le quartier juif et le quartier musulman, à la recherche du Dôme de la Roche dont parlait leur petit livre. Ils prenaient des clichés de l'architecture des bâtiments, des étals et de tout ce qui retenait leur attention, en prenant garde de ne pas se photographier mutuellement.

Lorsqu'ils arrivèrent au bout de la rue, ils furent bien surpris de ne pas trouver le dôme doré qui dominait pourtant la colline du temple. Tout avait été rasé! Des centaines d'équipes travaillaient plutôt à l'érection de nouveaux bâtiments en pierre, dont un rempart et, en son centre, ce qui ressemblait étrangement à un temple.

— Nous avons acheté une édition périmée, soupira Neil en refermant le guide touristique.

— N'avons-nous pas vu un court reportage sur les projets du nouveau chef politique d'Israël qui parlait de la reconstruction du temple de Salomon? se rappela Darrell.

— Tu as sans doute raison. Je me demande si on peut s'en approcher.

Le chantier était en effet entouré d'une haute clôture percée ponctuellement d'entrées gardées par des soldats.

— Les touristes ordinaires ne passeraient sans doute pas, dit Neil à son condisciple en lui faisant un clin d'œil.

Ils commencèrent à marcher le long des barrières métalliques en observant le chantier par les ouvertures qu'on y avait pratiquées pour les curieux.

— Neil, ressens-tu ce que je ressens? s'étonna Darrell.

— Mon poil vient en effet de se hérisser sur tout mon corps.

— Il y a un autre Naga dans les parages.

— Nous n'avons appris qu'à suivre la trace l'un de l'autre.

— Ce n'est certainement pas plus difficile.

— Tu crois que le maître serait d'accord?

— Je pense qu'il sera plus content d'apprendre que ce matin, nous avons aiguisé nos sens de *varan* plutôt qu'avoir perdu notre temps à prendre des photos.

Les doigts légèrement écartés, les deux futurs traqueurs suivirent la faible trace d'énergie qui semblait vouloir les conduire à la tour carrée qui s'élevait à l'intersection des deux murailles toutes neuves.

— Il doit être là-dedans, devina Darrell.

— Si on allait y jeter un coup d'œil de plus près?

Les Nagas s'assurèrent que personne ne regardait dans leur direction, puis s'enfoncèrent dans la pierre. Avant de s'en détacher, à l'intérieur, ils ouvrirent les yeux dans le mur. Il n'y avait encore rien dans la pièce carrée du rez-de-chaussée. Ils y pénétrèrent donc sans risquer d'être repérés. Neil alla tout de suite vérifier l'unique porte qui donnait accès au bâtiment.

— Elle est verrouillée de l'extérieur, annonça-t-il.

— Le Naga est en haut, lui fit savoir Darrell.

Ils grimpèrent prudemment l'escalier, afin de ne pas être accueillis par un katana en atteignant l'étage supérieur. Toutefois, au lieu d'arriver face à face avec un assassin en puissance, ils aperçurent un homme endormi, assis sur le sol, le dos appuyé contre le mur. Dans la pénombre, ils virent qu'il était aussi blond qu'eux. Les jeunes guerriers s'approchèrent à pas de loup.

– C'est Théo! s'exclama Neil.

Son éclat de voix réveilla le *varan*. Celui-ci porta vivement la main sur son arme, mais les deux jeunes se laissèrent tomber à genoux près de lui et arrêtèrent son geste.

– Théo, c'est nous, Neil et Darrell! fit ce dernier.

Puisque l'aîné ne réagissait pas, Neil continua à lui rafraîchir la mémoire.

– Nous sommes des élèves de Silvère. Nous l'avons accompagné à Montréal lorsqu'il t'a arraché des griffes de Perfidia, et nous avons passé un peu de temps avec toi dans la grotte des Pléiadiens.

– Nous savons que tu as été empoisonné, ajouta Darrell, mais nous ignorons s'il existe un contrepoison.

Thierry n'allait certainement pas leur dire que seule la reine des Dracos pouvaient le composer. Ils auraient été assez fous pour tenter de s'en procurer.

– Tu es très faible, se désola Darrell.

– J'ai du mal à me nourrir en raison de l'épuisement de plus en plus grand de mon corps, répondit Thierry, dans un souffle.

Sans hésitation, Neil sortit de sa veste un petit flacon de poudre dorée. Il en versa une toute petite dose dans sa bouteille d'eau et aida Thierry à la boire. Son visage reprit aussitôt des couleurs.

– Es-tu capable de t'en procurer dans cette ville? voulut savoir Darrell.

– Je n'ai plus vraiment la force d'en prendre aux Dracos, ni même aux Neterou.

– Il faut lui en trouver une bonne quantité, décida Neil. Dis-nous où aller.

– Que faites-vous à Jérusalem, pour commencer? s'étonna l'aîné, qui se sentait de plus en plus revigoré.

– Nous ne pouvons pas te révéler notre mission, tu le sais bien, lui rappela Darrell.

– Vous êtes bien trop jeunes pour aller en mission.

– Silvère est avec nous.

– Ah…, grommela Thierry, amer.

– Il ne faut pas lui en vouloir, Théo, dit doucement Neil. Il ne fait que ce que les anciens lui demandent de faire.

– Partez, maintenant.

– Pas sans t'avoir trouvé de la poudre.

– Vous allez foutre vos propres carrières en l'air si vous restez ici. Je vous ordonne de partir.

Neil déposa sa petite fiole dans la main du légendaire Naga.

– Reprends-la! se fâcha Thierry.

– Tu en as plus besoin que moi.

Les deux jeunes s'empressèrent de redescendre au rez-de-chaussée et de retourner dans la rue. De toute façon, leurs trois heures de liberté tiraient à leur fin. Ils devaient retourner à l'hôtel et, surtout, ne pas parler de leur trouvaille, ce qui ne serait pas facile devant le regard inquisiteur de leur mentor.

...028

Le matin où Cindy Bloom lut dans le journal que le nouveau messie Cael Madden avait réussi à s'infiltrer au Canada et qu'il allait donner une prestation monstre dans un stade de Toronto, elle sauta de joie. Laissant en plan ses activités d'agente qui, de toute façon, lui pesaient de plus en plus, elle quitta la base et alla se faire une beauté à son appartement. Pour ne pas se retrouver assise tout en haut des gradins, elle partit avec une heure d'avance, passa devant toute la file qui attendait à la porte et utilisa une fausse carte d'identité la présentant comme une agente de la Sûreté nationale.

Les préposés ne comprenaient pas très bien qui elle était, mais ils la laissèrent passer quand même en la reluquant de la tête aux pieds. Cindy n'avait jamais été consciente de sa beauté naturelle. Habillée en tailleur vert et en talons haut, elle brillait pourtant comme une émeraude. Elle émergea d'un tunnel et se retrouva dans la section 119. Un escalier menait à la patinoire. Elle examina les alentours, comme elle avait été entraînée à le faire. Un tout petit groupe de techniciens préparait l'événement. Il était bien difficile de distinguer les traits des visages de ces gens, car ils étaient bien trop éloignés d'elle.

Cindy descendit donc l'escalier et se fit galamment ouvrir la porte de la bande par l'un des employés. Elle se dandina sur ses talons aiguilles jusqu'au centre de l'aréna et reconnut alors l'homme qui se tenait aux côtés de Madden.

– Aodhan? bafouilla-t-elle, surprise.

Pourquoi l'ANGE l'avait-elle dépêché à cette conférence plutôt qu'elle, qui épluchait le dossier du nouveau prophète depuis des semaines? Furieuse, elle piqua droit sur lui, avec l'intention de lui faire connaître son indignation.

– Mais qui donc nous envoie un ange? s'exclama Madden lorsqu'il la vit arriver.

La colère de Cindy tomba d'un seul coup. Elle s'immobilisa en voyant le saint homme s'avancer vers elle les bras tendus. Elle le laissa même la serrer contre lui sans se plaindre. S'il avait été un reptilien, il n'aurait eu aucun mal à l'étrangler et à s'en régaler.

– Ce vert est vraiment ravissant, la complimenta-t-il en l'éloignant doucement de lui.

– Je me nomme Cindy Bloom et le vert est une couleur que je porte depuis peu de temps.

– Bonjour, Cindy Bloom. Je suis Cael Madden, un homme qui devrait commencer à s'intéresser à d'autres couleurs qu'au blanc. Es-tu ici pour assister à la conférence ou pour me soutenir?

– Est-ce que j'ai le choix?

– Tout le monde est libre de faire ce que son cœur lui dicte. C'est justement ce dont nous allons parler aujourd'hui. J'aimerais que tu restes auprès de moi.

– Moi aussi…

Cindy entrevit alors, par-dessus l'épaule du prophète, le visage amusé de son collègue.

– Pourrais-je d'abord m'entretenir avec une personne de votre entourage que je connais bien?

– Qu'est-ce que je viens de dire au sujet de notre liberté d'action?

– Ce ne sera pas facile de m'y habituer, mais j'essaierai.

Il lui donna un baisemain et lui offrit son plus beau sourire. «J'aurais dû demander à Océlus d'emprunter son corps avant de partir pour Jérusalem», songea-t-elle en s'avançant en direction d'Aodhan. Elle se fit violence et détacha son regard de Madden. L'Amérindien ne chercha même pas à s'enfuir lorsque Cindy se planta devant lui, les mains sur les hanches.

– Que viens-tu faire ici? demanda-t-elle sans cacher sa frustration. Pourquoi Cédric t'a-t-il envoyé pour protéger Madden alors qu'il savait pertinemment que ce dossier me passionnait?

– Je suis ici de mon propre gré. En fait, l'ANGE sait probablement où je suis, parce que je porte ma montre, mais elle ne m'a pas demandé de faire ce travail.

– Je ne suis pas sûre de comprendre…

– J'ai profité de quelques jours de vacances pour aller écouter sa conférence à Washington et je pense qu'il pourrait bien remettre de l'ordre dans le chaos qui règne sur Terre en ce moment. Je l'ai aussi aidé à traverser la frontière.

– Illégalement?

– Juste un peu. À présent, il faut que je trouve une façon d'assurer son départ pour Jérusalem.

– A-t-il un passeport, au moins?

– Oui, mais il a aussi beaucoup d'ennemis.

– As-tu l'intention de l'accompagner en Terre sainte?

– Je n'en sais encore rien. Il faudrait pour cela que je demande un congé sans solde, et l'ANGE est vraiment à court d'agents en ce moment.

– Tandis que moi…

– C'est bien pire dans ton cas, Cindy. Tu es un agent fantôme. Tu appartiens à la division internationale. Ce serait à Mithri qu'il te faudrait demander cette permission.

– Premièrement, je n'appartiens à personne, et deuxième-ment, il est grand temps que j'écoute mon cœur.

– Cindy! l'appela Madden.

La jeune femme se sentit fondre de l'intérieur.

– Il a cet effet sur tout le monde, affirma Aodhan, amusé de voir sa collègue perdre tous ses moyens.

Elle cessa de l'écouter et retourna auprès du berger comme une petite brebis bien docile. Il lui tendit la main, qu'elle prit sans réfléchir, et marcha avec elle sur l'aire de la patinoire, exceptionnellement recouverte de planches en bois. Si plusieurs institutions avaient disparu après le Ravissement, les sports, eux, avaient survécu.

— J'aime bien commencer mes conférences par une prière, avoua-t-il à sa nouvelle conquête. Seras-tu à mes côtés à ce moment-là?

Cindy faillit répondre qu'elle aimerait bien rester avec lui pour le reste de sa vie, mais se secoua.

— Ce serait un honneur pour moi.

— Alors, tu es l'amie d'Aodhan?

— Collègue. Je suis sa collègue, pas son amie de cœur.

— Crois-tu en Dieu?

— Je suis juive, mais je ne pratique pas ma religion, ce qui ne m'empêche pas de croire en Dieu.

— Savais-tu que le Dieu de toutes les religions sur cette planète est une seule et même force cosmique?

— Je m'en doutais un peu, mais ce n'est pas un sujet dont on parlait beaucoup… du moins, avant que vous n'arriviez sur la scène publique.

— Viens, nous ne pouvons pas rester ici. Les gens vont bientôt se placer dans les gradins.

Elle se laissa entraîner dans la chambre des joueurs, où Aodhan les rejoignit. Il devint évident pour Cindy, au bout d'un moment, que l'Amérindien se comportait en garde du corps plutôt qu'en disciple du nouveau messie. Elle observa Madden, qui semblait se recueillir. Son silence lui fit tout de suite penser qu'il était peut-être en contact avec ce Dieu qu'il servait au péril de sa vie, comme Océlus.

Cindy lui tint la main lorsqu'il récita sa prière d'ouverture, puis elle alla s'asseoir près d'Aodhan durant son discours exalté. Madden parla pendant près de trois heures qui parurent ne durer que quelques minutes. Lorsqu'il revint vers la jeune femme, ce fut sous un tonnerre d'applaudissements. Son visage rayonnait comme celui d'un enfant. Cindy le serra dans ses bras en pleurant de joie.

– Où aura lieu la prochaine conférence? murmura-t-elle à son oreille.

– À Montréal. Seras-tu à mes côtés?

– Oui.

Elle partagea ensuite un repas végétarien avec Madden, Aodhan et quelques-uns des proches du prophète, pendant lequel ils échangèrent leurs points de vue sur la fin du monde. Au lieu de s'offenser de leurs convictions différentes de la sienne, Madden s'en amusait beaucoup. C'était un être simple, qui aimait la vie et qui ne devenait sérieux que lorsqu'il ouvrait la bouche devant des milliers de personnes. «Comme le Jeshua dont Yannick m'a parlé», constata finalement Cindy.

La jeune agente eut beaucoup de mal à quitter son nouvel ami, ce soir-là, mais il lui assura avec son sourire irrésistible qu'ils se reverraient bientôt. Aodhan voulut la reconduire chez elle, mais elle déclina son offre, préférant être seule pour réfléchir. Elle sauta donc dans un taxi et rentra à son appartement. Une fois dévêtue et prête pour la nuit, elle se prépara un thé et se coucha en boule sur le sofa du salon.

– Que veux-tu vraiment dans la vie, Cindy Bloom? se demanda-t-elle. Devenir une super espionne comme Océane? Remplacer Mithri Zachariah à la tête de l'ANGE quand j'aurai les cheveux gris? De toute façon, si j'en crois les prédictions des prophètes, je n'aurai pas le temps d'en avoir…

Depuis qu'elle s'était fait enlever deux fois par des reptiliens, Cédric ne lui faisait plus confiance. Au lieu de l'envoyer enquêter sur le terrain, il la confinait continuellement aux Laboratoires.

– Il est temps que je vole de mes propres ailes, décida-t-elle. Je veux aider quelqu'un comme Cael à sauver le monde!

Le lendemain, elle retourna à la base avec la ferme intention de mettre fin à ce chapitre de sa vie. Elle ignorait si Cédric était habilité à recevoir la démission des agents fantômes, mais elle le saurait assez rapidement. Elle se rendit directement aux Laboratoires et écrivit une longue lettre remerciant l'ANGE de lui avoir fait confiance et annonçant son départ de l'organisation le jour même. Elle l'imprima et alla la porter à son directeur en mains propres.

Cédric ne semblait pas du tout dans son assiette. Il portait un col roulé noir sous son veston gris qui, de l'avis de Cindy, ne lui allait pas bien du tout. Le directeur parcourut la lettre sans afficher la moindre émotion, puis la déposa sur sa table de travail et leva un regard interrogateur sur la jeune femme vêtue de vert de la tête aux pieds.

– Le statut d'agent ne te donne pas le droit de faire tout ce que tu veux, lui rappela-t-il.

– Je sais, mais il ne donne pas non plus à l'ANGE le droit de me laisser sécher sur une tablette. Je comprends que les temps sont durs et que même les interventions de surveillance sont risquées, mais je n'en peux plus d'être enfermée ici. J'ai envie de faire quelque chose de concret pour préserver ce qui reste de cette planète.

– Même si tu travailles physiquement à Toronto, tu relèves de la division internationale.

– Dans ce cas, j'aimerais que tu transmettes cette lettre à qui de droit. Si jamais ma démission était refusée, alors vous viendrez me chercher là où je me trouverai, car je pars tout de suite.

– Cindy…

– Il est inutile de vouloir me retenir. J'ai bien pesé le pour et le contre de ma décision. Ma place est auprès du sauveur du monde.

– Cael Madden…

– Tu devrais prendre le temps de l'écouter. La Bible nous a annoncé le retour de Jésus à la fin des temps. Eh bien, je crois l'avoir trouvé.

– Tu sembles bien décidée, alors je ne tenterai pas de te retenir. Je dois cependant te mettre en garde contre les mirages qui sont trop beaux pour être vrais.

– Merci de te soucier de moi, mais je suis assez grande maintenant pour savoir ce que je fais. Je n'oublierai jamais mon expérience auprès de vous.

Elle contourna le bureau et embrassa son directeur sur la joue, puis gambada joyeusement jusqu'à la porte qui s'effaça devant elle. Cédric se surprit à lui envier sa légèreté. Il mit sa lettre de démission de côté afin de finaliser ses propres préparatifs de départ. Ses dossiers se devaient d'être impeccables, car il ne voulait pas donner de maux de tête inutiles à Fletcher. «Comme si une telle chose était possible…», soupira-t-il intérieurement.

...029

Depuis qu'elle avait reçu l'appel de Mithri Zachariah, Adielle Tobias était profondément songeuse. La division internationale la laissait entièrement libre d'exécuter sa nouvelle directive comme elle l'entendait. «Est-ce que je veux vraiment faire cela?» se demandait la directrice de Jérusalem, découragée. C'était la première fois dans l'histoire de sa base qu'on lui ordonnait de faire tuer quelqu'un. Elle avait toujours cru que l'ANGE était une force tranquille, une société d'espionnage pacifique. Le fait qu'on lui demandait maintenant d'intervenir aussi brutalement dans les affaires politiques de son pays la portait à croire qu'elle s'était peut-être trompée sur la véritable mission de l'Agence.

En tant que dirigeante, elle aurait pu se laver les mains de cet assassinat en exigeant que son service de sécurité s'en acquitte. Cependant, une petite voix au fond d'elle-même lui indiquait de ne pas le faire. Elle comprenait l'importance de faire disparaître Asgad Ben-Adnah avant qu'il ne devienne un tyran, mais Océane? On ne tuait pas une agente uniquement parce qu'elle n'arrivait pas à accomplir sa mission. Habituellement, on la retirait du dossier...

Un directeur de base jouissait de plusieurs prérogatives, dont celle d'exécuter lui-même un ordre en provenance des échelons supérieurs de la hiérarchie de l'ANGE. Mieux encore, il pouvait agir à sa guise. Adielle décida donc de s'informer en premier lieu de la situation, se doutant que la division internationale n'en possédait pas tous les détails, n'ayant aucun agent fantôme dans la région, à part Océane.

Elle décida d'interroger Noâm Eisik, son plus fiable agent. Eisik était une véritable mine de renseignements. Il savait absolument tout sur tout. Elle le rejoignit à son poste de travail aux Renseignements stratégiques, alors qu'il épluchait justement les nouvelles internationales.

— Rien à signaler? fit Adielle en se plantant derrière lui.

— Les forces policières commencent à mater les criminels dans la plupart des grandes villes, mais on se demande par contre si elles ne sont pas elles-mêmes déjà corrompues.

— Et ici?

— Il y a encore eu des protestations contre la relocalisation des édifices religieux dans le désert, mais c'est toujours la même rengaine. Les gens n'ont pas encore compris que peu importe ce qu'ils feront, monsieur Ben-Adnah ne les ramènera pas dans la vieille cité.

— Et en ce qui le concerne?

— Il fait des ravages sur la scène politique. Plusieurs pays qu'on n'aurait jamais cru capables de s'entendre lui ont même demandé de devenir leur chef commun. J'ai fait un graphique de ses étonnantes conquêtes.

Eisik l'afficha aussitôt sur l'écran.

— Les pays en bleu sont ceux qu'il a déjà conquis.

— Comment s'y prend-il?

— Il est dit dans les Écritures que l'Antéchrist aura un immense pouvoir de séduction. Je pense qu'il est en train de nous le prouver.

— Mais il n'a encore rien fait de mal, n'est-ce pas?

— Rien qu'on puisse lui reprocher. Il guérit les malades et il sème la paix partout où il passe.

— Donc, celui qui l'assassinerait serait lapidé sur la place publique, comprit Adielle.

— C'est certain. Il serait plus prudent d'attendre qu'il commence à torturer une dizaine de personnes avant d'intervenir.

– As-tu le dernier rapport des déplacements d'Océane Chevalier ?

– J'étais justement sur le point de vous le transmettre.

– Je le lirai dans mon bureau. Merci, Eisik.

Adielle se fit un devoir de s'informer des déplacements d'Océane avant d'agir. Avant de lui faire le moindre mal, elle voulait au moins lui demander de s'expliquer. En lisant le rapport, elle remarqua que l'agente fantôme effectuait la même routine tous les jours. Il serait donc facile de l'intercepter.

Elle enfila sa veste de cuir gris sombre et remonta à la surface par l'ascenseur qui menait à l'arrière-boutique d'un petit restaurant. Elle portait un pantalon noir et un chemisier gris et blanc sous sa veste, ainsi que des bottes noires comme les écuyères. Elle se mêla donc facilement à la foule qui circulait à pied tous les jours dans les rues de la ville à la recherche de nourriture ou de travail, et se rendit d'abord à l'appartement de la jeune femme. La Québécoise vivait dans l'un des rares quartiers encore riches de Jérusalem. Le portier apprit à Adielle qu'Océane était déjà partie pour son travail et lui héla un taxi pour qu'elle puisse l'y rejoindre.

Adielle se rendit au chantier de la vieille ville, toujours aussi surprise que personne n'ait empêché Ben-Adnah de tout démolir. Il exerçait vraiment sur les gens une fascination qu'elle ne comprenait pas. Elle descendit à la porte d'accès principale, mais fut incapable d'aller plus loin. Les mesures de sécurité étaient strictes. Elle demanda donc qu'on porte un message à la grande patronne et l'attendit patiemment.

– Que fais-tu ici ? s'exclama Océane, surprise de trouver Adielle à la barrière.

– Tu es vraiment ravissante dans cette robe noire ! Viens, aujourd'hui c'est moi qui paye le déjeuner.

Océane avait suffisamment d'expérience pour ne pas poser de questions et jouer le jeu. Elle enroula son bras autour de celui de la directrice de Jérusalem et s'éloigna avec elle.

Les deux femmes attendirent de se trouver à une certaine distance des soldats avant de se parler.

– S'est-il passé quelque chose? s'alarma Océane.

– Non. Je suis ici parce qu'il ne s'est justement rien passé.

– L'ANGE ne m'a pas donné de délai pour accomplir ma mission.

Adielle la fit entrer dans un petit restaurant dont elle connaissait très bien le propriétaire. Ce dernier la salua tandis qu'elle poursuivait sa route avec son invitée jusqu'à une petite pièce en retrait. Elle invita Océane à s'asseoir à la table.

– Tu étais sérieuse pour le déjeuner?

– Je suis toujours sérieuse, l'avertit Adielle. En fait, je voulais te parler aujourd'hui parce qu'on m'a demandé de procéder à ce que tu sembles incapable de faire.

– Il est dangereux d'en parler ouvertement.

– Pas ici. Nous avons fait installer dans cet endroit de l'équipement de brouillage. On ne peut même pas se servir d'un téléphone cellulaire dans ce restaurant.

– Refuse cette tâche, Adielle. Tu ne pourras jamais t'approcher de lui.

– Avant de devenir agente puis directrice, j'étais tireuse d'élite pour la police. Je n'ai pas besoin d'être collée sur un homme pour l'abattre.

Le visage angoissé d'Océane renseigna davantage Adielle sur ses sentiments que n'importe quel plaidoyer qu'elle aurait pu faire.

– Tu es amoureuse de ta cible, soupira-t-elle.

– C'est plus compliqué que cela. Lorsqu'il est loin de moi, je trouve mille et une façon de lui arracher le cœur, mais dès qu'il est près de moi, je perds tous mes moyens.

– Tu es amoureuse de ta cible, répéta Adielle.

– Je n'en sais rien… Est-ce que tu as entendu parler des reptiliens?

– Vaguement. J'ai parcouru certains rapports émanant du Canada à leur sujet, mais ici, nous sommes plutôt aux prises avec Satan.

– Ils existent, Adielle, et il y en a des tas de races différentes.

– Tu vas maintenant me dire qu'Asgad Ben-Adnah en est un?

– Physiquement, oui. Toutefois, sa personnalité ignore sa véritable nature.

La directrice fronça les sourcils, profondément inquiète pour la santé mentale de la jeune femme.

– Avant de me traiter de folle, écoute-moi, l'implora Océane. Deux de mes anciens collègues ont avancé des théories qui, finalement, se rejoignent. Vincent McLeod s'intéressait aux reptiliens bien avant que nous en trouvions un dans le fond d'un étang à Toronto et Yannick Jeffrey nous a parlé de la résurgence de l'empire romain dès son premier jour de travail à Montréal.

– Jusque là, je te suis.

– Yannick affirme qu'avant que Satan ne s'empare du corps d'Asgad, il aura été habité par l'empereur Hadrien. Pire encore, à la base, le corps d'Asgad est celui d'un Anantas.

– Qu'est-ce que c'est?

– Un reptilien d'une haute caste ennemie des Dracos, qui contrôlent déjà la moitié de la planète.

– Et la raison pour laquelle tu es incapable d'éliminer Asgad, c'est parce qu'il est reptilien ou parce que les Dracos veulent le faire eux-mêmes?

– Oublie tout ce que je viens de dire. Je le tuerai moi-même à son retour de Grèce.

Océane voulut se lever, mais vive comme l'éclair, Adielle lui saisit le bras et l'obligea à s'asseoir. Sa force musculaire étonna l'agente fantôme.

– Finis ce que tu as commencé, ordonna-t-elle.

– Tu ne me croiras pas, de toute façon.

— Après ce que Yannick Jeffrey m'a fait vivre l'an passé, disons que j'ai l'esprit beaucoup plus ouvert qu'auparavant.

Océane prit une profonde inspiration.

— Ce que je désirais le plus au monde, c'était travailler pour la division internationale. Alors, lorsque cette mission s'est présentée, je l'ai acceptée sans réfléchir. Un ami Naga m'avait pourtant prévenue que je serais incapable de résister au charme d'un mâle Anantas parce que j'ai quelque gouttes du même sang dans mes veines.

— Toi? Une reptilienne?

— Mon père l'est, mais pas ma mère, et cela ne fait pas très longtemps que je sais qui sont mes véritables parents. Ce fut tout un choc, crois-moi, mais finalement, cette révélation n'a rien changé à ma vie, puisque je suis incapable de me métamorphoser en monstre couvert d'écailles.

— Ils se métamorphosent? s'horrifia Adielle.

— Oh que oui. Si j'avais cette faculté, je t'en ferais la démonstration ici même.

— Qu'est-ce qu'un Naga?

— C'est une autre race de reptiliens.

— Et l'un d'eux est ton ami?

— Mon dernier amant, en fait, mais au début, je l'ignorais. J'ai eu une peur bleue, la première fois que je l'ai vu sous son autre forme. J'ai cru que j'allais perdre la raison.

Adielle intégra rapidement ces renseignements.

— Si je comprends bien, fit-elle en appuyant sur chaque mot, tu n'arriveras pas à tuer Ben-Adnah parce qu'il te subjugue.

— Je n'ai pas dit que je n'y parviendrais pas. C'est juste plus difficile en raison de son charme déroutant. Mais je travaille là-dessus.

— Et si je te facilitais la vie en le faisant pour toi? Moi, je n'éprouve absolument aucune attirance pour l'Antéchrist.

Océane se rappela alors les paroles d'Océlus…

– Je pense que nous serions plus efficaces si nous procédions en tandem, suggéra-t-elle, car il y a un autre sombre personnage dans l'entourage d'Asgad, et celui-là est dans tes cordes.

– Un démon?

– Quelqu'un qui protège notre homme politique avec de la magie noire, et tous ceux qui entrent en contact avec lui en sont affectés.

– Tu me proposes de tuer le démon pendant que tu anéantiras l'Antéchrist? s'étonna Adielle.

– Quelque chose du genre...

– J'ai besoin d'un visage, d'une adresse et d'un itinéraire.

– Donne-moi un peu de temps. Asgad revient de Grèce dans quelques jours. J'identifierai ce sorcier de malheur et tu lui feras tout ce que tu voudras.

– Je suis bien contente que personne ne puisse nous entendre dans cette pièce.

– Moi aussi, parce qu'il y a plus encore...

Adielle, qui avait une grande facilité à deviner les émotions des gens en observant simplement leur visage, vit Océane passer de l'inquiétude à la peur.

– On m'a fait des menaces, avoua l'agente.

– D'où émanent-elles?

– D'une race de reptiliens dont je n'ai jamais entendu parler avant qu'un de ses représentants ne tente de me tuer dans la rue, juste avant le couvre-feu.

– Que veulent-ils, ceux-là?

– Ils ne souhaitent pas la mort d'Asgad, car ils croient stupidement que la paix qu'il est en train d'instaurer durera. Ils ont dit qu'ils me tueraient si j'attentais à sa vie.

– Alors, je me chargerai donc du démon et de l'homme d'affaires.

– Je ne suis pas une froussarde...

«L'expression de son visage dit pourtant le contraire», remarqua Adielle.

– ... et je m'en voudrais qu'ils commencent à s'en prendre à l'ANGE.

– Si les reptiliens existent, il faudra bien que l'Agence entame des négociations avec eux, tôt ou tard.

– Personnellement, j'aimerais mieux «tard».

– Voici ce que je propose. D'ici deux semaines, si tu n'as pas accompli ta mission, je frapperai sans prévenir.

Océane hocha doucement la tête pour acquiescer et espéra de tout son cœur ne pas regretter cette entente. Le restaurateur arriva juste à ce moment-là pour leur servir la spécialité de la maison en leur chantant une belle chanson d'amour en hébreu, ce qui fit finalement sourire les deux femmes. Tenaillée par la peur, Océane était également soulagée d'avoir pu enfin se confier à une autre personne. Il ne lui restait plus maintenant qu'à rassembler son courage pour aller jusqu'au bout de son destin.

...030

Vincent McLeod visita son nouvel appartement en compagnie de Kevin Lucas, mais n'y prêta aucune attention. Il continuait de tenir sous son bras l'exemplaire de la Bible où l'ange Haaiah continuait d'effectuer des modifications. L'endroit était coquet, mais les pièces étaient relativement petites. De toute façon, l'informaticien se doutait bien qu'il y passerait très peu de temps. Il suivit ensuite le directeur de la division canadienne jusqu'à la base d'Ottawa, dont l'entrée se situait à une rue à peine du Parlement.

«Elles se ressemblent toutes», songea Vincent en regardant par la fenêtre de la berline où il avait pris place avec Kevin. Un immense couloir en béton menait dans un garage souterrain comme à Toronto et à Montréal, jadis. Seule la base d'Alert Bay ne possédait pas d'accès pour les véhicules motorisés.

— Je ne te dirai jamais assez à quel point nous sommes contents que tu aies accepté de te joindre à l'équipe canadienne, lança soudain le directeur.

«Comme si j'avais eu le choix», pensa Vincent.

— Nous avons rassemblé une équipe qui te facilitera la tâche, poursuivit Lucas.

— Je vous ai pourtant averti que j'étais le seul qui pouvait voir le nouveau texte à travers l'ancien.

— Oui, certes, mais tu perds du temps à entrer les modifications dans l'ordinateur. Les techniciens que nous avons mis à ta disposition te rendront la vie facile, car tu n'auras qu'à lire les passages à voix haute et ils les transcriront pour toi.

«Ce n'est pas une mauvaise idée», en convint intérieurement le savant.

Il suivit le directeur dans le long corridor gris en devinant à l'avance les noms écrits sur les diverses portes, puis entra dans la salle des Laboratoires canadiens, où l'attendaient cinq jeunes femmes en sarrau blanc.

— Mesdemoiselles, je vous présente Vincent McLeod, s'exclama fièrement Lucas. Le sort de l'humanité repose entre ses mains.

— Je suis Jessica, fit l'une des techniciennes en lui tendant la main.

La jeune femme aux grands yeux maquillés à outrance sautait presque sur place tant elle était excitée. L'informaticien libéra un de ses bras pour répondre à son invitation tout en continuant à presser de l'autre la Bible contre ses côtes.

— Enchanté de faire votre connaissance, répondit-il en rougissant.

— Moi, c'est Isabelle, fit sa voisine.

Il salua de la même façon Nathalie, Line et Catherine.

— Je veux évidemment être tenu au courant de toutes vos trouvailles, exigea Lucas. Maintenant, au travail.

Vincent attendit que le coloré personnage ait quitté la salle avant de déposer son précieux butin sur la table de travail.

— Est-ce vrai qu'il vous parle? le questionna Nathalie.

— Non… enfin, plus maintenant. Ce sont les lettres qui se réorganisent pour faire des mots différents. C'est très dur pour mes yeux.

— Avez-vous lu toute la Bible? demanda Line.

— Je n'ai pas encore eu l'occasion de me rendre jusqu'à la dernière page, en raison de toutes les modifications que je dois consigner tous les jours.

— Mais maintenant que vous n'êtes plus seul, je suis certaine que vous y arriverez! s'exclama Jessica avec enthousiasme. Nous avons tout prévu. Le directeur a mis à notre disposition les ordinateurs les plus performants, ce qui nous permettra de transcrire les passages au fur et à mesure que vous les dicterez à chacune d'entre nous! Je suis certaine qu'ensemble, nous arriverons à sauver le monde!

– Commençons par le commencement, d'accord?

Les filles retinrent leur souffle alors que le savant ouvrait le livre saint. Elles poussèrent un cri de surprise lorsque les pages se mirent à tourner d'elles-mêmes, avant de s'arrêter aussi brusquement qu'elles s'étaient animées. Le tourbillon des caractères d'imprimerie se produisit de nouveau, hypnotisant Vincent. Puis les mots se placèrent à la suite les uns des autres.

– Le grand serpent, sous ses airs de brebis…, commença-t-il à lire.

Jessica se précipita sur son ordinateur et commença à transcrire les paroles de Vincent.

– …utilisera sa magie pour asservir les nations. Elles acclameront son nom et chanteront ses louanges, déclenchant ainsi une guerre sanglante entre les deux races de dragons.

– Qu'est-ce que cela signifie? s'étonna Catherine.

– Je n'en ai aucune idée…, avoua Vincent, encore plus surpris qu'elle.

Toutefois, lorsque cette première transcription arriva finalement sur le bureau de Mithri Zachariah en fin de journée, la grande dame comprit immédiatement que ce document était relié aux quelques secondes d'enregistrement qu'elle venait de recevoir de Toronto. Aucune explication n'avait accompagné cette vidéo. Aucune annonce de la part de l'ordinateur central de l'ANGE ne l'avait préparée non plus aux images qui s'étaient brusquement affichées sur son écran. Mithri avait heureusement eu la présence d'esprit de presser sur le bouton d'enregistrement de sa console. Elle n'avait pas pu conserver le début de la séquence, mais les quelques trames qui en restaient avaient suffi à l'alarmer. Dans le bureau du directeur de la base de Toronto, une créature à la peau dorée ressemblant à un lézard géant avait attaqué Cédric Orléans par-derrière. Ce dernier s'était débattu comme un forcené, ce qui avait tout de suite convaincu Mithri qu'il ne jouait pas la comédie. Elle avait d'abord pensé qu'un des employés de Cédric avait voulu lui jouer un tour, jusqu'à ce qu'elle voit le visage de son directeur se transformer lui aussi.

Mithri n'était pas sans savoir qu'une image pouvait être facilement truquée par un informaticien habile comme Vincent McLeod. Mais pour quelle raison se serait-il donné tout ce mal? Il n'avait nul besoin de prouver sa théorie sur les reptiliens à qui que ce soit, puisque le docteur Adam Wallace en avait déjà disséqué deux. Malgré tous les efforts des techniciens de Genève, personne n'arrivait à retracer la provenance de cette soudaine transmission. De plus, si Cédric s'était vraiment fait attaquer dans son bureau, il en aurait certainement informé ses supérieurs.

Après avoir visionné la courte vidéo une vingtaine de fois, la directrice de l'Agence se résolut à demander des explications à l'unique acteur de ce drame qu'elle pouvait clairement identifier.

– Ordinateur, mettez-moi en communication avec Cédric Orléans.

– Tout de suite, madame Zachariah.

Elle ne savait pas encore comment aborder le sujet avec ce directeur qui attirait les étrangetés avec une facilité déconcertante.

– Que puis-je faire pour vous, Mithri?

La grande dame observa le visage impassible de Cédric sur l'écran et soupira avec découragement.

– Dites-moi qu'il n'est rien arrivé à Océane, s'inquiéta-t-il.

– Rassure-toi, je n'ai aucune nouvelle d'Adielle pour l'instant. Il s'agit d'une toute autre affaire à laquelle tu sembles mêlé.

– Je vous écoute.

– Vincent a fait quelques découvertes intéressantes aujourd'hui dans la Bible. Certaines sont claires comme du cristal, et d'autres le sont moins.

– Lesquelles me concernent-elles?

Mithri lui récita l'extrait sur le grand serpent et la guerre entre deux races de dragons.

– J'ai d'abord pensé qu'il s'agissait de puissantes nations, jusqu'à ce que je reçoive anonymement un bout de film sur le réseau de l'ANGE.

– Rien de ce qui circule entre les bases n'est anonyme, Mithri. Nos systèmes n'acceptent pas de traiter les communications qui n'identifient pas leur expéditeur.

– Je connais cette mesure de sécurité aussi bien que toi, sauf qu'elle n'a apparemment pas fonctionné cette fois-ci. Non seulement je ne sais pas qui m'envoie ces images ou pourquoi, mais je n'arrive même pas à comprendre ce qu'elles représentent. Peut-être pourras-tu m'aider?

– Vous avez à votre service les meilleurs techniciens au monde. Pourquoi avoir recours à moi?

– Regarde bien.

Cédric fut saisi de stupeur lorsqu'il aperçut la courte scène qui, heureusement, n'était pas accompagnée de sons.

– Peux-tu m'expliquer ce dont il s'agit? demanda la grande dame.

– Pas sur le vidéophone, se contenta de répondre Cédric, livide.

– Un groupe ou une personne exercent-ils un chantage sur toi?

– Il est préférable que je ne dise plus rien.

– Je peux comprendre ta méfiance, maintenant que nous savons que quelqu'un a réussi à déjouer nos systèmes de sécurité. Je te verrai donc à Montréal, si tu y es en poste à la fin de cette semaine.

– Il est fort probable que j'aurai repris mes anciennes fonctions à ce moment-là.

– Fin de la communication.

Le visage de la directrice internationale fut remplacé par le logo de l'ANGE sur l'écran. Cédric fut incapable de bouger pendant de longues minutes. Ce qu'il avait le plus craint toute sa vie venait de se produire : l'ANGE venait de voir son véritable visage, celui dont il avait si honte et qu'il s'était efforcé de cacher à tout le monde.

– Je n'ai plus d'avenir…

Était-ce pour cette raison que la Bible de Vincent parlait d'incertitude dans son cas ? Elle prédisait qu'il serait forcé de choisir entre son fauteuil de directeur et le trône qui lui revenait de droit… L'ANGE lui permettrait-elle de poursuivre son travail tout en sachant qu'il était en réalité un sanguinaire Anantas ? S'il avait été un Naga comme Thierry Morin, il aurait pu continuer à se battre dans le camp des humains. Mais le seul autre Anantas qu'il connaissait allait bientôt semer la terreur sur la Terre entière, et selon toute probabilité, il était lié à ce monstre par le sang.

«Je n'aurais jamais dû faire partie de cette organisation», se reprocha Cédric, dégoûté de lui-même.

– Ordinateur, qu'elle est la provenance du court film qui vient de m'être envoyé par madame Zachariah ?

– Il a été transmis à partir de votre bureau, monsieur Orléans.

– Par qui ?

– Cette information n'est pas disponible.

– Pour quelle raison ?

– Cette information n'est pas disponible.

L'ordinateur lui avait pourtant affirmé, quelques minutes après la visite du reptilien doré, qu'il n'y avait eu aucun enregistrement vidéo ou audio de l'agression. Cédric commença à se demander si le cœur du processeur de sa base avait été saboté par son attaquant.

— Ordinateur, procédez à la vérification complète de tous les systèmes.

— Cela entraînera la fermeture de plusieurs postes de travail pendant quelques heures.

— Faites-le maintenant.

— Tout de suite, monsieur Orléans.

Cédric regrettait déjà de ne plus avoir Vincent McLeod à son service.

...031

Devant une foule de représentants issus de treize pays d'Europe et du Moyen-Orient, Asgad Ben-Adnah reçut le titre de Président de l'Union eurasiatique. À partir de ce jour, tous les dirigeants de ces états ne bougeraient plus le petit doigt sans sa bénédiction. À l'intérieur du corps de l'homme d'affaires israélien, l'empereur Hadrien jubilait. L'univers était bien plus vaste que lorsqu'il régnait sur cette partie du monde. Les caméras qui filmaient l'événement le retransmettaient dans des contrées où il n'avait jamais encore mis les pieds.

Il prononça son premier discours en tant que Président de l'Union nouvelle, promettant d'instaurer une paix durable dans ces contrées qui avaient trop longtemps connu les horreurs de la guerre. Toutefois, ce fut surtout sa dernière promesse qui causa des remous dans les organisations de protection nationale comme l'ANGE.

— Mon mandat sera surtout fondé sur la transparence. J'expulserai tous ceux qui trameront des complots contre d'autres personnes ou contre moi. Je ne tolérerai pas non plus la présence de sociétés secrètes sur mon nouveau territoire. J'offrirai même d'importantes récompenses à ceux qui les dénonceront!

En retrait, à sa droite, le docteur se mit à l'applaudir en même temps que tous ceux qui s'étaient entassés dans la salle de conférence. Antinous se tenait près de lui, blême et fragile. L'opération magique qu'Ahriman avait pratiquée sur lui avait effacé une partie de sa mémoire, si bien qu'il ne se rappelait plus qu'il devait se méfier de ce sombre personnage.

Asgad était soulagé qu'il n'y ait plus de dispute entre eux, mais il se désolait de l'attitude trop soumise de l'adolescent. Le Antinous qu'il avait connu jadis, même s'il était très doux, était plus enjoué, plus téméraire.

Un des seconds du président de la Grèce vint alors lui remettre un message. Asgad, qui ne lisait pas encore assez bien les langues modernes, le glissa dans la poche de son veston. Il descendit ensuite dans la foule pour répondre aux questions plus personnelles de ses nouveaux sujets. Ahriman le surveilla étroitement, même s'il s'était assuré, à l'arrivée de tous ces gens, qu'ils ne portaient aucune arme sur eux. Sur les plaines célestes, Satan perdait progressivement du terrain et le temps viendrait où il chercherait refuge sur Terre. Il était primordial que rien de fâcheux n'altère son nouveau corps.

Asgad présida aussi le dîner en l'honneur de sa nouvelle nomination. À sa gauche, Antinous picorait dans son assiette sans s'intéresser le moindrement du monde à ce qui se passait autour de lui. L'entrepreneur l'ignora jusqu'à ce qu'il soit enfin seul avec lui dans leur suite désormais bien gardée par des soldats grecs.

– Souris un peu, mon adoré, susurra Asgad.

– Je n'en ai pas le cœur et je ne sais même pas pourquoi, soupira le jeune Grec en se défaisant enfin des souliers qui meurtrissaient ses pieds.

– Une nouvelle ère s'ouvre devant nous, Antinous. Bientôt, nous pourrons rentrer à Rome où nous habiterons une immense villa.

Si ses démêlés avec Ahriman avaient été effacés de sa mémoire, un autre souvenir continuait cependant à le hanter.

– Y aura-t-il aussi une chambre pour votre maîtresse? lâcha-t-il, au grand étonnement d'Asgad.

– Tu voudrais que j'en prenne une?

– Je sais qu'une femme occupe déjà votre cœur, monseigneur. J'ai senti son parfum sur vos vêtements. Je l'ai même rencontrée le soir où on a tenté de vous tuer.

– C'est une belle femme qui ne me laisse pas indifférent, mais je ne suis pas prêt à dire que c'est ma maîtresse.

– J'ai écouté ce que les gens disaient dans votre dos tout à l'heure.

– Je suis bien content d'apprendre qu'une parcelle des réjouissances a retenu ton attention, fit Asgad sur un ton réprobateur.

– Les gens n'ont pas vraiment changé même s'ils ne s'habillent plus comme avant. Ils continuent à se prosterner devant vous uniquement pour obtenir des faveurs.

«Est-il en train de se libérer du sort que le magicien lui a jeté?» se demanda Asgad en l'entendant s'affirmer ainsi.

– Ils se demandent qui je suis, poursuivit Antinous. Certains pensent que je suis votre fils illégitime, d'autres croient que vous vous adonnez à des plaisirs pervers.

– Nous ne pourrons jamais empêcher les autres de médire, mon petit. Cela fait malheureusement partie de la nature humaine. Mais lorsqu'on est vraiment fort, on s'élève au-dessus de ces calomnies. Toi et moi savons que notre relation est spéciale.

– Autrefois, vous aviez fait taire les langues de vipère en vous mariant.

– Est-ce ce que tu voudrais encore me voir faire?

– Je ne peux malheureusement pas vous donner d'héritier.

– Je te concède ce point. Mais il y a d'autres considérations importantes dans un mariage, surtout dans cette société moderne. Jadis, les femmes faisaient ce qu'on leur commandait de faire. Les choses ont bien changé, Antinous.

– Vous exercez un curieux pouvoir sur les gens, monseigneur.

– Explique-toi, mon petit.

Antinous alla s'asseoir sur un pouf, ramenant ses longues jambes contre sa poitrine.

– Autrefois, c'était le ton de votre voix qui faisait trembler vos serviteurs. Aujourd'hui, ce sont vos yeux qui les contraignent à vous obéir.

– Mes yeux? s'amusa Asgad. J'aurai tout entendu.

– Je n'affirme rien que je sais être faux. Vous n'avez qu'à regarder quelqu'un pour qu'il ne cherche qu'à vous plaire. Si vous ne me croyez pas, faites-en l'essai.

– Très bien.

Asgad marcha jusqu'à la porte de la suite, l'ouvrit et planta son regard dans celui d'un des deux soldats qui montaient la garde.

– Allez me chercher de la glace au chocolat, ordonna-t-il.

– Oui, monsieur le président, répondit l'homme, hypnotisé.

Il quitta son poste malgré les ordres formels qu'il avait reçus. Son compagnon se tourna aussitôt vers Asgad avec l'intention de lui expliquer que sa sécurité passait avant ses fringales nocturnes.

– Dansez pour moi, lui commanda l'Israélien.

Le soldat s'exécuta sur-le-champ.

– Vous pouvez reprendre vos fonctions, l'arrêta Asgad avant de réintégrer sa suite.

Antinous était toujours pelotonné sur le pouf, le visage triomphant.

– Depuis quand ai-je ce pouvoir? voulut savoir l'entrepreneur, désarçonné.

– Depuis que vous avez recommencé à faire de la politique.

– C'est donc ainsi que j'ai réussi à me garantir la collaboration de tous ces gouverneurs…

– Et de votre maîtresse.

Asgad lui jeta un regard de côté.

– Tu ne me laisseras donc pas tranquille avec ça.

– À Rome, en épousant Sabine, vous aviez fait taire les critiques.

– Il est vrai que l'image d'un grand homme politique avec une femme dans son ombre est toujours très appréciée.

Asgad marcha jusqu'à la fenêtre du balcon en réfléchissant.

— Mais avant de la demander en mariage, j'aimerais faire les choses comme il se doit. Jusqu'à présent, je ne l'ai fréquentée que quelques fois, et toujours dans la plus grande intimité. Je ne peux pas la présenter spontanément au public comme étant mon épouse. Elle doit être au moins avec moi lors des grandes occasions.

Il pivota vers son jeune ami.

— Qu'en penses-tu, Antinous?

— Est-ce que je pourrai avoir la glace au chocolat lorsque le soldat reviendra?

Asgad éclata de rire. Il revint vers l'adolescent, le souleva dans ses bras et le serra affectueusement contre lui.

— Je suis content de constater que ton sens de l'humour est enfin revenu! s'exclama-t-il.

Ils partagèrent le parfait livré par le gardien, puis se mirent au lit, fourbus. Au matin, ils furent réveillés par la sonnerie du téléphone, qui leur rappela qu'ils devaient se préparer à partir pour l'aéroport. Asgad aurait préféré rentrer en bateau, mais il se plia volontiers aux dispositions que le président grec avait prises pour lui.

Antinous ne remarqua même pas que le docteur Wolff leur avait faussé compagnie. Il suivait docilement son protecteur, montrant ses nouveaux papiers quand on le lui demandait et répondant poliment à toutes les questions de l'hôtesse de l'air. Il n'aimait pas vraiment se déplacer dans les airs, mais il ne pouvait pas non plus se passer de Hadrien.

Benhayil les accueillit à l'aéroport et les conduisit jusqu'à la limousine noire de l'homme d'affaires. Il semblait de bien meilleure humeur depuis leur dernière rencontre.

— On dirait que tu as pris des vacances, Pallas, souligna Asgad en prenant place dans le gros véhicule.

— Au contraire, monsieur. J'ai remis de l'ordre dans vos affaires.

— Est-ce une bonne nouvelle? le taquina Asgad.

Le secrétaire se réjouit intérieurement de le voir d'aussi belle humeur.

– J'ai préparé votre emploi du temps des deux prochaines semaines, annonça-t-il en lui remettant une feuille imprimée. Vous serez sans doute content d'apprendre que le premier ministre de l'Italie veut vous rencontrer.

«Italia…», savoura silencieusement l'empereur.

– Pas de nouvelle de Germania ou de Gallia?

Benhayil avait heureusement pris le temps de s'informer des anciens noms que portaient les pays modernes, afin de comprendre son employeur lorsqu'il y faisait référence.

– Non, monsieur, l'informa-t-il. Désirez-vous que je communique avec leurs dirigeants?

– Pas pour l'instant, Pallas. Je préférerais qu'ils viennent vers moi d'eux-mêmes.

– Oui, bien sûr.

La limousine se mit en route, précédée par des policiers montés sur des motocyclettes. Asgad aimait bien sa maison de Jérusalem, mais il avait hâte de retourner s'installer à Rome, qu'il n'avait pas revue depuis des lustres.

– En rentrant, trouve-moi de grandes feuilles pour que je puisse dessiner les plans de mon nouveau palais, ordonna-t-il à son secrétaire.

– Vous les aurez, assura Benhayil.

Lui aussi avait remarqué l'absence du sombre médecin de son patron, mais il n'avait pas l'intention d'en parler devant Asgad. Assis près de son mentor, Antinous semblait moins craintif qu'à son départ. Il regardait dehors avec plus de curiosité que d'appréhension. «Il s'acclimate enfin», se réjouit Benhayil.

La voiture ne s'arrêta qu'à la villa de Jérusalem, où les attendaient deux soldats de l'armée israélienne. Les policiers formèrent deux lignes jusqu'au portail, armes au poing, attirant les regards des passants. Dès qu'il reçut le signal que l'homme politique ne risquait rien, Benhayil fit sortir Asgad et Antinous de la limousine et leur ouvrit les grilles. Le convoi de policiers ne s'éloigna que lorsque ces dernières furent de nouveau refermées. Les deux soldats prirent la relève, se tenant bien droit devant l'entrée.

Asgad marcha sans se presser aux côtés de son secrétaire.

– Quelqu'un vous attend au salon, lui apprit ce dernier.

– Était-ce inscrit à mon agenda?

– Non, monsieur. Elle voulait que ce soit une surprise.

– Elle?

– Elle m'a menacé de mort si je vous révélais son nom.

– Très intéressant…

Antinous gambada jusqu'à la porte, pressé de troquer ses vêtements civils contre son chiton. Il traversa l'entrée sans rien remarquer d'inhabituel et commença à grimper l'escalier qui menait aux chambres. Une seconde plus tard, Asgad et Benhayil entraient dans le vestibule désormais décoré à la grecque. Antinous s'immobilisa sur la quatrième marche en reconnaissant le parfum d'Océane. Comment osait-elle mettre le pied dans leur maison sans y avoir été invitée! Il fit volte-face avec l'intention de s'en plaindre à l'empereur lorsque trois monstres verts sortirent des murs, armés de longues épées minces.

– Non! hurla l'adolescent en s'élançant au secours d'Asgad.

Benhayil utilisa aussitôt sa mallette en cuir pour frapper l'un des attaquants, mais le Naga la dévia et frappa le secrétaire au visage avec son coude, l'assommant d'un seul coup. Les hurlements d'Antinous déconcentrèrent momentanément le trio meurtrier. Avant de s'attaquer à Asgad, qui reculait vers la porte, l'un des reptiliens fit subir au jeune Grec le même sort qu'à Benhayil. Antinous s'effondra sur le sol, inconscient.

– Asgad! cria une femme de la porte du salon.

En apercevant Océane, le visage crispé devant ce terrifiant spectacle, le mâle Anantas qui sommeillait au cœur d'Asgad se réveilla. «Personne ne fera de mal à ma future épouse!» clama-t-il intérieurement. Sans s'en rendre compte, il se transforma instantanément en reptilien d'un bleu métallique et attaqua les trois Nagas avec ses griffes et ses dents, évitant habilement leurs coups de sabre. Paralysée dans le chambranle de la porte du salon, Océane n'osait même plus respirer. Elle n'était pas armée et, de toute façon, elle ne sentait pas de taille à se battre contre trois Nagas à la fois!

L'un des attaquants entailla finalement l'épaule d'Asgad, redoublant sa fureur. D'un geste inattendu, il s'empara de l'un des reptiliens verts en plantant ses griffes dans sa gorge et s'en servit comme bouclier pour décourager les deux autres. Sa victime émit un sifflement déchirant, qui fit reculer ses congénères. Son deuxième grincement fut étouffé par le sang qui noyait inexorablement ses poumons. Au lieu de venir en aide à leur camarade, les Nagas prirent peur et s'enfoncèrent dans les murs. Au même moment, on frappa furieusement sur la porte.

Asgad lâcha sa proie, qui s'affaissa lourdement sur le sol. À bout de force, car il avait perdu beaucoup de sang, il fit quelques pas vers Océane et s'écroula à ses pieds. Heureusement que ce sang bleu ressemblait à de l'encre, sinon il lui aurait été impossible d'en justifier la provenance. En heurtant le plancher en marbre, l'Anantas reprit aussitôt sa forme humaine. La jeune femme se jeta à genoux près de lui. Elle le retournait sur le dos lorsque les deux soldats enfoncèrent enfin la porte.

– Les mains en l'air! crachèrent-ils en pointant leur arme sur Océane.

Elle leur obéit sur-le-champ afin de ne pas être fauchée par leurs mitraillettes.

– Ce n'est pas moi, c'est lui, se défendit-elle.

Ils jetèrent un coup d'œil au vieillard qui gisait non loin, couvert de sang rouge!

– Relevez-vous! ordonna l'un d'eux. Et gardez vos mains en l'air!

– Appelez 911! hurla Océane, démontée. Vous ne voyez pas qu'ils sont tous gravement blessés?

– Elle travaille pour lui, chuchota l'un des soldats, hésitant.

– Je suis aussi une amie intime de monsieur Ben-Adnah! leur apprit-elle.

Les soldats l'avaient laissée entrer, car elle n'était pas armée. Les avait-elle distraits suffisamment longtemps pour que ce vieillard s'introduise dans la maison? Dubitatifs, ils appelèrent des secours sur leur petite radio et emmenèrent Océane dehors, après lui avoir attaché les mains dans le dos. Lorsqu'ils retournèrent à l'intérieur avec les ambulanciers, quelques minutes plus tard, le vieil homme avait disparu!

...032

Certain qu'il ne serait plus longtemps employé par l'ANGE, Cédric Orléans accéléra les procédures de son départ. Ses bagages étaient prêts, ses dossiers en ordre. Il réserva une voiture, jugeant qu'il ne méritait pas de prendre le jet privé de l'Agence, puis réunit tout son personnel aux Renseignements stratégiques, une fois que les quatre nouveaux agents fraîchement cueillis à Alert Bay furent arrivés. Au garde à vous, tous les techniciens et les membres de la sécurité attendaient sagement son dernier discours.

— Comme la plupart d'entre vous le savent déjà, j'ai accepté temporairement la direction de cette base en remplacement d'Andrew Ashby, jusqu'à ce que la mienne soit reconstruite à Montréal. Elle est maintenant prête à me recevoir. Les hauts dirigeants avaient finalement trouvé un nouveau directeur pour la base de Toronto, mais il a connu une fin tragique dans un accident de la route il y a quelques jours. Ils sont donc à la recherche d'un nouveau candidat. Aaron Fletcher assurera l'intérim jusqu'à ce qu'ils vous envoient quelqu'un.

Cédric avait au moins pris le temps de s'informer des noms des nouveaux agents qui se tenaient sagement de chaque côté de lui. Les temps avaient beaucoup changé, car autrefois, on n'aurait jamais assigné quatre recrues à la même installation.

— Depuis la disparition massive d'un tiers de la population mondiale, l'Agence, tout comme un nombre incalculable d'organisations, a dû surmonter d'énormes difficultés. Nous avons perdu l'agent Jeffrey, qui a décidé de se vouer à Dieu.

Les employés hochèrent doucement la tête avec admiration.

— L'agent Chevalier est désormais au service de la division internationale. L'agent McLeod travaille pour sa part à Ottawa, où sa nouvelle mission est de nous tenir informés des dernières prédictions de la Bible. Quant à l'agent Bloom, elle nous a quittés ce matin pour suivre sa voix intérieure. Il ne restait plus que l'agent Loup Blanc, mais il a été muté à Montréal. Pour que vous ne soyez pas sans agents jusqu'à l'arrivée de votre nouveau directeur, Alert Bay nous a généreusement envoyé ses quatre meilleurs élèves. Je vous les présente immédiatement. À ma droite, voici les agents John Platt et Emma Slater, et à ma gauche, les agents Cordell Quinn et Flavie Arnaud. Je compte sur vous pour terminer leur formation.

Aaron Fletcher fut le premier à leur serrer la main. Le reste du personnel leur emboîta le pas. Cédric attendit patiemment que tous les employés leur aient souhaité la bienvenue, puis s'adressa aux nouveaux venus.

— Vous êtes maintenant chez vous, leur dit-il. Monsieur Fletcher travaille ici depuis toujours, alors n'hésitez pas une seule seconde à vous adresser à lui. Il connaît toutes les réponses.

— Il y a encore des trucs que je n'ai pas compris, plaisanta le chef de la sécurité.

Cédric se tourna finalement vers le vétéran.

— Je ne suis pas à l'autre bout du monde et je suis accessible en tout temps, lui dit-il.

— Je ne ferai appel à Montréal que si je suis vraiment en difficulté.

— Merci pour tout, Aaron.

Ils échangèrent une solide poignée de main, puis Cédric quitta la salle comme il y était arrivé, sans faire de bruit. Ses valises avaient déjà été transportées dans la berline. Il descendit donc au garage et y prit les clés que lui tendait Herbert.

— Vous allez nous manquer, monsieur Orléans.

– Je suis certain que vous aimerez tout autant votre prochain directeur. Gardez bien le fort, Herbert.

Fier qu'il se souvienne de son prénom, Herbert lui ouvrit la portière de la voiture. Cédric s'y engouffra, seul. On lui avait proposé d'avoir un chauffeur, mais il n'en avait pas voulu afin de profiter des six heures qui séparaient Toronto de Montréal pour réfléchir. Il mit le moteur en marche, attendit que la rampe s'abaisse et quitta la base.

Plusieurs avenues s'offraient à lui, la première étant évidemment de donner sa démission à Mithri Zachariah lorsqu'elle arriverait à la base de Longueuil. Comme ses besoins étaient restreints, il avait accumulé beaucoup d'argent au cours de sa carrière. Il en aurait sans doute assez pour acheter une petite maison dans une région sauvage où aucun reptilien ne pourrait le retrouver. Il pouvait aussi dire la vérité à la dirigeante de l'Agence, qui ne le croirait probablement pas, puis remettre son sort entre ses mains. Cependant, la dernière fois qu'elle avait dû rendre une sentence à son sujet, il s'était retrouvé en Arctique… Il pouvait aussi filer à Jérusalem pour sauver sa fille et affronter le Prince des Ténèbres en duel au risque d'y laisser sa vie, car il n'avait pas beaucoup d'expérience dans sa peau de reptilien. «Seul un Anantas peut anéantir un autre Anantas…», se rappela-t-il. La créature dorée lui avait donné une semaine pour empêcher Océane de tuer l'homme d'affaires. Il lui faudrait donc agir rapidement.

Il était à mi-chemin de sa destination lorsqu'il entendit aux nouvelles, à la radio, qu'il n'y avait eu un nouvel attentat à la vie de Ben-Adnah. Deux de ses proches avaient également été blessés lors de l'agression, et le seul suspect que détenait la police était une jeune Canadienne qui se trouvait sur les lieux.

– Est-ce qu'il est mort, oui ou non? s'impatienta Cédric, qui n'avait pas du tout envie d'entendre tous les commentaires des témoins.

Le commentateur annonça deux minutes plus tard, que Ben-Adnah était toujours en vie même s'il avait perdu beaucoup de sang.

– Océane ne sera pas accusée de meurtre, mais de tentative de meurtre, raisonna Cédric. Cela suffira-t-il aux reptiliens dorés pour qu'ils ne s'en prennent pas à elle?

Il se mit à penser à Andromède, aux quelques semaines de bonheur qu'il avait connues pendant qu'il était avec elle.

– Ma vie est bien tragique, conclut-il au bout d'un moment. Mon père a été assassiné sous mes yeux. Ma mère a disparue sans laisser de traces. Mon frère est l'Antéchrist et mon unique fille est sur le point d'être démembrée par une race de monstres dont je ne sais rien du tout.

Un hélicoptère descendit soudain du ciel devant lui. Cédric écrasa les freins et donna un violent coup de volant qui faillit expédier son véhicule dans un champ. Les roues de la berline crissèrent sur le gravier en bordure de la route, mais Cédric en conserva la maîtrise jusqu'à son arrêt complet. L'aéronef sous lequel il était finalement passé se posa derrière lui. Furieux, le directeur de l'ANGE débarqua de la voiture. Il marcha résolument vers l'hélicoptère, ressentant un impérieux besoin de boire du sang.

Un homme descendit de l'appareil et vint à sa rencontre. Cédric s'immobilisa, reconnaissant les traits d'Aodhan Loup Blanc.

– Vous êtes parti sans moi! s'exclama ce dernier.

L'hélicoptère reprit alors de l'altitude, faisant lever la poussière sur la route. Les deux hommes protégèrent leurs yeux jusqu'à ce qu'il soit enfin parti.

– Je croyais que tu voulais suivre le prophète, s'étonna Cédric.

– Moi aussi, mais j'ai changé d'idée.

Ils retournèrent à la berline et y montèrent. Il ne servait à rien de rester sur le bord de l'autoroute pour bavarder. Cédric remit la voiture en marche.

— Pourquoi as-tu changé d'idée? voulut-il savoir.

— Je suis un homme d'action, pas un garde du corps.

— Et ton rôle de berger?

— C'est peut-être dans un futur lointain. Lorsque monsieur Fletcher m'a dit que la base de Montréal était prête à vous recevoir, je n'allais certainement pas laisser passer la chance de travailler avec vous, surtout qu'apparemment on vous a refilé des recrues.

— Ils sont jeunes et pas très disciplinés.

— Alors, vous aurez besoin de moi.

Pendant une partie du trajet, Aodhan lui résuma les propos de Madden. Ils étaient très rassurants pour ceux qui croyaient en Dieu, mais pour un athée comme lui…

— J'ai aussi appris que Cindy avait donné sa démission, déplora l'Amérindien.

— J'aurais préféré qu'elle reste, mais je n'ai aucune autorité sur les agents fantômes.

— Quelque chose vous tracasse, et ce n'est pas le départ de la femme en rose déguisée en vert.

— Il y a eu un autre attentat à la vie de l'Antéchrist et Océane a été arrêtée.

— Elle a réussi à l'éliminer? se réjouit Aodhan.

— Non, il est toujours en vie.

— Alors, ce n'est pas elle qui a fait le coup, car elle ne l'aurait pas manqué.

— C'est ce que j'espère, mais je n'aurai des nouvelles vraiment fiables que lorsque j'aurai accès à l'ordinateur central, et pas à celui de Toronto.

Les images troublantes de la vidéo prise dans son bureau lui revinrent en tête.

— Il y a autre chose, n'est-ce pas? devina Aodhan.

Puisque l'Amérindien croyait déjà à l'existence des reptiliens et qu'il était au courant que son patron en était un, Cédric ne vit pas de mal à lui raconter le curieux épisode dans son bureau. Aodhan l'écouta religieusement, analysant chacun de ses énoncés.

– Je n'ai rien vu dans la base de données sur des créatures de cette couleur, affirma-t-il. Mais j'imagine qu'il y a encore des tas de choses que nous ignorons au sujet de notre planète.

– Le fait n'en demeure pas moins qu'ils sont aussi puissants que les Nagas.

– Sans doute ont-ils des racines communes, conclut Aodhan. Je ferai des recherches là-dessus.

– J'ai demandé aux agents Jonah Marshall, Shane O'Neill et Mélissa Collin une analyse complète de la situation politique, économique et sociale de Montréal.

– Pour les occuper jusqu'à votre arrivée?

– Pour qu'ils apprennent à faire de la recherche et pour meubler leur esprit avec autre chose que des émissions télévisées de science-fiction.

– Ça promet...

En se rendant à Longueuil, Cédric emprunta l'autoroute 40 toujours en réparation, car on avait dû en modifier la trajectoire après l'explosion qui avait détruit le centre-ville de Montréal. Elle longeait le cratère sur toute sa partie nord pour aller rejoindre l'autoroute 15, puisque la construction du nouveau pont en remplacement du tunnel L.H. Lafontaine, irréparablement inondé, n'était pas encore terminée. Le directeur constata avec satisfaction qu'on avait presque fini le remblaiement du vaste trou. Bientôt, de nouveaux bâtiments s'y dresseraient.

La voiture entra dans le garage de l'immeuble du Port de Mer et attendit que le mur de béton se déplace avant de s'enfoncer dans les entrailles de la terre. Cédric ressentit une curieuse sensation de libération. «Je suis en train de devenir une taupe», constata-t-il. Toute l'équipe de sécurité vint à leur rencontre dans le garage de la base. Glenn Hudson serra joyeusement la main de son patron et lui présenta les dix hommes et femmes qui travaillaient avec lui.

– Je finirai par apprendre tous vos noms, leur promit Cédric. Voici l'agent Aodhan Loup Blanc, qui a été muté de Toronto à Montréal.

Hudson accompagna les deux hommes dans l'ascenseur, puis dans le corridor qui menait aux Renseignements stratégiques.

– Où sont mes jeunes agents? s'enquit Cédric.

– Ils travaillent sans relâche aux Laboratoires. Nous avons également reçu une communication du directeur d'Alert Bay nous prévenant qu'un grand blessé nous serait confié. Il aurait voulu que nous le prenions auparavant, mais nous n'avions pas encore de médecin à la base. Le docteur Athenaïs Lawson n'arrivant que ce soir, je leur ai demandé de ne procéder à ce transport qu'en fin de journée demain, le temps qu'elle s'installe.

– Merci mille fois, monsieur Hudson.

Le chef de la sécurité le laissa poursuivre son chemin seul avec Aodhan jusqu'aux Renseignements stratégiques. Dès qu'ils en eurent passé la porte, l'Amérindien s'arrêta net, impressionné par la modernité de l'endroit.

– Ils en ont profité pour améliorer le système, lui expliqua Cédric en constatant sa surprise.

– On dirait le pont d'un vaisseau spatial!

– Mes nouveaux agents m'en ont déjà fait la remarque. Familiarise-toi avec l'équipement pendant que je tente de communiquer avec Jérusalem.

– J'allais justement vous le demander.

Il n'y avait dans la salle que deux techniciens, un homme et une femme, mais cela suffisait amplement à la tâche. Ils avaient arrêté leur travail pour observer les deux hommes en complet.

– Je suis Cédric Orléans, se présenta-t-il

– Le nouveau directeur! se réjouit la jeune femme. Je m'appelle Pascalina.

– Et moi, Sigtryg.

– Voici l'agent Aodhan Loup Blanc. Je vous le confie.

Cédric poursuivit sa route vers son nouveau bureau. La porte se referma derrière lui et Cédric commença par s'asseoir dans son fauteuil en se demandant s'il y resterait bien longtemps.

– Ordinateur, mettez-moi en contact avec Adielle Tobias de la base de Jérusalem, je vous prie.

– Tout de suite, monsieur Orléans, mais je dois vous aviser qu'il est très tard en Israël.

– Essayez tout de même. Si elle ne répond pas, laissez-lui un message lui demandant de me rappeler le plus rapidement possible.

– Très bien, monsieur.

Il se pencha ensuite sur son ordinateur personnel encastré dans sa table de travail et pianota son code d'accès sur le clavier. L'écran s'anima aussitôt. Il demanda à voir tous les articles de journaux de la veille et du jour consacrés à l'attentat dans la villa de Ben-Adnah.

– Madame Tobias n'est pas encore rentrée à la base. Elle recevra votre message à son arrivée.

– Merci beaucoup, répondit distraitement le directeur, préoccupé par sa lecture.

– Puis-je faire autre chose pour vous aider?

Cédric se redressa. C'était la première fois qu'un ordinateur de l'ANGE allait au-delà de ses fonctions d'obéir strictement à ses ordres.

– En ce qui concerne mon message à madame Tobias?

– Pour tout ce que vous désirez accomplir. J'ai été conçue par Vincent McLeod en même temps que Mariamné, installée chez l'agent Jeffrey pour vous servir d'adjointe. Vous pouvez m'appeler Cassiopée.

– Je suis enchanté de faire votre connaissance, Cassiopée, répondit Cédric avec une certaine réserve.

Il ne vit pas la nécessité de l'informer que l'autre système électronique avait été pulvérisé en même temps que le loft de Yannick.

— J'AI EFFECTUÉ UNE RECHERCHE SUR VOTRE PARCOURS, MONSIEUR ORLÉANS.

— De votre propre initiative?

— J'AI ÉTÉ PROGRAMMÉE POUR VOUS ASSISTER EN TOUTES CIRCONSTANCES. AFIN D'EXÉCUTER EFFICACEMENT MON TRAVAIL, IL ÉTAIT NÉCESSAIRE QUE JE VOUS CONNAISSE DAVANTAGE.

— Est-ce que j'en vaux la peine?

— VOUS ÊTES UN HOMME D'UNE GRANDE HONNÊTETÉ, FIABLE ET CONSCIENCIEUX.

«Heureusement qu'on a effacé de mon dossier mon séjour en prison», pensa Cédric.

— Avez-vous effectué la même recherche sur mes agents?

— ILS N'ONT AUCUNE EXPÉRIENCE SUR LE TERRAIN ET ARRIVENT TOUT DROIT DE LA BASE D'ALERT BAY, OÙ, JE DOIS VOUS LE PRÉCISER, ON A PRÉCIPITÉ LEUR FORMATION.

— Cassiopée, si quelqu'un tentait de modifier vos systèmes de quelque façon que ce soit, le sauriez-vous?

— JE POSSÈDE UNE FONCTION DE DÉVIATION, AINSI QUE PLUSIEURS UNITÉS CENTRALES DIFFÉRENTES. À LA MOINDRE ALERTE, JE PEUX ME COUPER DES SYSTÈMES QU'ON ESSAIE D'ALTÉRER ET EN UTILISER D'AUTRES.

— Comme c'est intéressant...

— MON CRÉATEUR M'A DIT QUE CELA S'APPELAIT DE L'AUTODÉFENSE.

— Cet homme a été un de mes plus grands atouts à Montréal et à Toronto.

— IL EST DOMMAGE QU'IL NE SOIT PLUS À VOS CÔTÉS, MAIS IL M'A DOTÉE D'UN CANAL D'ACCÈS DIRECT SI J'AI BESOIN DE LUI. DANS MA RÉALITÉ VIRTUELLE, IL N'EST JAMAIS BIEN LOIN DE MOI.

— Si vous avez été créée par Vincent, vous connaissez sûrement ses fichiers sur les reptiliens.

— ILS ONT ÉTÉ INTÉGRÉS DANS MA MÉMOIRE.

— Vous m'avez dit que vous aviez la capacité d'effectuer des recherches, n'est-ce pas?

— C'EST EXACT. DANS TOUTES LES BASES DE DONNÉES EXISTANTES, ET AUSSI À CERTAINS ENDROITS OÙ JE NE DEVRAIS PAS REGARDER.

Un sourire s'étira enfin sur les lèvres du directeur.

— Je suis ravie que ma programmation vous plaise, monsieur Orléans.

— Vous pouvez me voir?

— Regardez au-dessus de votre tête.

Tout comme dans l'ancien loft de Yannick, Vincent avait fait installer une caméra mobile au plafond.

— Lorsque vous désirerez avoir un peu d'intimité, il suffira de me le demander et je fermerai l'œil.

— Merci beaucoup.

Avec l'aide de Cassiopée, Cédric fit le tour des dossiers récupérés de l'ancienne base de Montréal et se débarrassa de ceux qui ne pourraient plus jamais être complétés. Il mit les autres à jour et laissa l'ordinateur l'informer de la situation économique, politique et sociale de sa région. «Vincent est un véritable génie», constata une fois de plus Cédric. L'ajout de ce nouveau type d'ordinateurs pensants lui redonna, en un seul après-midi, son entrain habituel.

— Monsieur Loup Blanc demande à vous voir, monsieur.

— Avez-vous effectué une vérification sur lui aussi?

— Il était le meilleur agent actif de la division du Nouveau-Brunswick, mais aussi le plus jeune. Lorsque la division canadienne a exigé que cette province cède ses plus récentes acquisitions pour combler des postes dans les autres bases, le directeur du Nouveau-Brunswick l'a laissé partir avec regret. À Toronto, il s'est également distingué à plusieurs reprises sur le terrain, mais il y a tout de même une tache à son dossier.

— L'utilisation des satellites…

— C'est exact. Je me dois de vous dire que Monsieur Loup Blanc insiste vraiment pour vous parler.

— Faites-le entrer.

Aodhan franchit le seuil du bureau avec un sourire qui en disait long sur ce qu'il pensait.

— Cette base est hallucinante! lança-t-il, enthousiaste. Elle a besoin d'un minimum de techniciens pour opérer. Étant donné que nous sommes à court de personnel depuis le Ravissement, on devrait installer ces systèmes partout.

— Le problème, c'est que nous sommes aussi à court de fournisseurs. Que puis-je faire pour toi, Aodhan?

— Je suis venu vous dire que nous sommes prêts à fonctionner, et j'avoue que je voulais surtout voir votre bureau.

— As-tu jeté un coup d'œil au travail de nos jeunes agents?

— Je suis allé me présenter à eux, évidemment, et ils m'ont dit qu'ils étaient fiers de travailler pour le capitaine Kirk.

— J'aimerais que tu leur inculques un peu plus de respect, soupira Cédric.

— Avec plaisir.

— Madame Zachariah demande l'autorisation d'entrer dans le garage souterrain, annonça Cassiopée.

— Laissez-la entrer.

Cédric adressa à Aodhan un regard suppliant.

— J'ai une foule d'autres choses à faire, assura l'Amérindien en tournant les talons.

La porte glissa devant lui. Cédric ne le vit même pas sortir, car il venait de sombrer dans ses pensées. L'ordinateur détecta aussitôt son changement d'humeur.

— Puis-je vous aider à préparer cette entrevue, monsieur Orléans?

— Pas vraiment, mais merci, Cassiopée.

Elle le laissa donc tranquille jusqu'à l'arrivée de la grande dame de l'ANGE, dont elle signala la présence à la porte. Cédric la reçut dans son bureau, loin des oreilles des techniciens et des agents. Curieusement, la présence invisible de l'ordinateur pensant le rassurait.

— Bonjour, Cédric, le salua Mithri en allant directement s'asseoir dans l'une des confortables bergères disposées devant la table de travail du directeur. Je n'ai pas fait ce voyage pour rien, alors je n'irai pas par quatre chemins. Je veux savoir si ce que j'ai vu sur cet extrait de film est vrai.

«C'est ici que je scelle mon destin», comprit Cédric.

— Les choses se sont passées ainsi, affirma-t-il d'une voix mal assurée.

— Que tu te sois fait attaquer par une créature inconnue, je peux le concevoir, mais que tu sois un reptilien...

Cédric rassembla son courage et se métamorphosa devant elle. À son grand étonnement, Mithri n'eut aucune réaction d'effroi ou de dégoût. Elle se contenta d'examiner son directeur avec curiosité.

— Depuis quand le sais-tu?

— Je suis né ainsi, avoua Cédric en reprenant sa forme humaine, et je n'en suis pas fier. En fait, j'ai toujours cherché à nier mes origines.

— De quelle race es-tu?

C'était la question qu'il avait le plus redoutée.

— Je suis un Anantas, même si toute ma vie j'ai cru que j'étais un Neterou comme mon père. En fait, je ne suis même pas certain qu'il ait été mon véritable père. J'ai appris tout récemment que ma mère était une Anantas.

— J'ai relu les recherches de Vincent au cours de mon vol. Les Neterou sont tout en bas de la hiérarchie reptilienne, c'est exact?

Cédric se contenta de hocher la tête.

— Et les Anantas sont tout en haut avec les Dracos, n'est-ce pas? continua-t-elle de l'interroger.

— Ainsi que les Nagas et sans doute aussi la race de cette créature dorée qui m'a assailli.

— Vincent prétend également que l'Antéchrist est un Anantas.

— Je ne suis pas un expert en la matière, mais c'est ce que j'ai aussi entendu.

— Comment acceptes-tu le fait que le futur oppresseur du monde soit de la même race que toi?

— Très mal, en fait, car d'une part, je n'ai aucune de ses tendances destructrices, et d'autre part, parce que seul un

Anantas peut en détruire un autre. Cela place un très lourd fardeau sur mes épaules de directeur régional.

– Si je comprends bien ce que tu me dis, tu serais en mesure de détruire ce monstre?

– Le contraire pourrait aussi être vrai, surtout s'il a l'habitude de tuer. Mithri, vous devez comprendre que je déteste ce que je suis et que je n'ai jamais voulu apprendre à me métamorphoser en reptilien. Cette transformation a commencé à s'opérer d'elle-même lorsque je me suis trouvé en grand danger. Je suis maintenant capable de changer d'apparence à volonté, mais je ne maîtrise pas encore ce nouveau corps.

– Tu ne deviendrais donc une arme contre Satan que si nous te fournissons un entraînement adéquat.

– Je préférerais vraiment que cela ne soit qu'en dernier recours. L'agression ne fait pas partie de ma personnalité. Je suis plutôt pacifiste.

– Qu'allons-nous faire de toi, maintenant? soupira la grande dame.

– Les règlements de l'ANGE indiquent que tout agent qui a été embauché par l'Agence sous de fausses représentations doit être congédié. Je pourrais aussi vous remettre ma démission.

– Je préférerais que nous tenions cette affaire confidentielle et que tu conserves ton poste à Montréal jusqu'à ce que la division internationale ait besoin de toi.

Cette décision laissa Cédric pantois.

– Nous avons tous nos petits secrets, poursuivit Mithri en faisant rouler entre ses doigts la petite breloque qui pendait à son cou.

– J'imagine que mes chances de savoir un jour le vôtre viennent de s'éteindre.

– Je ne crois pas, non. Je te le révélerai en temps et lieu.

Faisant fi de tout ce qu'elle venait d'apprendre, Mithri voulut alors savoir quelles seraient les premières décisions de

Cédric, maintenant qu'il était de retour à son poste. Encore ébranlé, il lui fit un rapport sommaire du climat d'instabilité qui régnait à Montréal. Ils ne reparlèrent plus de reptiliens ou de congédiement.

...033

Assise en boule sur la couchette de sa cellule, Océane refusait de parler à qui que ce soit. On lui avait offert de faire un appel téléphonique. Elle n'avait même pas réagi. Dans sa tête rejouait sans cesse l'attaque qui avait eu lieu dans le vestibule de la maison d'Asgad, mais elle n'arrivait toujours pas à la comprendre. Thierry lui avait bien spécifié que les *varans* agissaient toujours seuls et qu'ils ne connaissaient pas les autres traqueurs. Pourtant, elle en avait vu trois. Ils étaient également les créatures les plus meurtrières parmi les reptiliens, mais Asgad les avait surpassés tous les trois en force et en habileté. Pire encore, au lieu de se réjouir que les Nagas fassent son travail à sa place, elle avait eu peur de perdre son amant!

«Je ne me comprends plus», déplora-t-elle en cachant son visage dans ses bras. Elle entendit une fois de plus des pas dans le couloir, mais n'y fit pas plus attention que les précédentes. Plusieurs heures s'étaient écoulées depuis qu'on l'avait jetée en prison. Elle était toujours sans nouvelles de l'extérieur. «Au moins, dans la base militaire souterraine, j'avais accès à Internet et à la télévision», se rappela-t-elle. Dans ce cachot, elle n'entendait que des voix distantes, qui s'exprimaient en hébreu, une langue qu'elle ne connaissait pas.

On ouvrit la porte de sa cellule. Océane ne bougea pas. Elle ne savait rien du système judiciaire israélien, mais elle se doutait bien qu'il ne serait pas clément envers une femme soupçonnée du meurtre de l'homme politique de l'heure.

– Mais que t'ont-ils fait, ma chérie? se désola une voix qu'elle reconnut instantanément.

Elle bondit dans les bras d'Asgad et l'étreignit avec force en pleurant de joie, puis parsema son visage de baisers.

– Comment se fait-il que tu sois ici? s'énerva-t-elle. J'ai vu ces monstres te taillader à coups de sabre!

– Je possède le pouvoir de guérir mes propres blessures.

Océane détacha la chemise de son amoureux pour voir par elle-même l'état de son épaule. Asgad ne tenta pas de l'en empêcher. La jeune femme trouva une cicatrice à l'endroit où l'une des lames avait lacéré la peau.

– Une plaie prend des jours à se refermer, murmura-t-elle. Depuis combien de temps suis-je ici?

– Depuis moins de six heures. Je comprends que tu sois ébranlée, mon amour.

– J'ai vu Antinous sur le plancher de même que ton secrétaire.

– Pallas et Antinous ont reçu des coups violents qui leur ont fait perdre conscience, mais ils n'ont rien de cassé. Ils sont à la maison sous bonne garde. Quand j'ai appris que les militaires t'avaient emmenée, j'ai fait une véritable scène. Ils se sont excusés et m'ont accompagné jusqu'ici pour que je puisse te sortir de prison.

Océane se pressa contre lui, muette et effrayée.

– Bientôt, tout ceci ne sera plus qu'un vieux souvenir, chuchota Asgad à son oreille.

Il l'emmena jusqu'à la voiture de l'armée qui les attendait et la garda dans ses bras jusqu'à ce qu'ils arrivent à la villa. Elle résista lorsque Asgad voulut lui faire franchir le seuil du vestibule, mais s'aperçut en y entrant qu'il n'y avait plus aucune trace du combat. Il l'entraîna jusqu'au salon décoré à la manière d'un palais grec. Antinous et Benhayil étaient assis sur le sofa. Le secrétaire serrait les mains de l'adolescent dans les siennes en lui parlant tout bas.

– Nous voilà enfin tous réunis, fit Asgad en obligeant Océane à s'asseoir sur une bergère. Maintenant que nous sommes seuls, j'aimerais que nous nous parlions sans entraves.

Il prit place sur un fauteuil non loin de celui de la jeune femme, le torse droit et la tête haute, comme lorsqu'il devait prendre d'importantes décisions à Rome, jadis.

– Ces jeunes gens me racontent que trois lézards géants s'en sont pris à moi, commença-t-il. À mon avis, c'est le choc qui leur fait imaginer une chose pareille.

– Je les ai vus aussi, affirma Océane, encore fragile.

– Alors, ce devaient être des déguisements, conclut Asgad.

«Il n'est pas conscient de sa transformation en reptilien», devina Océane.

– Ils sont sortis des murs! explosa Antinous, qui n'aimait pas que son protecteur mette sa parole en doute.

– Les choses se passent parfois si rapidement qu'on en oublie les détails, tenta de le rassurer Asgad. Ils sont probablement arrivés par toutes les portes en même temps, ce qui t'a donné l'impression qu'ils traversaient les murs.

«Heureusement que le docteur a effacé une partie de sa mémoire, sinon il accuserait encore ce pauvre homme de cette sorcellerie», soupira intérieurement Ben-Adnah.

– J'aimerais que nous fassions tous l'effort d'oublier ce qui s'est passé aujourd'hui. Les policiers et l'armée n'ont malheureusement pas capturé les auteurs de cet attentat, mais je suis sain et sauf. N'est-ce pas ce qui compte, finalement?

Antinous était encore fébrile, mais il garda le silence.

– J'avais prévu une soirée fort différente pour nous quatre, avoua Asgad. Je voulais vous emmener au restaurant pour vous présenter Océane.

– Nous nous sommes déjà croisés dans l'abri de l'armée, l'informa Benhayil.

– Vous êtes-vous demandé pourquoi?

– Antinous l'a deviné, en quelque sorte. Il a l'odorat d'un chat.

– J'ai reconnu son parfum, murmura l'adolescent en baissant la tête.

– Vous ne serez donc pas surpris d'apprendre que je fréquentais sporadiquement Océane lorsque j'avais le loisir de revenir à Jérusalem.

Antinous avait envie de pleurer, mais il parvint à retenir ses larmes, écrasant plutôt les doigts de Benhayil qu'il tenait toujours entre les siens.

– Ce soir, je vous annonce que notre relation cessera d'être clandestine.

Asgad posa alors un genou sur le sol devant la jeune femme.

– Océane Orléans, je veux t'épouser.

Le cœur brisé, Antinous se défit des mains du secrétaire et prit la fuite en direction du vestibule.

– Je m'occupe de lui, assura Benhayil en s'élançant à sa suite.

Asgad ne l'entendit pas. Il regardait la belle Canadienne droit dans les yeux en attendant sa réponse.

– Comme tous les hommes, tu ignores la définition du mot «opportun», murmura-t-elle finalement. Ailleurs et dans d'autres circonstances, ta demande m'aurait transportée de joie, mais aujourd'hui, je tremble de tous mes membres et j'ai juste envie de pleurer.

– Alors je te referai cette demande dans quelques jours d'une manière si magique que tu ne pourras pas me dire non.

Il alla quêter un baiser sur les lèvres d'Océane qui l'enlaça, une fois de plus conquise par les phéromones de l'Anantas.

Après avoir calmé tous les esprits, Asgad mit ses êtres chers au lit dans les nombreuses chambres de la villa. Puis lorsque le silence enveloppa enfin sa demeure, il sortit dans son jardin pour respirer l'air du soir. Les torches illuminaient l'allée bordée de petits bassins. Il marcha lentement sur le gravier blanc en réfléchissant à cette abracadabrante histoire de lézards géants. Antinous avait une imagination fertile, mais Pallas et Océane étaient plus rationnels. Qui croire, dans ce cas?

Soudain, une longue plainte déchira la nuit. Asgad sentit sa peau se hérisser. Il s'agissait d'un bruit métallique, comme si quelqu'un avait frotté un morceau de fer contre un autre. Une seconde lamentation se fit entendre. Pourquoi ce son lui rappelait-il quelque chose? Il ne fut pas le seul à l'entendre. Une bonne partie des habitants de Jérusalem furent réveillés par ces gémissements étranges qui se poursuivirent jusqu'aux lueurs de l'aube. Seuls les êtres d'origine reptilienne en comprirent la signification.

Dans sa tour de la muraille du nouveau temple de Salomon, Thierry Morin avait sursauté dès le premier hurlement, poussé par un de ses congénères. Il tendit l'oreille et en saisit aussitôt le contenu. Revigoré par la poudre dorée que lui avait fournie le jeune Naga, le *varan* se remit sur pied et se laissa couler à travers le plancher en pierre. Il traversa le mur de la tour au rez-de-chaussée et fit quelques pas dans l'immense cour. Les plaintes provenaient des fondations du temple lui-même! Thierry marcha aussi rapidement que le lui permit son corps épuisé. Les grincements étaient de plus en plus clairs. Il s'agissait du chant de la mort…

Il pénétra dans le mur qui s'élevait autour de la première antichambre. C'était la seule que l'on avait déjà pourvue d'un plafond. La porte d'entrée en était barricadée pour empêcher les ouvriers d'entrer dans ce lieu sacré. Thierry s'immobilisa, anéanti. Sur le plancher reposait le corps inanimé de Silvère Morin. Ses deux jeunes élèves étaient assis près de lui et achevaient l'hymne qui permettait aux grands Nagas d'être reçus dans le hall des méritants.

Thierry s'agenouilla près de Darrell, les yeux rivés sur le visage paisible de son vieux maître. Toute sa vie, il l'avait cru immortel et invincible. Il ne vit même pas les deux jeunes Nagas reprendre leur forme humaine.

– As-tu la force de terminer le chant? lui demanda Neil, la gorge serrée.

L'aîné secoua la tête à la négative. Il attendit que les plus jeunes le fassent, préférant plonger dans ses souvenirs. Il se revit le premier jour où Silvère l'avait emmené au Vatican. Il avait eu si peur lorsque celui-ci l'avait fait plonger toujours plus creux sous l'édifice. Il se rappela ses interminables séances d'exercices, les coups qu'il avait reçus de son maître lorsqu'il était inattentif, ses premières exécutions, la fierté dans les yeux du vieil homme lorsqu'il lui ramenait ses trophées.

– La tradition indique que nous devons brûler le corps d'un mentor tout de suite après sa mort, indiqua Neil. Où trouverons-nous un bûcher ici?

– À défaut de feu, nous pourrions l'ensevelir dans la pierre de ce temple, rétorqua Darrell. Il mérite de faire partie d'un lieu saint. Qu'en penses-tu, Théo?

Le *varan* tourna légèrement la tête de côté, car il avait entendu un sifflement lointain.

– De quoi s'agit-il? demanda Neil.

– Les Dracos ont entendu votre hymne, les avertit Thierry. Ils savent maintenant qu'il s'agit d'un mentor et ils sont à sa recherche.

– Pourquoi?

– Ils vont chercher à s'approprier ses connaissances.

Thierry se métamorphosa en Naga. Combattant la douleur que lui causait tout mouvement de ses bras, il plongea ses griffes dans le front de son mentor. Les deux jeunes reptiliens furent si surpris par son geste qu'ils ne réagirent pas. Thierry retira du crâne de Silvère la glande qui contenait toute sa science.

– C'est ce qu'ils veulent.

– Tu vas la détruire? s'inquiéta Darrell.

– Je préfère faire disparaître son savoir que de le voir tomber aux mains de l'ennemi. De toute façon, je ne saurais pas comment l'utiliser.

— Moi, je le sais! s'exclama enfin Neil. Je l'ai lu dans un des livres du maître! Tu dois l'avaler.

Les sifflements et les grincements se rapprochaient. Thierry regardait toujours le petit organe visqueux au creux de sa main en hésitant.

— Ce ne devrait pas être moi, déclara-t-il finalement. Mes jours sont comptés.

— Nous te prendrons la tienne quand tu mourras, décida Neil, mais il n'est pas question que deux futurs traqueurs sans expérience s'approprient des connaissances dont ils ne sauraient quoi faire.

Un premier coup sourd contre la porte les fit sursauter. L'ennemi les entourait. Heureusement, les Dracos n'avaient pas le pouvoir de traverser les murs. Thierry n'avait plus le choix: il avala la glande de son mentor, souleva son corps et disparut dans le plancher. Les jeunes Nagas le suivirent aussitôt. Ils marchèrent sous terre, en direction du centre de la cour. Les Dracos couraient au-dessus de leurs têtes, de plus en plus nombreux. L'aîné déposa Silvère dans le sol en orientant ses pieds vers l'ouest, puis il se retourna vers les deux louveteaux.

— Avez-vous faim? siffla-t-il dans leur langue grinçante.

— Nous n'absorbons que des aliments assaisonnés avec de la poudre d'or, lui apprit Darrell.

— Il est temps que vous vous comportiez en véritables *varans*, alors.

Thierry repéra un groupe de retardataires Dracos. Les autres étaient suffisamment éloignés, attroupés devant la porte du temple, pour que les Nagas puissent se saisir de ces traînards. Il n'était pas armé, mais les plus jeunes l'étaient.

— Nous n'en prendrons que deux, indiqua-t-il. Les traqueurs ne tuent pas pour le plaisir, ils le font par nécessité ou dans le cadre de leur travail.

Les reptiliens émergèrent du sol devant cinq lambins qui avaient suivi leurs congénères par obligation. Les lames des katanas brillèrent sous les rayons de la lune, tranchant la tête de deux Dracos. Avant que les autres n'aient pu réagir, les Nagas étaient déjà sous terre avec leurs proies, qu'ils traînèrent jusqu'à l'étage inférieur de la tour où vivait Thierry. Les apprentis n'avaient jamais consommé de chair ni de sang. Sous leur forme reptilienne, ils observèrent d'abord leur aîné qui, affamé, déchiquetait l'un des deux corps, puis l'imitèrent. Ce repas redonna des forces à Thierry. Il remonta à l'étage supérieur, où sa véritable épreuve était sur le point de commencer.

Tandis que le *varan* s'asseyait dans la pièce vide, les jumeaux grimpèrent sur le mur pour regarder dehors par les hautes fenêtres. Effrayés par le récit des survivants de l'attaque éclair des Nagas, les Dracos s'étaient rapidement dispersés, persuadés qu'on les avait fait tomber dans un piège. Lorsqu'ils redescendirent sur le plancher, les jeunes virent que Thierry se tordait dans d'atroces convulsions.

– Théo, que t'arrive-t-il? s'alarma Darrell.

– Je… nous…

La douleur l'empêcha de formuler une réponse.

– Le sang du Dracos était-il empoisonné? devina Neil.

– J'ai bu le même et je n'ai rien, le rassura son frère. C'est peut-être la glande. Qu'as-tu lu de plus sur l'ingestion de celle d'un mentor?

Les gémissements de Thierry inquiétaient Neil à tel point qu'il avait du mal à réfléchir.

– Je me souviens que c'était la façon dont un maître, sur son lit de mort, transmettait son savoir à son meilleur élève. Le procédé nécessitait quelques heures et une énorme quantité d'énergie. C'est une bonne chose que nous ayons mangé.

– Que pouvons-nous faire pour l'aider?

– Rien, si ce n'est de rester près de lui, car il sera très vulnérable pendant toute cette phase de passation des connaissances.

Ils prirent place l'un près de l'autre, observant l'aîné qui était secoué par de terribles spasmes toutes les dix minutes.

– Lorsque Théo se réveillera, est-ce qu'il sera devenu Silvère? demanda soudain Darrell.

– Je n'en sais rien.

– Est-ce que la glande du maître pourrait le guérir définitivement?

– J'en doute, mais j'imagine que s'il savait quelque chose sur les contrepoisons, Théo le saura lui aussi.

Darrell demeura silencieux pendant un moment, puis, nerveux, il se remit à poser des questions.

– Que nous arrivera-t-il, à présent? Nous ne sommes certainement pas prêts à chasser nous-mêmes et nous ne savons pas comment identifier nos cibles.

– Théo pourra sans doute répondre à ces questions.

Lorsque les douleurs du *varan* se calmèrent enfin, le soleil se levait à l'est. Épuisés, les jeunes s'endormirent en même temps que lui et ne se réveillèrent qu'à la tombée de la nuit. Ils trouvèrent l'aîné calmement assis, le dos appuyé contre le mur, les yeux ouverts.

– Comment te sens-tu? s'inquiéta Neil.

– C'est difficile à dire, répondit Thierry. J'ai vu tellement de choses, comme dans un rêve. Je n'arrive plus à différencier mes souvenirs de ceux de mon mentor.

– Es-tu maître Silvère, maintenant?

– Non. Je sais ce qu'il savait, mais j'ai conservé ma personnalité, enfin, je crois.

– Et le poison? demanda Darrell.

– Il est toujours dans mon sang, mais grâce à vous, j'ai pu me nourrir, alors je le combats mieux.

– Dans ce cas, nous allons continuer à te procurer ce dont tu as besoin.

– Vous ne pouvez pas rester avec moi. C'est trop dangereux.

– Où irions-nous? s'angoissa Neil.

– Retournez à Rome et instruisez-vous en lisant tous les écrits du maître, suggéra Thierry.

– À pied? soupira Darrell. Nous ne savons même pas où sont nos papiers d'identité ni comment obtenir des billets d'avion.

C'était en effet la dernière chose que Silvère avait enseignée à Thierry avant de le lancer à la chasse.

– Pourquoi est-il dangereux que nous restions avec toi? voulut savoir Darrell.

– Les Dracos sont capables de flairer une victime affaiblie. Ils finiront par me trouver.

– Nous les empêcherons de te faire du mal.

Un léger sourire flotta sur les lèvres du *varan*.

– Vous êtes aussi innocents que moi quand j'avais votre âge.

– Termine notre formation, lança Neil.

– Mes bras de Naga sont inutilisables.

– Si tu t'étais retrouvé dans la même situation que nous, Théo, ne profiterais-tu pas de l'expérience d'un vrai *varan* pour apprendre ce que tu ne savais pas encore?

«Qu'aurais-je fait si j'avais perdu mon mentor au milieu d'une mission avant d'avoir appris à exécuter proprement une cible?» se demanda Thierry.

– Et puis, il est de notre devoir d'empêcher les Dracos de s'emparer de ta glande, ajouta Darrell.

– À mon époque, les apprentis ne harcelaient pas leur mentor comme vous le faites. Je ne sais pas comment maître Silvère a pu vous endurer.

Le sourire qu'afficha le traqueur fit comprendre aux jeunes qu'il se moquait d'eux. Darrell et Neil se rapprochèrent de lui en sondant son regard.

– Quelque part dans tes nouvelles connaissances, y a-t-il une recette pour un contrepoison? s'enquit Neil.

– Oui, mais elle est plutôt nébuleuse. Elle parle du sang d'une femelle Naga mélangé à d'autres ingrédients, mais il n'existe pas de femelles dans notre race. La Fraternité ne crée que des mâles.

– Tu n'as qu'à demander aux anciens d'en concevoir une juste pour nous, suggéra innocemment Darrell.

– Lorsque j'aurai trouvé cette information dans mon crâne plein à craquer, je vous le laisserai savoir.

– Si mon sang peut t'aider à vivre plus longtemps, je te l'offre, déclara solennellement Neil.

– Arrêtez de dire des bêtises et écoutez-moi.

Toute la nuit, Thierry répéta les phrases toutes faites qui se trouvaient dans son esprit, afin d'inculquer à ses nouveaux apprentis le code d'honneur des traqueurs.

...034

Avant l'arrivée du Spartiate toujours inconscient à la base de Montréal, Cédric demanda à son nouveau médecin, Athenaïs Lawson, de venir le rencontrer dans son bureau. Mithri était partie la veille, l'assurant que son secret ne serait connu que d'elle, pour l'instant. «L'épée de Damoclès, quoi?» avait déploré le directeur. Ce fut l'ordinateur qu'il lui fallut faire taire au sujet de ses origines, car il ne voulait pas que ses jeunes agents curieux ne finissent par mettre la main sur cette information dans leur base de données.

Cédric avait dormi à son nouvel appartement, situé juste en face du nouveau pavillon de l'université de Sherbrooke. L'ascenseur de la base le déposait dans le garage, où il devait emprunter celui de l'immeuble à logements pour se rendre chez lui. Ses affaires y avaient été transportées et la division canadienne s'était donnée beaucoup de mal pour placer les meubles et les décorations comme il les aimait. Il avait passé une partie de la nuit à contempler Montréal par la baie vitrée de son balcon. Il était content de revenir chez lui, surtout que la reine des Dracos n'y résidait plus.

Au matin, il se fit un devoir d'aller saluer ses agents aux Laboratoires en se demandant à quelle section il allait les affecter. Les faux messies n'étaient véritablement un fléau qu'aux États-Unis. Il n'y en avait pas encore au Canada. En se rendant à son bureau, Cédric jeta un coup d'œil aux écriteaux collés sur les nombreuses portes du complexe: «Études biologiques: peut-être bien, songea-t-il. Génie génétique: le clonage est devenu une grande préoccupation de ce monde sans enfant, mais aucun de mes agents n'a de diplôme médical. Pollution et Changements climatiques : ce ne sont plus des problèmès depuis qu'un tiers de la population mondiale a disparu. Faux prophètes, Visions et Prophéties : je ne veux pas qu'un de mes agents finisse par suivre l'exemple de Cindy. Maladies mentales : peut-être que cela me servirait un jour. Écoute électronique : oublions cela, c'est la marotte de Kevin Lucas. Phénomènes inexpliqués et Recherche extraterrestre : ces jeunes curieux pourraient me démasquer avec un peu de chance. Corps célestes et Archéologie : la division russe a la situation bien en main. Virus informatiques, Armements, Menaces internationales, Dictatures et Antéchrist : oui, cela pourrait les sensibiliser à ce qui se passe en ce moment sur Terre. »

Il traversa la salle des Renseignements stratégiques et prit le temps de bavarder un instant avec Pascalina et Sigtryg, puis il entra finalement dans son bureau.

— BONJOUR, MONSIEUR ORLÉANS.

— Bonjour, Cassiopée. Des nouvelles du transport en provenance de la Colombie-Britannique?

— LE BLESSÉ SERA ICI DANS UNE HEURE, VINGT MINUTES ET QUATORZE SECONDES.

— Et le docteur Lawson?

— ELLE A RENDEZ-VOUS AVEC VOUS À NEUF HEURES, MAIS ELLE N'EST PAS ENCORE ARRIVÉE À LA BASE.

— Il lui reste encore dix minutes.

— J'AI BEAUCOUP RÉFLÉCHI À VOTRE DOUBLE PERSONNALITÉ.

— N'avons-nous pas eu cette conversation hier soir?

— VOUS M'AVEZ DEMANDÉ DE GARDER CETTE INFORMATION SECRÈTE, CE À QUOI JE ME SUIS ENGAGÉE. MA RÉFLEXION A PLUTÔT PORTÉ SUR DIFFÉRENTES FAÇONS DE VOUS PROTÉGER CONTRE LES FUITES COMME CELLE QUI A RÉVÉLÉ VOTRE VÉRITABLE IDENTITÉ À MADAME ZACHARIAH.

— Je ne vois pas comment j'aurais pu l'empêcher, car elle a été provoquée par une panne du système.

– CE QUI NE POURRA JAMAIS SE PRODUIRE ICI.

– Mais si nous continuons à en parler constamment, quelqu'un finira par mettre la main sur la transcription de nos conversations.

– JE NE TRANSCRIS QUE CE QUE VOUS M'ORDONNEZ DE TRANSCRIRE.

– Si je vous ordonnais maintenant de clore ce sujet?

– JE VOUS OBÉIRAIS.

– Alors, c'est un ordre, Cassiopée. Nous ne devrons plus jamais mentionner que je suis un reptilien.

– BIEN REÇU. MADAME LAWSON VIENT D'ARRIVER. ELLE SERA À VOTRE PORTE DANS SIX MINUTES.

– Faites-la entrer dès qu'elle y sera.

Cédric en profita pour lire son dossier. Athenaïs Lawson était à l'emploi de l'ANGE depuis cinq ans à peine. Elle avait surtout travaillé au Royaume-Uni, mais avait toujours exprimé le désir de s'établir au Canada. La porte du bureau chuinta, attirant sur elle le regard du directeur. La spécialiste dans la trentaine ne correspondait pas du tout à l'image qu'il s'était faite d'elle. Grande et mince, elle portait un tailleur bourgogne. Ses cheveux blond clair étaient attachés sur sa nuque. Elle s'approcha de la table de travail sans la moindre hésitation et tendit la main au directeur. Cédric se leva et la serra avec franchise.

– Je suis enchantée de faire votre connaissance, monsieur Orléans.

– Moi de même, docteur Lawson. Je crains de vous accueillir avec un cas des plus difficiles.

– Je n'ai pas peur des défis. J'ai aussi pris la liberté de demander à monsieur Shanks les rapports préliminaires sur l'état du patient.

– Je vous en prie, asseyez-vous.

Elle avait de grands yeux de la couleur de l'océan qui inspiraient confiance.

– J'ai été surprise de constater qu'il n'a pas de nom.

– Nous pensons qu'il s'agit d'un homme qui s'appelle Jordan Martell, mais nous ne le saurons vraiment que lorsqu'il aura repris conscience.

– Une recherche sur ses empreintes digitales n'a en effet rien donné et il n'est pas question de faire un examen dentaire dans l'état où il se trouve. Si cette information n'est pas confidentielle, puis-je savoir quelle importance a cet homme pour nous?

– Il est le seul témoin d'une tragédie qui s'est produite sur une montagne en Colombie-Britannique, un peu trop près d'Alert Bay.

– Je comprends. Si vous n'y voyez pas d'inconvénient, je vais commencer à m'installer. Je veux être prête à son arrivée.

– Oui, bien sûr. Je vous reverrai plus tard.

Elle quitta le bureau d'une démarche de mannequin.

– Vous devriez l'inviter à dîner.

– Le docteur Lawson est une employée de l'ANGE au même titre que moi, et vous n'êtes pas sans savoir que les relations intimes sont interdites entre nous.

– Mais elle vous plaît. Votre rythme cardiaque a considérablement augmenté lorsqu'elle est entrée dans la pièce.

Cédric se demanda s'il était prudent de donner autant de latitude à un ordinateur.

– Mes émotions n'ont aucune incidence sur mon travail, Cassiopée. J'aimerais que nous en restions là.

– Très bien, monsieur.

Il éplucha les journaux du matin, puis se dirigea vers l'Infirmerie où l'équipe de transport médical venait de déposer le lit roulant du patient. Le docteur Lawson était déjà près de lui, en train de le relier aux machines ultramodernes de la salle des soins intensifs. Cédric n'avait jamais vu un homme en si mauvais état. Là où il n'était pas recouvert de plâtre, sa peau présentait de multiples ecchymoses. Athenaïs s'occupait de lui sans être le moindrement perturbée. Elle congédia les hommes d'Alert Bay et poursuivit seule son travail. Cédric était demeuré près de la porte, l'observant de loin.

— J'ai commencé ma carrière dans l'armée, déclara-t-elle en lisant les données sur le tableau électronique au-dessus du lit du patient. On finit par devenir insensible devant la douleur des autres.

— Je ne peux malheureusement pas en dire autant pour les directeurs de base.

Il s'approcha, incapable de ne pas ressentir une profonde compassion pour cet homme qui avait risqué sa vie pour débarrasser l'humanité d'un monstre aussi dangereux que Perfidia elle-même. Il avait vu la photo de Jordan Martell lorsqu'il avait enquêté sur lui, mais il lui était impossible d'affirmer que le patient qui reposait sur ce lit était ce valeureux soldat tant son visage était enflé.

— Monsieur Shanks l'a trouvé sur le flanc d'un volcan pierreux, mais il n'a aucune idée de ce qui lui est arrivé, poursuivit-elle.

— Que pouvez-vous me dire avec vos yeux de médecin?

— On dirait qu'on l'a projeté face première à travers un mur de béton. J'ai déjà vu ce genre de blessures sur des hommes qui se trouvaient non loin d'une mine qui avait explosé.

Elle se tourna vers Cédric.

— Je ne comprends même pas comment il est encore en vie. L'équipe d'Alert Bay a réussi à contenir ses hémorragies internes et à stabiliser sa pression, mais il me faudra rebâtir tout son squelette. Il en aura pour des années avant de reprendre une vie quasi-normale.

— Mais le fait qu'il soit encore vivant ne vous indique-t-il pas qu'il y arrivera?

— J'ai recousu des soldats qui se sont enlevés la vie par la suite quand ils se sont vus dans un miroir. Alors, ne me demandez pas de faire ce genre de prédictions. Je passerai autant de temps avec lui que je le pourrai, mais il me faudra tout de même dormir quelques heures par jour. Grâce à ces nouvelles machines, je pourrai rapporter chez moi le périphérique qui me tiendra informée de sa condition. De toute façon, je loge juste en face, alors je pourrai réagir rapidement.

«Et moi qui pensais qu'Aodhan était efficace», se surprit à penser Cédric. Athenaïs était aussi professionnelle qu'elle était jolie. Ses gestes étaient précis et consciencieux. Elle savait exactement ce qu'elle cherchait et ce qu'elle devait faire.

— Je serai dans mon bureau si jamais vous aviez besoin de moi, soupira-t-il.

Il tourna les talons.

— Monsieur Orléans, attendez.

Il pivota vers elle.

— Je ne voudrais pas que vous pensiez que je n'ai pas de cœur.

— Ce n'est pas ce que je pense.

— Je prends mon travail très au sérieux et je ne me laisse plus emporter par mes émotions. Ça vaut mieux pour mes patients.

— J'essaie de faire la même chose, croyez-moi.

Cédric la salua de la tête et quitta l'Infirmerie, car il s'y sentait de trop. Il retourna à son bureau et demanda à l'ordinateur de le prévenir lorsque le médecin rentrerait chez elle, ce qu'elle ne fit que vers neuf heures du soir. Cédric se dirigea aussitôt vers la salle des soins intensifs. Il croisa Aodhan dans le corridor central.

— Que fais-tu encore ici? s'étonna le directeur.

— La même chose que vous, j'imagine. Démarrer une base à partir de zéro nécessite beaucoup de travail, mais nous aurons bientôt mis en route les ordinateurs de toutes les sections, y compris celle de l'Antéchrist.

– Merveilleux.

– Avez-vous choisi celles où vous affecterez Jonah, Shane et Mélissa?

– J'ai pensé aux Menaces internationales, à la Mondialisation et à l'Antéchrist, mais si l'un d'eux a des aptitudes pour les ordinateurs, je pense que ce ne serait pas une mauvaise idée de le faire débuter aux Virus informatiques.

– Pas aux Faux prophètes?

– Cette section, je te la laisse, railla Cédric.

– Alliez-vous partir?

– Je voulais d'abord jeter un coup d'œil à notre patient.

– Puis-je vous accompagner?

– Pourquoi pas?

Tout comme Cédric la première fois qu'il avait vu le blessé, Aodhan ne cacha pas son empathie. Il s'approcha du lit et jeta un coup d'œil aux contusions.

– Croyez-vous aux pouvoirs des chamans, Cédric?

– J'ai vu bien des choses étranges depuis que je travaille à l'ANGE.

Aodhan frotta ses paumes ensemble pendant quelques secondes et les plaça à quelques centimètres au-dessus de la poitrine du patient. Cédric leva les yeux sur le tableau électronique pour voir si le traitement allait vraiment améliorer le sort du Naga. À son grand étonnement, il vit sa respiration s'améliorer immédiatement. L'Amérindien promena ensuite ses mains jusqu'à la tête du pauvre homme et parvint à faire baisser sa pression artérielle.

– As-tu aussi le pouvoir de réparer les fractures? se risqua Cédric.

– Je n'ai jamais essayé.

L'agent positionna ses deux mains au-dessus du plâtre qui recouvrait l'un des bras du blessé. Il ne saurait vraiment si le traitement avait fonctionné que lorsque d'autres radiographies seraient prises.

– Que faites-vous à mon patient? s'exclama une voix féminine derrière eux.

Aodhan fit volte-face, mettant fin au traitement.

– Vous n'êtes pas censés être ici! poursuivit Athenaïs, en colère.

– Nous n'avons touché à rien, assura Cédric.

Elle vérifia quand même tous les fils.

– Aodhan a des dons spéciaux, tenta de lui expliquer le directeur.

– Est-il médecin?

– Non, répondit lui-même l'Amérindien. Je suis le petit-fils d'un grand chaman.

– Ce dont cet homme a besoin, ce n'est pas de quelques danses et de gris-gris.

– Je n'utilise que l'énergie de mes mains.

– Son intervention a-t-elle nui de quelque façon que ce soit au blessé? s'informa Cédric.

Athenaïs fronça les sourcils en relisant toutes les données électroniques.

– Il est important qu'il demeure stable si je veux commencer les chirurgies bientôt.

– Me laisserez-vous au moins vous expliquer en quoi consistent ces merveilleuses facultés? l'implora Aodhan.

– Une explication scientifique?

– Si vous le voulez.

Elle tourna les talons et il la poursuivit dans le corridor.

– IL LA TROUVE BELLE, LUI AUSSI.

– N'importe quel homme la trouverait belle. Cela ne veut pas dire qu'elle est facile d'accès ou même disponible.

– ELLE AURAIT DÛ VOUS DIRE QUE LE PATIENT VA BEAUCOUP MIEUX DEPUIS QUE MONSIEUR LOUP BLANC A EFFECTUÉ UN BALAYAGE MAGNÉTIQUE SUR LUI. IL VIENT D'AILLEURS D'OUVRIR LES YEUX.

– Quoi?

Cédric se pencha aussitôt sur le blessé. Il entrevit ses pupilles profondément bleues à travers ses paupières enflées.

– Où…, souffla le pauvre homme.

– N'essayez pas de parler. Cela vous occasionnerait davantage de douleurs. Pouvez-vous bouger une partie de votre corps sans trop souffrir?

Le Naga remua son petit doigt.

– Ne le bougez que si la réponse est oui. Vous appelez-vous Damalis?

Le Naga remua une fois de plus son petit doigt.

– Je suis l'ami de Théo.

Sans avertissement, le Spartiate se changea en reptilien, faisant craquer tous ses plâtres! «Le docteur Lawson va me tuer», s'alarma Cédric en voyant tomber tous les bandages sur le sol.

– Où suis-je?

– Je ne peux pas vous le révéler, mais vous êtes en sécurité.

– Perfidia est-elle morte?

– Non. Elle est grièvement blessée, mais elle a réussi à s'enfuir.

– Les œufs?

– Ils ont été détruits dans l'explosion du volcan.

– Mes frères?

– Vous êtes le seul survivant. Je suis vraiment navré.

Le Naga reprit sa forme humaine et ferma les yeux. C'était une terrible nouvelle à lui annoncer, mais Cédric ne voulait pas lui mentir.

...035

Avant que Cael Madden ne quitte Toronto, ses admirateurs lui offrirent un autobus qu'ils avaient peint en bleu et sur lequel ils avaient écrit dans toutes les langues : IL EST VENU NOUS SAUVER. C'est donc dans le stationnement d'un centre commercial que Cindy Bloom retrouva son nouveau héros. Avec un large sourire, il acceptait les clés de son nouveau véhicule et remerciait tous ceux qui avaient contribué à ce cadeau. Les gens se mirent à chanter une chanson de paix bien connue, pendant que la jeune femme, qui portait sur le dos un sac contenant quelques vêtements, se faufilait dans la foule. Lorsqu'elle arriva finalement près de Cael, il lui prit la main et l'attira contre lui.

— Comment pouvez-vous être le sauveur du monde et avoir une petite amie ? s'offensa un de ses disciples.

— Cindy est mon inspiration et mon soleil. Cessez de croire que Jésus était célibataire. Il n'aurait jamais pu prêcher en Judée s'il n'avait pas été marié.

Il entraîna la jeune femme dans l'autobus et en fit vrombir le moteur, pour le plus grand plaisir de ses partisans. Ils marchèrent de chaque côté du véhicule jusqu'à l'entrée de l'autoroute, bloquant la circulation et occasionnant de nombreux retards dans toute la ville.

— Où allons-nous ? voulut savoir Cindy.

— Nous nous arrêterons à plusieurs endroits, dont Kingston, puis nous prendrons Montréal d'assaut.

— Pourquoi Montréal ?

– Parce que quelqu'un là-bas m'a promis un passage à Jérusalem.

– Vraiment? se réjouit-elle. J'ai toujours rêvé de visiter la Ville sainte.

– Je n'y vais malheureusement pas en touriste, mais pour revoir certains endroits qui me sont chers.

– Merci, Cael, de me permettre de vivre cette grande aventure.

– C'est ton destin, belle enfant.

– Mais où se trouve Aodhan?

– Il est déjà parti pour Montréal. Nous le reverrons là-bas.

Cindy demeura près de Madden lors des conférences qu'il prononça partout sur la route. Le trajet, qui nécessitait habituellement six heures, dura plus de quatre jours. La jeune femme n'avait jamais été aussi heureuse. Il émanait du prophète des ondes d'euphorie qui enivraient tous ceux qu'il rencontrait. Cael était doux, attentif et stimulant. Il écoutait tout ce que l'ancienne agente avait à dire sans l'interrompre et il lui parlait de la bonté de Dieu. Plus surprenant encore, il n'avait exigé aucune faveur sexuelle en échange de ses bons conseils. En sa présence, le temps cessait d'exister et la peur fondait comme de la glace au soleil.

En arrivant à Montréal, Cindy huma l'air et reconnut des odeurs familières. Les adeptes de Madden avaient organisé un ralliement au nouveau Centre Bell, dont on venait de terminer la reconstruction, et loué pour leur sauveur la plus belle suite en ville. Personne ne voulait répéter les erreurs commises deux mille ans plus tôt. Le messie ne dormirait plus jamais sur de la paille.

Cindy s'éternisa sous la douche. Elle lava ses cheveux, s'enroula dans un duveteux peignoir et alla se planter devant la large fenêtre qui offrait une magnifique vue sur le lac des Deux-Montagnes. Autrefois, les hôtels les plus en demande étaient situés au centre-ville, mais ils avaient tous été détruits en même temps que la base de Montréal. On commençait à peine à les rebâtir. Cael arriva derrière elle et l'entoura de ses bras, appuyant son menton sur son épaule.

– Tu es contente de revenir chez toi, remarqua-t-il.

– Je ne suis pas née ici, mais c'est tout comme. J'ai appris à aimer cette ville malgré tout ce que nous y avons vécu.

– Si tu le veux, nous y resterons quelque temps avant de partir pour Jérusalem.

– Je pourrais aller faire les magasins.

– Nous ferons tout ce que tu voudras, mon ange de lumière.

Ils se préparèrent à partir pour la conférence. Cindy enfila une jolie robe d'été verte. Des disciples vinrent les chercher, pour qu'ils n'aient pas de mal à trouver le nouveau centre. Cindy fit descendre la vitre de sa portière et laissa le vent chaud caresser son visage.

Ils furent conduits à une grande loge où Cael refusa évidemment d'être maquillé. Selon lui, il était important d'être vrai lorsqu'on parlait de Dieu. Il dut par contre se plier aux contraintes de l'éclairage, mais exigea de n'être équipé que d'un seul micro. Il se recueillit ensuite sur le sofa. Personne n'osa le déranger avant l'heure de la conférence. Ce fut Cindy qui lui caressa doucement le bras. Il ouvrit les yeux en lui souriant et prit sa main dans la sienne.

Le couple marcha dans le long couloir qui menait à la patinoire, suivi de partisans qui, en réalité, leur servaient de gardes du corps. Un tonnerre d'applaudissements résonna dans l'aréna. Cael prit le temps de s'arrêter pour serrer les mains des gens qui occupaient les premières rangées. C'est alors que Cindy identifia un visage dans la foule. Le jeune homme en question écarquilla les yeux, montrant qu'il la reconnaissait lui aussi.

– David? s'étrangla Cindy.

On avait annoncé la mort de l'agente dans tous les journaux, à la suite de la catastrophe de Montréal, alors la dernière personne que David Bloom s'attendait à voir à cette conférence, c'était sa sœur! Cindy ne put s'arrêter pour lui expliquer ce qui s'était passé, car Cael tirait sur sa main. Elle vit les lèvres de son frère mimer son nom, puis fut éblouie par une pluie de projecteurs.

Au même moment, à Jérusalem, Adielle écoutait les nouvelles de la journée en mangeant distraitement. On avait encore tenté de tuer Asgad Ben-Adnah, mais les détails de l'attentat étaient obscurs. On disait qu'il s'était produit dans sa villa et que l'assassin avait trouvé la mort, sans l'identifier. S'agissait-il d'Océane? La directrice avalait la dernière bouchée de son repas lorsque le présentateur annonça joyeusement que le plus grand homme politique de tous les temps allait bientôt se marier avec la jolie demoiselle qui supervisait la construction de son temple depuis des mois. Adielle s'étouffa en apercevant sur l'écran une photographie d'Océane en train de travailler sur le chantier de Jérusalem.

– Mais elle est tombée sur la tête! s'écria-t-elle, scandalisée.

Adielle enfila immédiatement sa veste en cuir et retourna à sa base. Eisik avait presque terminé son quart de travail. Il comprit cependant en voyant le visage rouge feu de sa patronne qu'il rentrerait chez lui plus tard.

– Qu'est-ce que c'est que cette histoire de mariage? cria-t-elle, hors d'elle.

– Malheureusement, mes sources affirment que ce n'est pas un potin.

Une alerte retentit dans la base, faisant sursauter tout le monde. Les techniciens échangèrent un regard incrédule avant de s'affairer à leurs postes.

– Quelqu'un vient de foutre en l'air le traité de paix de monsieur Ben-Adnah, on dirait, marmonna Eisik en pianotant sur son clavier. Des missiles arrivent sur Jérusalem.

– Pointez tous les capteurs vers le ciel et trouvez-moi l'origine de ces missiles! ordonna Adielle.

– Fermeture des portes de sauvegarde. N'utilisez pas l'ascenseur.

– Mettez-moi en contact avec madame Zachariah.

– Tout de suite, madame Tobias.

– Je ne connais pas ce type d'armements, laissa tomber Eisik lorsque les premières images recueillies par les capteurs apparurent sur les écrans.

– Communication établie.

– Mithri, on nous attaque!

– Je sais, Adielle. Toutes les bases de l'ANGE sont à la recherche de la nation qui a lancé cet assaut aérien. Pour l'instant, nous savons juste qu'elle provient de l'est.

– Des mesures ont-elles été prises pour les intercepter?

– Nous sommes en contact avec les gouvernements susceptibles de vous aider. Restez en ligne.

À l'extérieur de la base, les sirènes avaient retenti, et ce n'étaient pas celles du couvre-feu. Même si elles n'avaient pas été entendues depuis bien longtemps, les habitants savaient exactement ce qu'elles signifiaient. Abandonnant leurs occupations, ils couraient se réfugier dans les abris souterrains.

Océane était sur le chantier de Jérusalem, encadrée de deux gardes du corps qui la suivaient désormais partout, lorsque l'alerte fut lancée.

– Venez, mademoiselle, la pressa l'un des deux hommes. Nous ne devons pas rester ici.

– Que se passe-t-il?

– Cette sirène nous avertit qu'on nous attaque.

Dans les lueurs du couchant, Océane vit arriver les missiles.

– Il ne nous sert à rien d'aller où que ce soit, capitula-t-elle. Il ne reste que quelques secondes avant l'impact.

Elle demeura figée, flanquée des deux colosses, pour observer l'approche de leur mort. Sa première pensée fut pour Yannick. «Dieu, si vous devez sauver un seul d'entre nous, que ce soit lui», pria-t-elle. Puis elle pensa à Thierry. «Au moins, sa mort lui évitera d'atroces souffrances…». C'est alors que se produisit un étrange phénomène. Inexplicablement, les missiles s'arrêtèrent en plein vol comme si une main invisible les tenait entre ses doigts.

Non loin du nouveau temple, les deux apôtres s'évertuaient à repousser cette agression injustifiée contre la Ville sainte. Yannick savait que seul le contact du sol ferait exploser les charges. Yahuda et lui ne pourraient cependant pas retenir éternellement les bombes dans les airs. «Heureusement que j'ai étudié l'astrophysique», se félicita-t-il. Utilisant toute l'énergie qui lui restait, il fit pivoter les projectiles à la verticale. Comprenant ce qu'il essayait de faire, Yahuda l'imita. Ils échangèrent un coup d'œil entendu et libérèrent les missiles, qui filèrent vers les étoiles naissantes et explosèrent en quittant l'atmosphère.

Océane se laissa tomber à genoux en pleurant. C'était le premier miracle auquel elle assistait. Elle qui n'avait toujours cru qu'en ce qu'elle pouvait voir ou toucher, elle se sentait maintenant aussi insignifiante qu'un grain de sable dans ce vaste univers.

Dans la base de Jérusalem, Adielle était toujours plantée derrière Eisik, aussi pétrifiée que le reste de son personnel.

— Mithri, dites-moi que l'ANGE a quelque chose à voir avec la destruction de ces armes…

— Nous n'avons pas eu le temps de faire quoi que ce soit.

— Alors, qui est notre sauveur?

— Nous l'ignorons pour l'instant.

La grande dame de l'ANGE se tenait debout au milieu des Renseignements stratégiques de la base de Genève, incapable de comprendre comment une centaine de missiles s'étaient arrêtés dans le ciel et avaient tous en même temps effectué un angle de quatre-vingt-dix degrés avant d'aller exploser dans l'espace.

Imprimé sur du Rolland Enviro100, contenant
100% de fibres recyclées postconsommation,
certifié Éco-Logo, Procédé sans chlore, FSC
Recyclé et fabriqué à partir d'énergie biogaz.

La production du titre A.N.G.E., *Codex Angelicus* sur du papier Rolland
Enviro100 Édition, plutôt que sur du papier vierge, réduit notre empreinte
écologique et aide l'environnement des façons suivantes :

    Arbres sauvés : 332
    Évite la production de déchets solides de 9 560 kg
    Réduit la quantité d'eau utilisée de 904 351 L
    Réduit les matières en suspension dans l'eau de 60,5 kg
    Réduit les émissions atmosphériques de 20 993 kg
    Réduit la consommation de gaz naturel de 1 366 m^3

C'est l'équivalent de : 6,8 terrains de football américain d'arbres, de 41,9 jours de
douche et de l'émission de 4,2 voitures pendant une année.

Avril 2009